## □ はじめに

1940 年代はじめ、当時のダンス音楽として白人のビッグバンドを中心に演奏されていたスウィングジャズに飽きたらなくなった一部の若いミュージシャン達は、より大きい音楽的な刺激を求めてアフターアワーのジャムセッションの中で、音楽的な研鑽を重ねていきました。

その中でも特に急進的、実験的ともいえる試みの中にいたのが、チャーリー・クリスチャン（ギタリスト）やケニー・クラーク（ドラマー）といった凄腕のミュージシャンたちであり、この音楽的実験の中心人物としてビバップのスタイルを確立させていったのがチャーリー・パーカー、ディジー・ガレスピーです。

このチャーリー・パーカー達により確立されたビバップと呼ばれるスタイルでは、コード（ハーモニー）に基づき曲のテーマのメロディをはるかに超えてフレーズが拡張されていき、目まぐるしいといえるほどの連続したフレーズや音のジャンプ、3 連符や倍テンポの多用等により、アドリブはより複雑なものになっていきました。

本書は、モダンジャズの創始者であり、現代ジャズに連なるジャズの語法を確立したチャーリー・パーカーをはじめとするビバップ期のミュージシャンによく使われたコード進行やフレーズを整理しながら、ジャズのアドリブをマスターする、というコンセプトで書かれています。

アドリブは、その場での音楽的な閃き（ひらめ）によるものが理想ですが、そこへいたる過程として単語に相当する短い単位でのフレーズや、文法に相当するコードとの関係等を覚えていき、それを自然に操ることができるよう繰り返し練習することが必要になります。

そのような「単語」を「文法」に相当する一定の法則（音楽理論やコード進行）に則って自由に組み合わせられるようになることが、ジャズをマスターするということだと言えるでしょう。

本書で取り上げているビバップフレーズや歌い回しのテクニック等が、本書を勉強する方の音楽的なボキャブラリー向上の一助になれば幸いです。実際に音を出して、楽しみながら進めてください。

堀川大介

アドリブ演奏に役立つ！

ビバップから学ぶ

# ジャズ・ギター

## 第１章　ビバップの特徴とフレーズの作り方



## 第２章　コード別フレーズ集

## 第3章 実際の曲で覚えるビバップ・スタイル



## 巻末資料

# CD Index

# 第1章
# ビバップの特徴とフレーズの作り方

第1章ではビバップらしいフレーズの特徴やポイントを紹介していきます。音楽理論的な内容も少し入ってきますので、そういったものが苦手な方は、先に3章で実際の曲を弾いてみるのも良いでしょう！

第1章 STEP 1

# コード・アルペジオの活用

ビバップ特有のリズムや音形の説明に入る前に、ジャズらしいフレージングをするための「基本的な方法」を整理しておきましょう。その中で最初に紹介するのが、「**アルペジオの活用**」です。

## ▶アルペジオでコードを感じさせる

いわゆる「ジャズらしいフレーズ」の要素はいくつもあげられますが、「**コード、またはコード進行を感じさせるようなライン**」というのは、その中でも代表的なものです。

コードを感じさせるようなソロを取るため、フレーズの全部、または一部にコード・アルペジオを取り入れることは、ジャズ・ミュージシャンにとってぜひ身につけておきたい必須の手法といえます。

**Ex-01** コードを感じさせるアルペジオ1

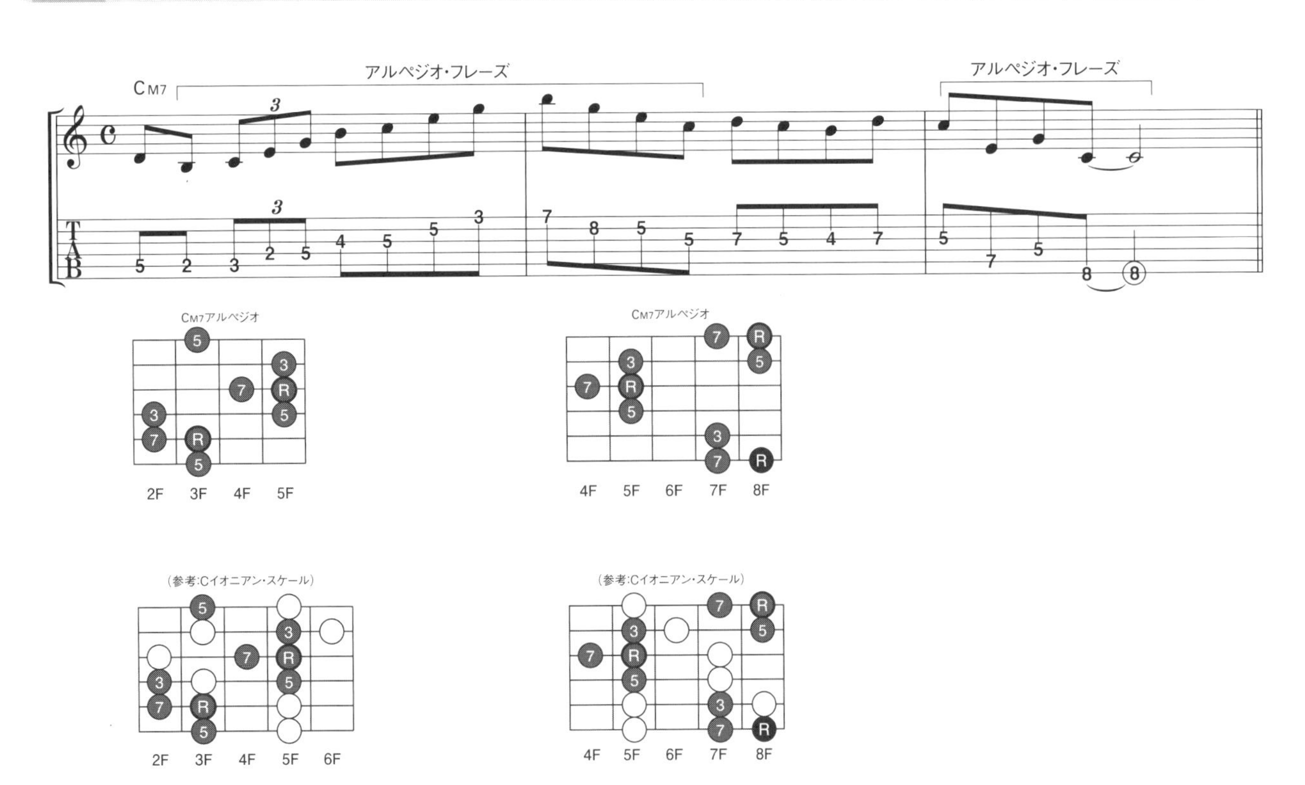

## Ex-02 コードを感じさせるアルペジオ2

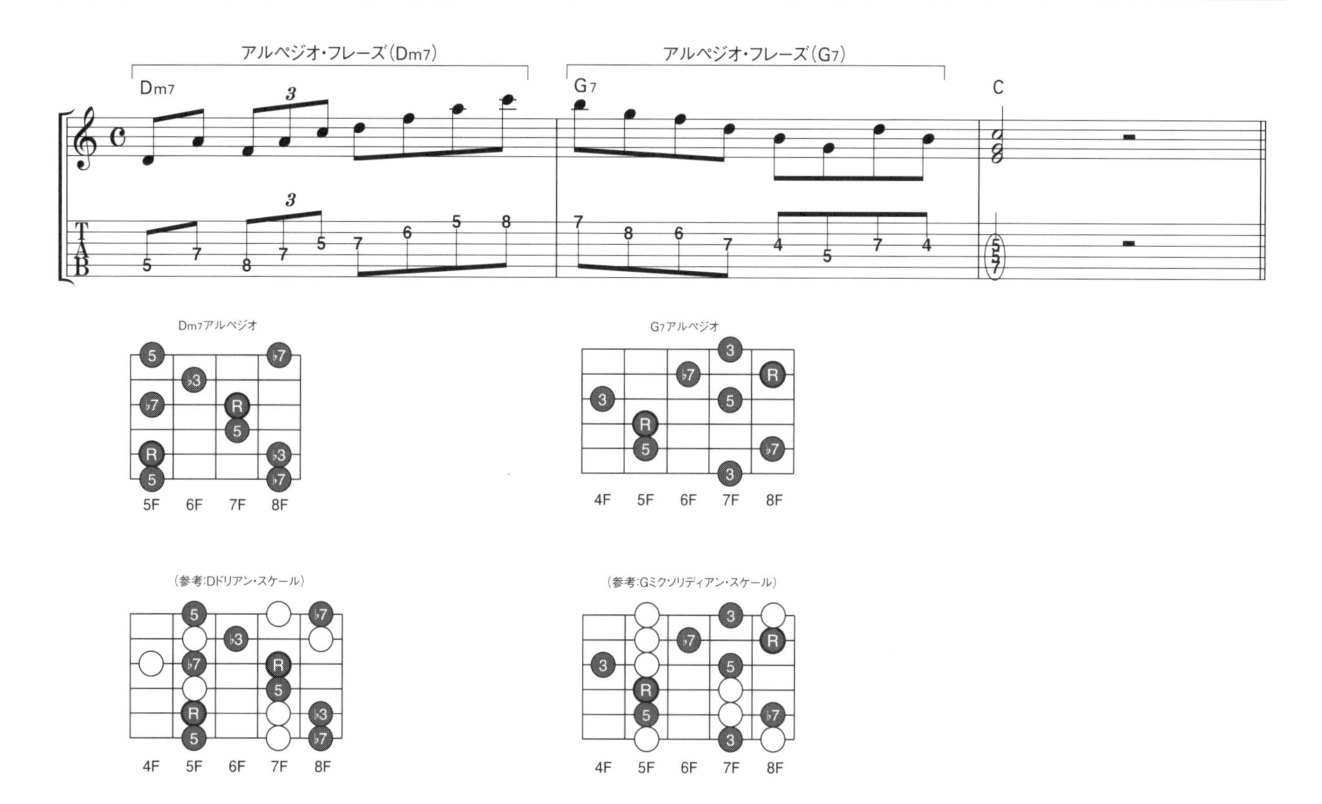


## Ex-03 コードを感じさせるアルペジオ3

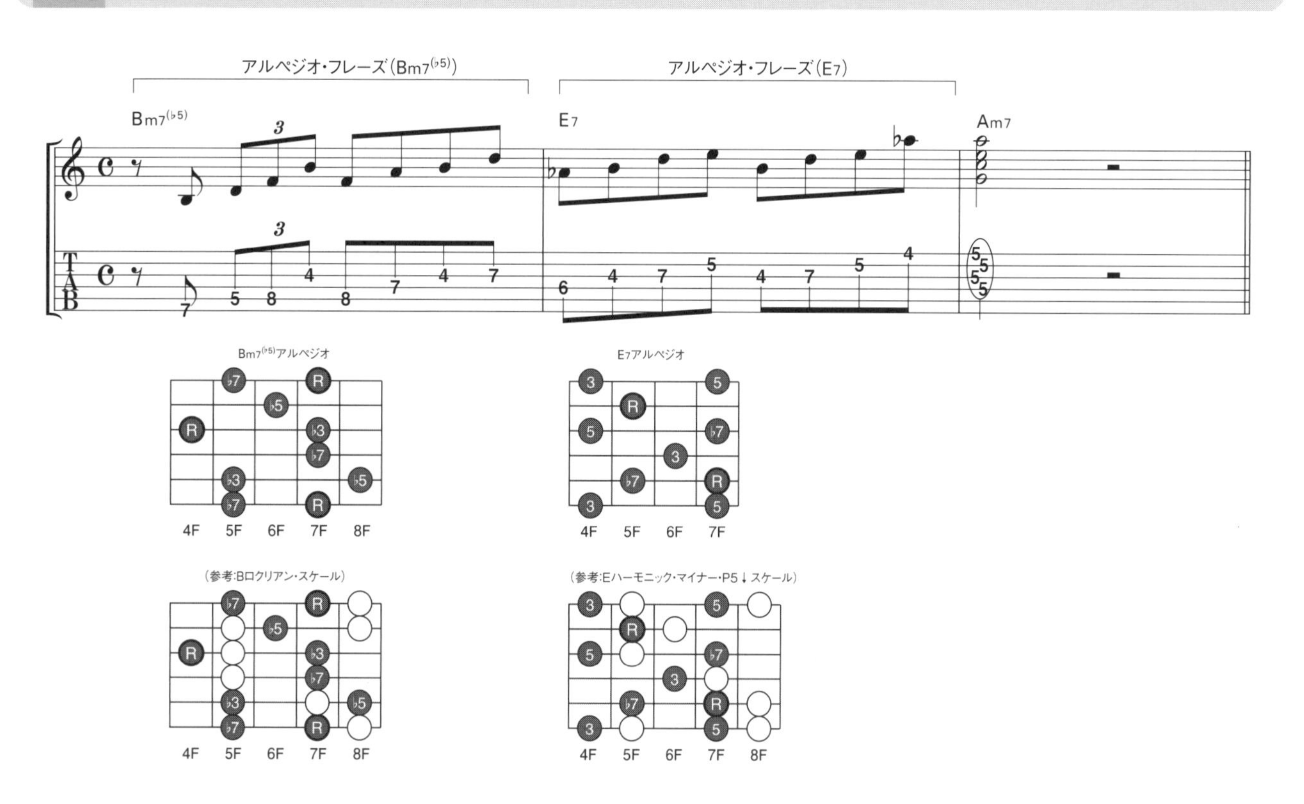


このようにアルペジオを主体にしたフレーズでは、バックにコードが鳴っていなくても「コードの響き」を感じることができます。本書で取り上げる譜例でもできる限りダイアグラムでアルペジオを明示していますので、参考にしてください。

第1章 STEP 2

# ダイアトニック・コードとは?

アルペジオ・フレーズは、例えば、単純にCM7コード上でCM7のアルペジオを弾くというだけではなく、代理コードと呼ばれる「**置き換え可能なコード**」のアルペジオも用いることができます。基本的なものとしては、同じ機能を持つダイアトニック・コードへの置き換え(代理)が代表的です。では、ダイアトニック・コードとは一体どんなコードなのでしょう?

## ▶ダイアトニック・コードとテンション

### ●ダイアトニック・コードとは?

ダイアトニック・コードとは、あるスケールの構成音からできているコードのことで通常の7音階のスケール(メジャー・スケール等)の場合、7つ存在します。

実際にCメジャー・スケールを例に見てみましょう。まず基本となるCの音から順番に、「E、G、B」とそれぞれの音を一つ飛ばしで音を積んでいきます。この場合、Cから見て「1度(C)、3度(E)、5度(G)、7度(B)」の音ということになります。

**図-01** 音を一つ飛ばしで重ねる

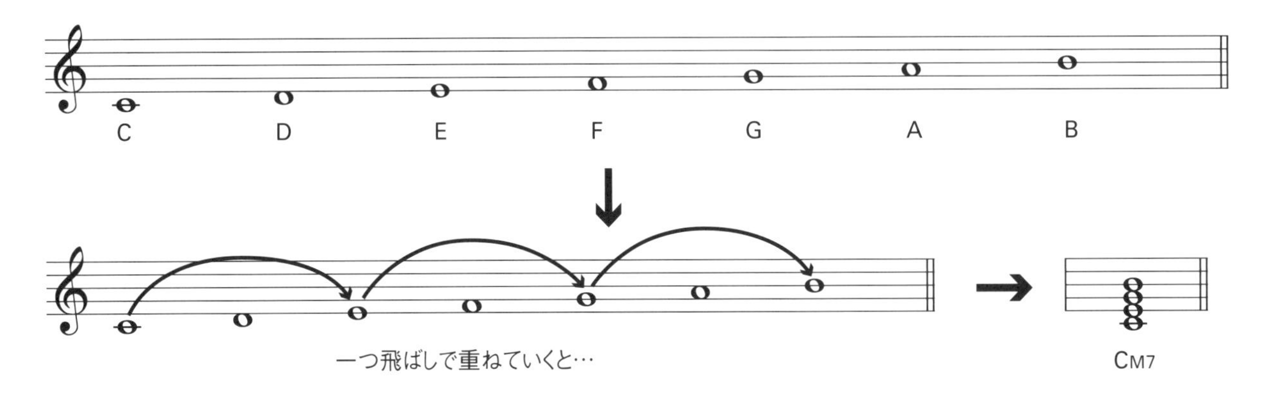


こうして積み重ねたコードは、その重ねた**音程の間隔(インターバル)**によってコード・ネームをつけていきます(上記の場合、CM7となります)。同様にDから、Eからと積み上げた和音群が、任意のキーにおけるダイアトニック・コードとなります。

**図-02** Key=Cのダイアトニック・コード

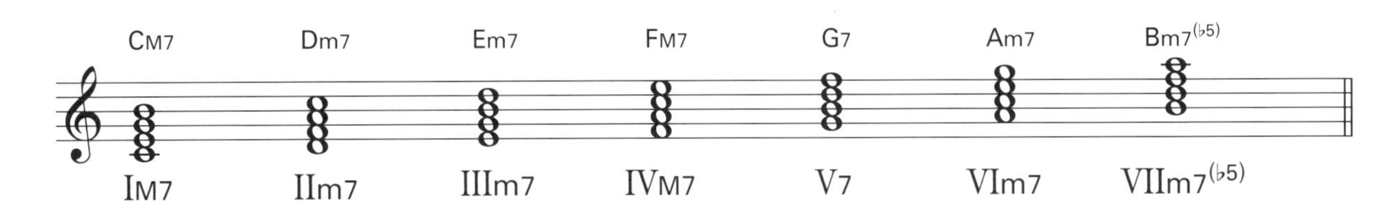


ジャズ・スタンダードをはじめとするほとんどの曲が、このようなダイアトニック・コードを中心に作られています。

## ★テンションとは？

では、ダイアトニック・コードの上にオクターブを超え、さらに一つ飛ばしに音を積み上げていくとどうなるでしょう？

**図-03** ダイアトニック・コードの上に、さらに音を積む1

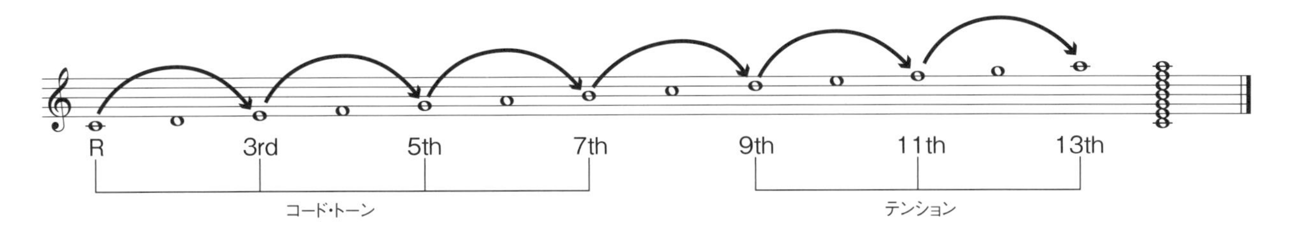


このような和音が積み上がりました。

**図-04** ダイアトニック・コードの上に、さらに音を積む2

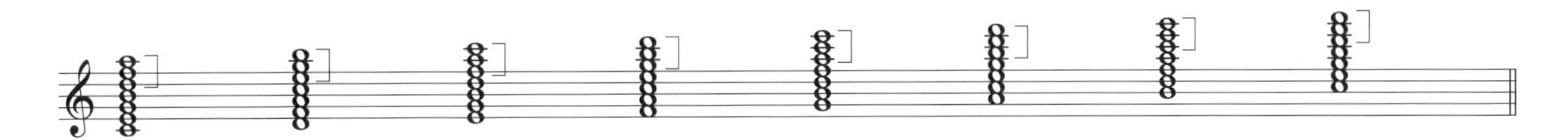

］はオクターブを越えて積み上げられた音

このように4和音（コード・トーン）にさらに積み上げられた音を「**テンション**」とよび、これらの音を使うことで和音に緊張感を与え、さらに多彩な響きを得ることができます。

### COLUMN アボイド・ノート

先ほどのテンションですが、実際の演奏においては必ずしもコード・トーンよりも高い音ではなく、「**コード・トーンの間**」にテンションを置く場合もよくあります。ただし、コードの構成音（コード・トーン）に対して「**半音上（♭9）の関係にある音**」は、音が濁ってしまいコードの機能（ファンクション）を壊してしまうため、あまり使われません。このような音を「**アボイド・ノート**」といいます。

例えば、CM7の構成音は「C（ルート）、E（3度）、G（5度）、B（7度）」ですが、ここに11thにあたるFの音を使うと、3度のEの音と半音（♭9th）でぶつかってしまい、コードの機能を壊してしまいます（トライ・トーン（※）以上に不協和な響きになります）。このあたりも頭で覚えようとするより、様々なコードを実際に弾いて練習するうちに身につくことですから、そこまで気にする必要はないでしょう。

※減5度離れた音程で、セブンス・コードの3度と7度の音程でもある。例：G7はBとF、C7はEとB♭、B♭7はDとA♭。

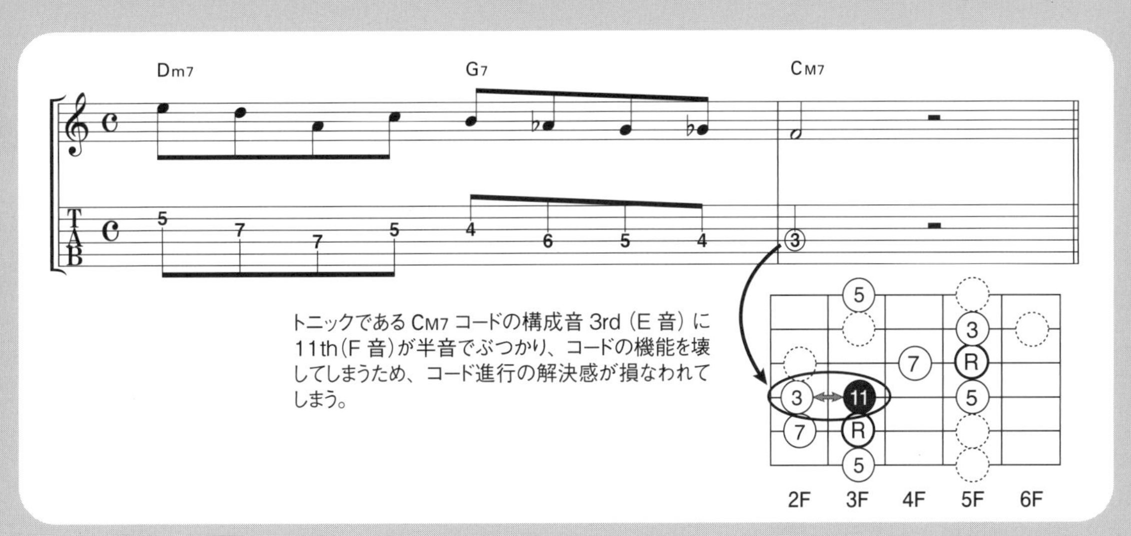


トニックであるCM7コードの構成音3rd（E音）に11th（F音）が半音でぶつかり、コードの機能を壊してしまうため、コード進行の解決感が損なわれてしまう。

### ★コード・トーン+テンション=?

さて、先ほどのコラムでコード・トーンとテンション(アボイド・ノート含む)について解説しましたが、コードにアボイド・ノートを含むテンションを加えたものは、実質的にスケールと等しくなります。たとえばCM7のコード・トーンに「9th、11th、13th(6th)」のテンションを足したたものは「Cイオニアン・スケール」となり、「**それぞれのコード上**」で使用できます。このようなスケールを「**アベイラブル・ノート・スケール**」といいます。ここでまとめておきましょう。

## ▶アベイラブル・ノート・スケール

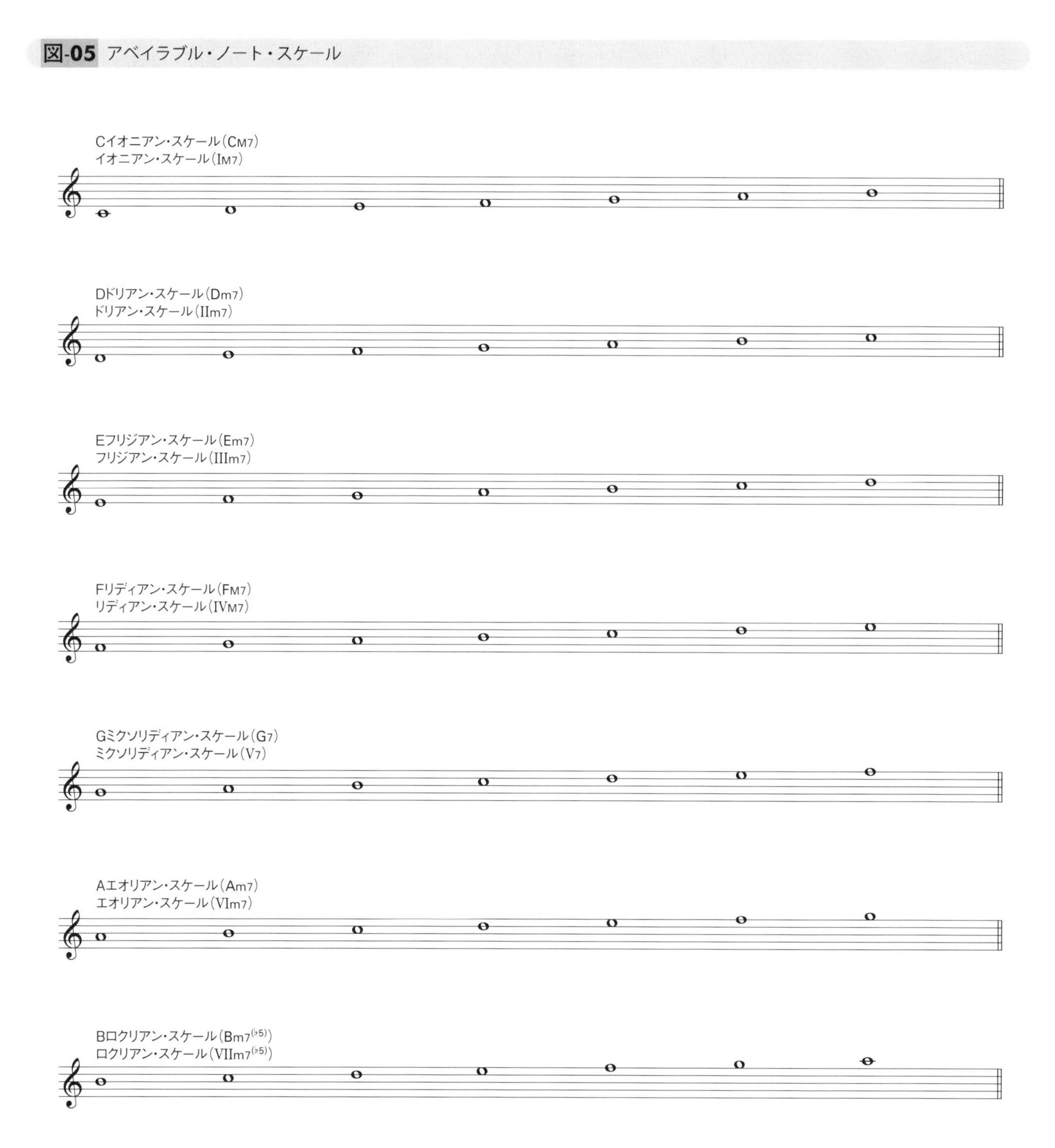


**図-05** アベイラブル・ノート・スケール

# アボイド・ノートを回避したスケールを覚えよう

## ●IM7でリディアン・スケール

また、実際の演奏では、これらダイアトニック・スケールの一部をさらに変化させることによって、アボイド・ノートのないスケールとして使用することがあります。例えばCM7（IM7）ではFがアボイド・ノートですが、このF音を半音上げるとCリディアン・スケールと等しくなり、アボイド・ノートがないことからよく利用されます。

**図-06** IM7でリディアン・スケール

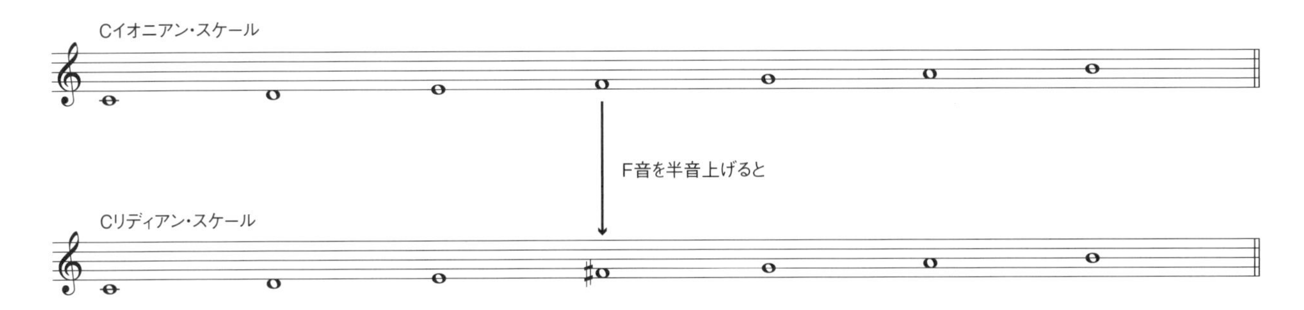


## ●V7でリディアン♭7スケール

同様にG7（V7）に対応するGミクソリディアン・スケールでは、C音がアボイド・ノートですが、これを半音上げるとGリディアン♭7スケールとなり、同様にアボイド・ノートがないことからよく利用されます。

**図-07** V7でリディアン♭7スケール

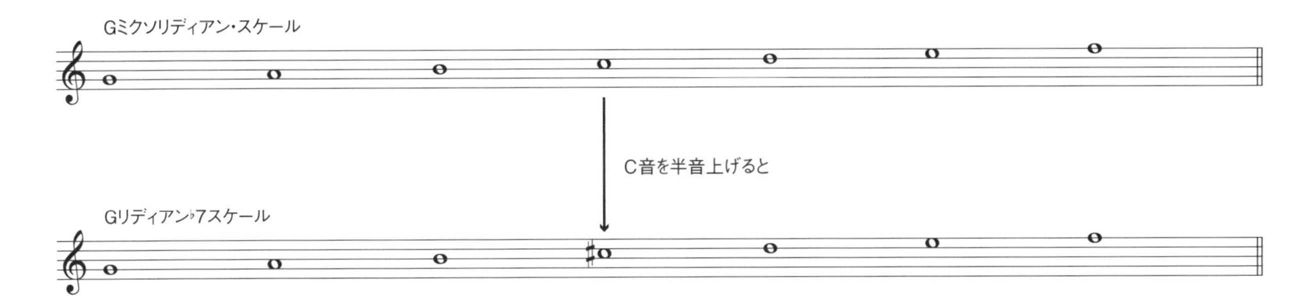


## ●VIIm7(♭5)でロクリアン♯2スケール

もう一つ、ハーフ・ディミニッシュとも呼ばれるマイナー・セブンス♭5thコードでも、通常使われるロクリアン・スケールでアボイド・ノートとなる♭2ndの音を半音上げたロクリアン♯2スケールを使用することが多くあります。

**図-08** VIIm7(♭5)でロクリアン♯2スケール

ビバップ期のミュージシャンが、実際の演奏の際にこのようなスケールによる理解や整理をしていたかは定かではありませんが、今日的な観点からは併せて理解しておくことをオススメします。

# 第1章 STEP 3

# ダイアトニック・コード代理の実際

## ダイアトニック・コードの機能

さて、ここまで説明したダイアトニック・コードは、その構成音によってそれぞれのコードに特有の「**機能(ファンクション)**」を持つとされており、構成音の似たものをまとめて、大まかに「**3つ**」に分類されています。

**図-01** ダイアトニック・コードの機能

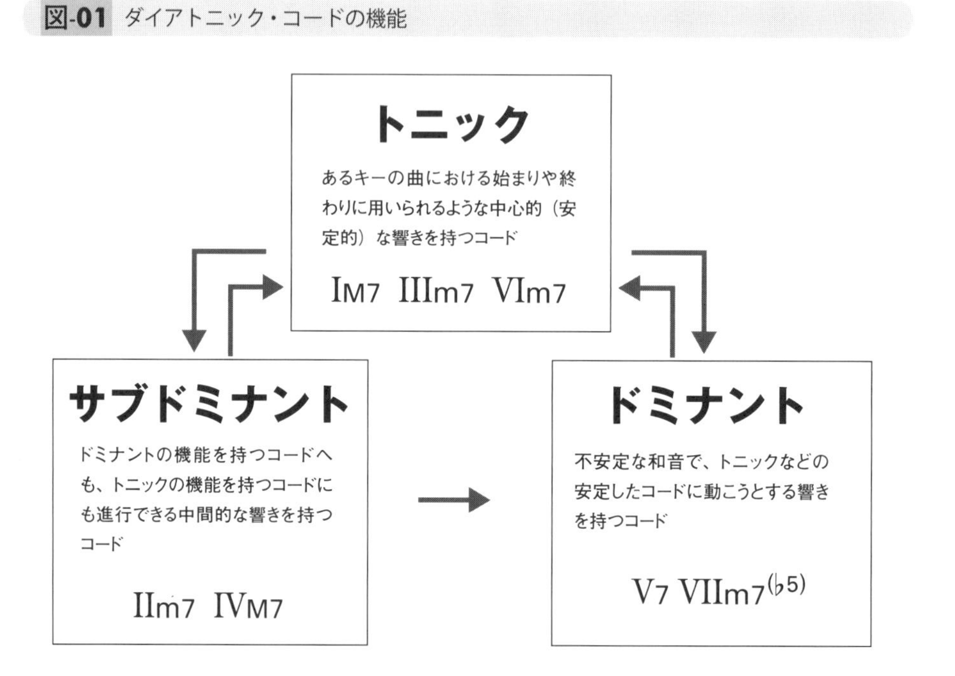


例えばCメジャー・キーの場合であれば以下のようになり、それぞれ同じ機能に属するコードを置き換えて使用することができます。このように置き換えられる(代理できる)コードを「**代理コード**」といいます。

**トニック群(T)**　：CM7(IM7)、Em7(Ⅲm7)、Am7(Ⅵm7)
**サブドミナント群(SD)**　：FM7(ⅣM7)、Dm7(Ⅱm7)
**ドミナント群(D)**　：G7(Ⅴ7)、Bm7(♭5)(Ⅶm7(♭5))

**Ex-01** 代理コードを意識してフレーズを弾こう1

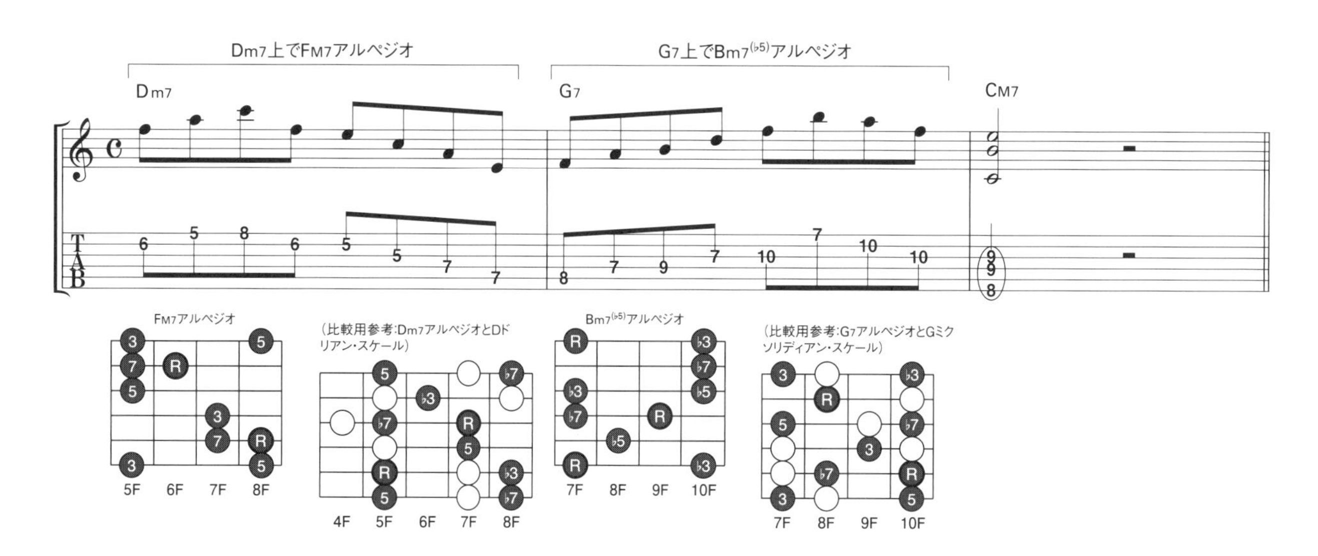

Ex-01の譜例では、代理コードを想定して以下のようにアルペジオを弾いています。

・Key＝CのサブドミナントDm7（Ⅱm7）上で、同じサブドミナントの機能を持つFM7（ⅣM7）のアルペジオ

・Key=CのドミナントG7（Ⅴ7）上で、同じドミナントの機能を持つBm7(♭5)（Ⅶm7(♭5)）のアルペジオ

### Ex-02 代理コードを意識してフレーズを弾こう2

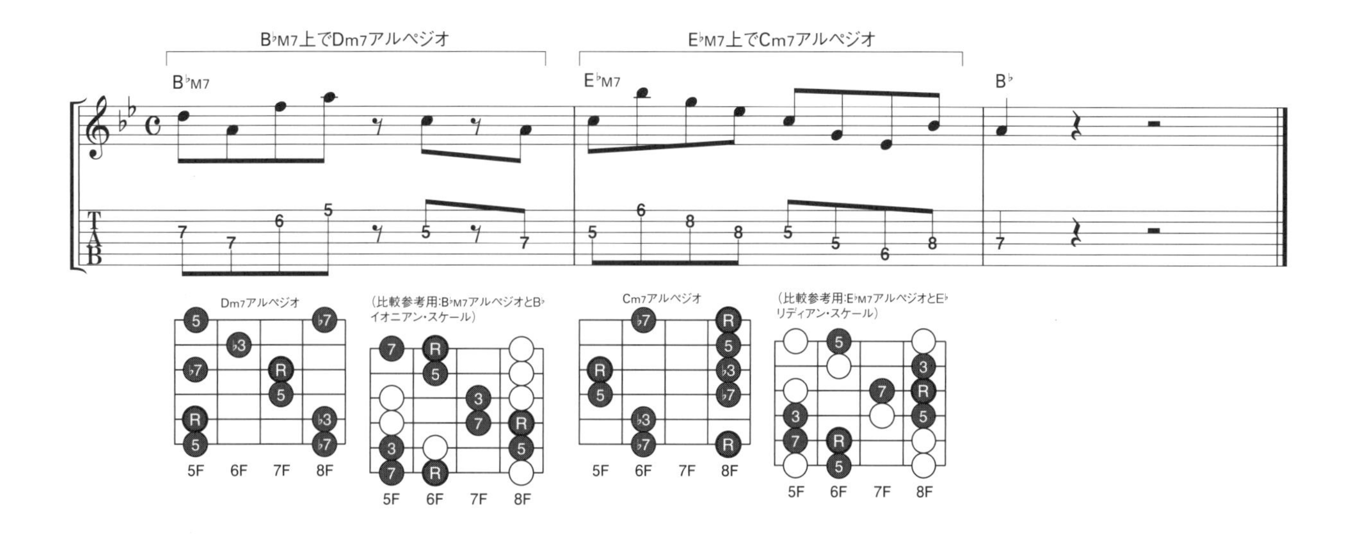


こちらはB♭M7コード（トニック、ⅠM7）上で、同じくトニックの機能を持つDm7（Ⅲm7）を、また、サブドミナントにあたるE♭M7コード（ⅣM7）上で同じくサブドミナントの機能を持つCm7（Ⅱm7）のアルペジオを弾いています。どちらも違和感無く響くことを確認してください。

## ●マイナー・キーの機能

同様にマイナー・キーについても整理しておきましょう。ここでは、例としてCマイナー・キーで見てみましょう。

**トニック群（T）**　：Cm7（Ⅰm7）、E♭M7（Ⅲ♭M7）

**ドミナント群（D）**：Gm7【G7】（Ⅴm7、Ⅴ7）

**サブドミナント群（SD）**

Dm7(♭5)（Ⅱm7(♭5)）、Fm7（Ⅳm7）、A♭M7（Ⅵ♭M7）、B♭7（Ⅶ♭7）

### Ex-03 代理コードを意識してフレーズを弾こう3

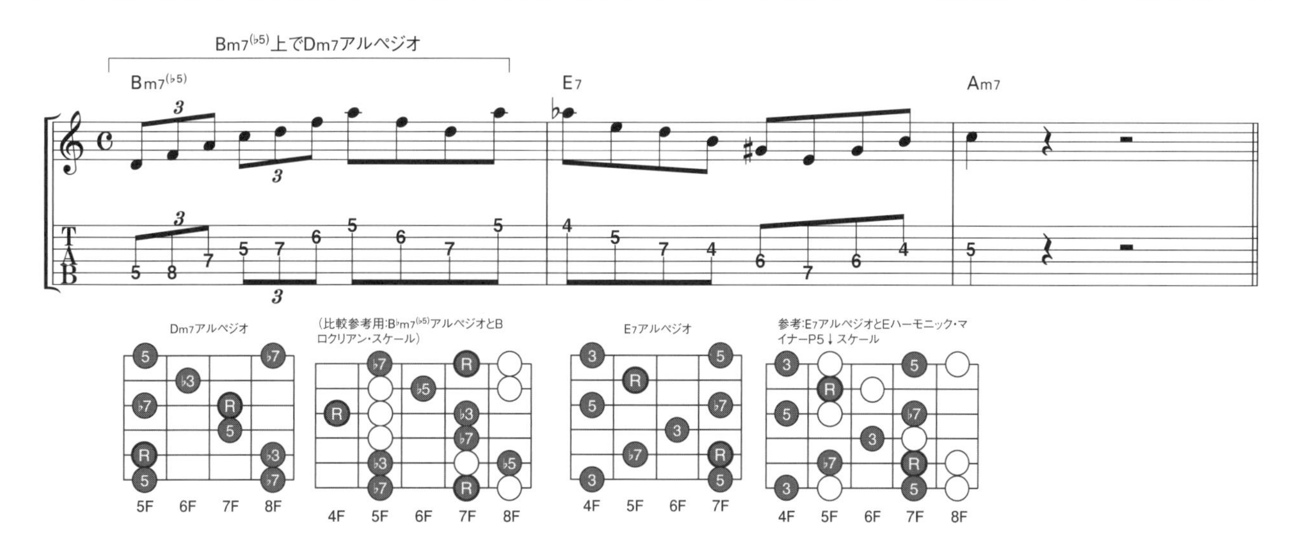


Bm7(♭5)上でDm7のアルペジオを弾いています。これも特に違和感なく聴こえると思います。一種のマイナー・コンバージョン（P.101）ととらえることもできます。

第1章 STEP 4

# ドミナント・コードで使えるテンションとスケール

## ドミナント・コードの代理1

さて、ここまで紹介した代理コードは同じスケール（メジャー・スケール）から派生するダイアトニック・コード中、共通音の多いものということで理解がしやすいところですが、ドミナント・コードにおいては「**不安定な響き**」こそがコードの機能のキモですから、「**メジャー・スケールに含まれていない不協な音**」をテンションとして使ったり、またはこれらのテンションを含むコードやスケールを代理として使用することができます。

ドミナントV7で使えるメジャー・スケールに含まれていないテンション（♭9th、♯9th、♯11th、♭13th）を、V7アルペジオ（ここではG7）に重ねてみましょう。

**図-01** メジャー・スケールに含まれないテンションの位置を覚えよう

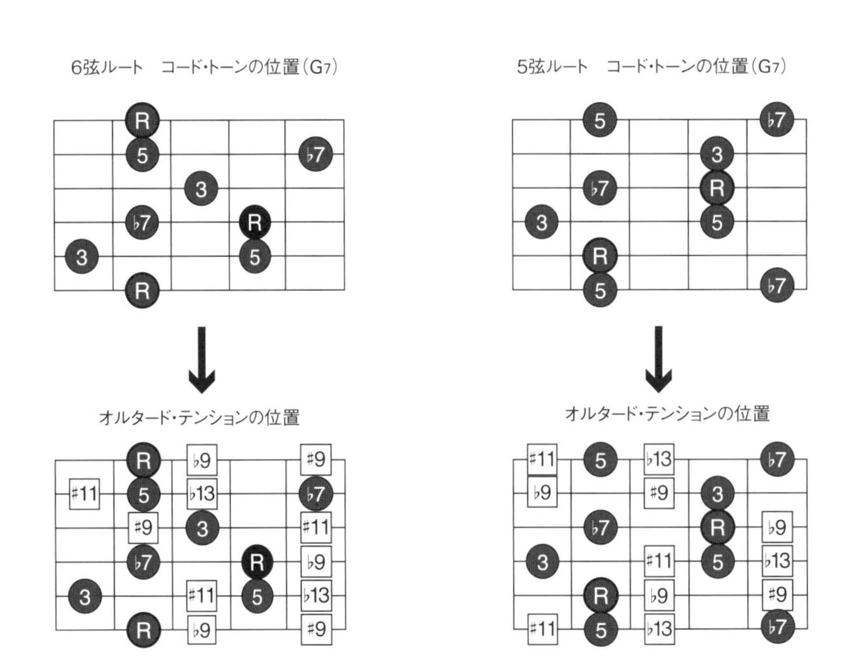


これらのテンションは、元々の「9th、11th、13th」のテンションを変化させたものとして、「**オルタード・テンション**」と呼ばれ、響きが不安定なることによって、ドミナントからトニックへの解決感（不安定→安定）がより強調されます。これらのオルタード・テンションのうち、ビバップ期に特に好んで用いられたものとしては、「**♭9th**」が挙げられます。この♭9thを含む代理コードとしては、V7コードの「**半音上のdim7コード（V7(♭9)と解釈可能）**」が代表的なものです。

## 図-02 dimコードと♭9thの位置

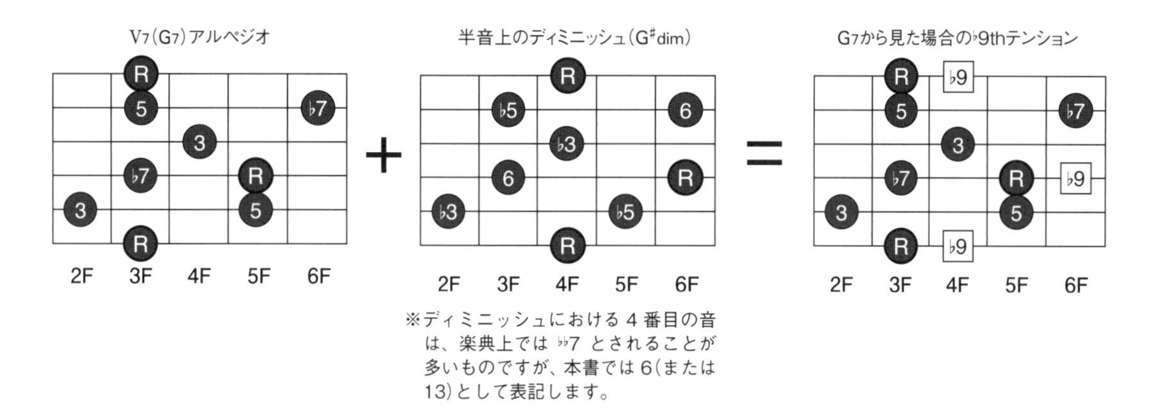


※ディミニッシュにおける４番目の音は、楽典上では♭7とされることが多いものですが、本書では6(または13)として表記します。

Key＝CにおけるV7(G7)の代理コードであるG♯dim7は、G7と「F、B、D」の音が共通（G7から見ると♭7th、3rd、5th）で、G7から見た♭9thの音が含まれていることが分かります（G7とG♯dim7の違いはルート音のみ）。

これらの音をすべて含むスケールとしては、**Gコンビネーション・オブ・ディミニッシュ・スケール**（通称：コンディミ）や**Gハーモニック・マイナー・P5↓スケール**（特にマイナー・キーにおいて）が頻繁に使用されます。

## Ex-01 コンディミ(dim)を意識したフレーズ1

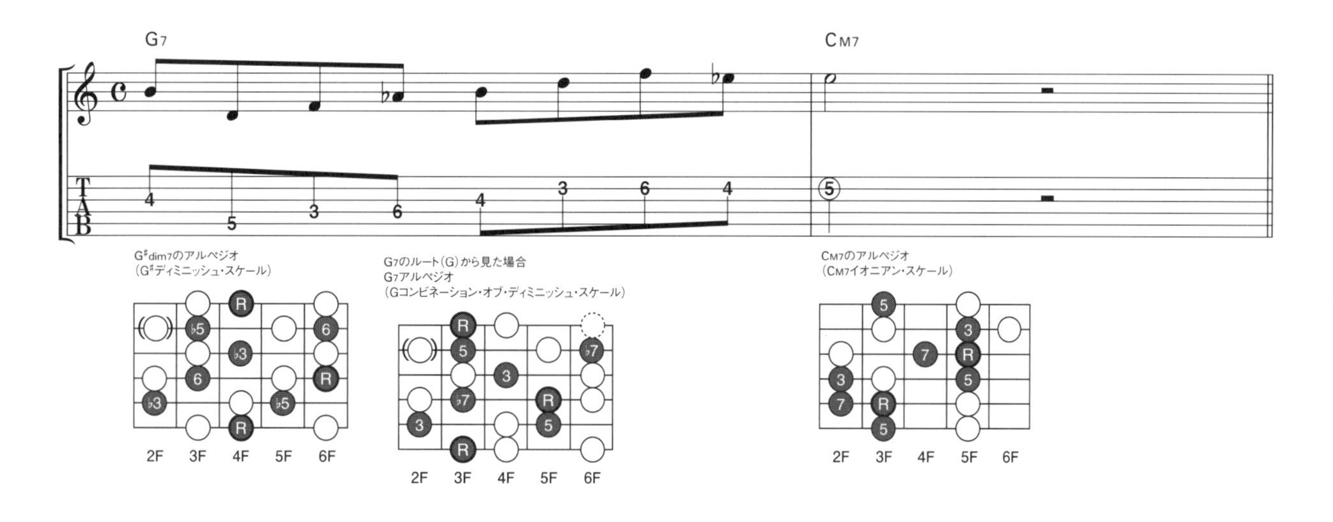


## Ex-02 コンディミ(dim)を意識したフレーズ2

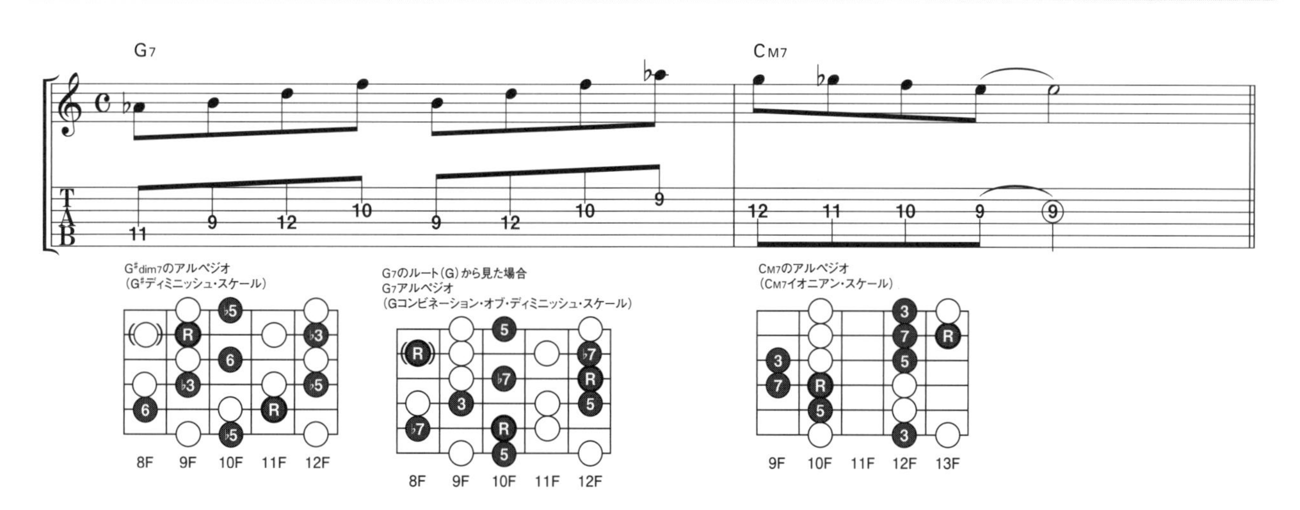

# ドミナント・コードの代理2

もう一つ典型的なドミナントの代理コードとしてV7の♭II7への代理があります。たとえば、G7コードはトライ・トーンとしてBとFを含んでいますが、この両方を含むセブンス・コードが他にもないか順番にA7、B♭7、B7～等と探していくとD♭7が唯一同じトライトーンを含んでおり、代理して使うことができます。

それぞれのアルペジオを重ねてみると下図のようになります。

**図-03** V7を♭II7で代理

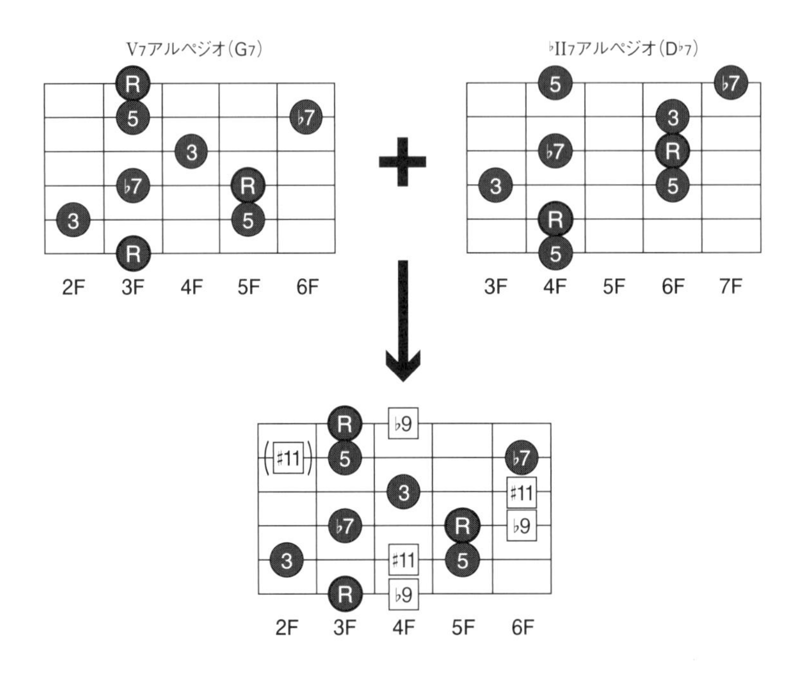


D♭7(♭II7)のルートであるD♭音は、元のG7から見ると♯11thとして、また、♭II7の5thであるA♭音はG7から見ると♭9thとして機能することが分かります。

**Ex-03** V7を♭II7で代理したフレーズ

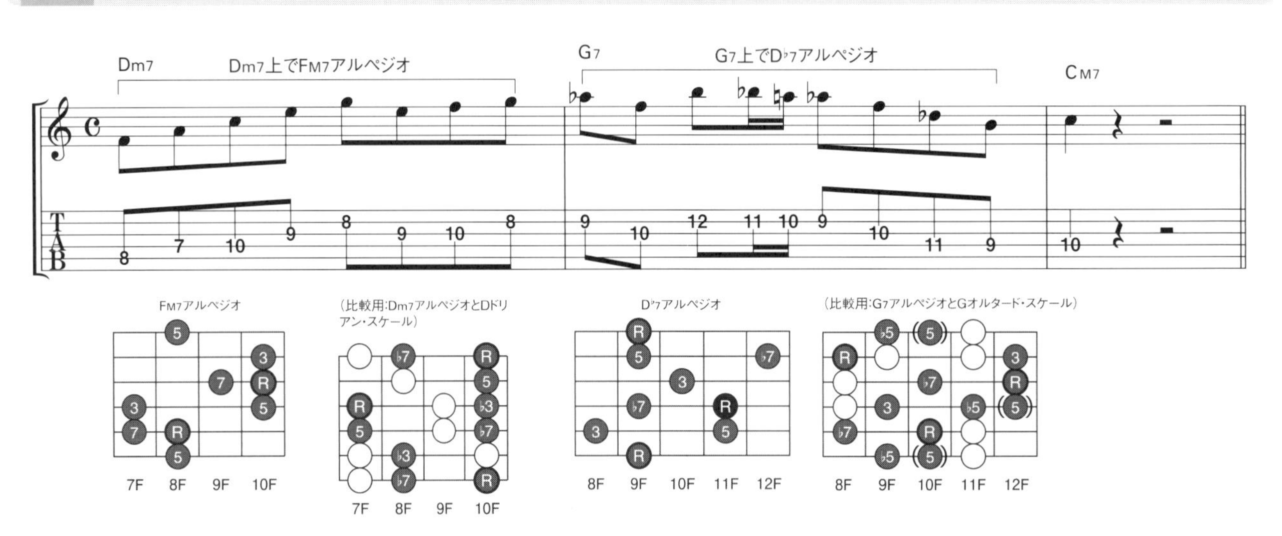


これらD♭7アルペジオの音をすべて含むスケールとしては、Gオルタード・スケール(または、Gコンビネーション・ディミニッシュ)が一般的です。オルタード・テンションを多く含み「ドミナント→トニック」の解決感を強調するスケールとして頻繁に使用されます。

# コードの機能と使用できるスケール

その他、コードと使用できるスケールの関係については下記にまとめてありますので参考にしてください。これらのスケールのうち特に重要なものについては、巻末P.102以降にそれぞれのポジション一覧を掲載してあります。

| 〈コードの機能〉 | 〈スケールの選択例〉 |
|---|---|
| ⅠM7、♭ⅢM7 | イオニアン・スケール |
| Ⅰm7 | エオリアン・スケール |
| Ⅱm7 | ドリアン・スケール（メロディック・マイナー・スケール） |
| Ⅲm7 | フリジアン・スケール |
| ⅣM7、♭ⅥM7 | リディアン・スケール |
| Ⅴ7 | ミクソリディアン・スケール、リディアン♭7スケール<br>オルタード・スケール、ハーモニック・マイナー・P5↓スケール<br>コンビネーション・オブ・ディミニッシュ・スケール　等 |
| Ⅵm7 | エオリアン・スケール |
| Ⅱm7(♭5)、Ⅶm7(♭5) | ロクリアン・スケール（ロクリアン♮2スケール） |

上記のスケールを覚えて使いこなすとなると恐ろしく大変そうに思えますが、ギターの場合、このようなコード・スケールを整理するのに、いわゆる「**マイナー・コンバージョン**」を使うと理解しやすく便利です。マイナー・コンバージョンについては、P.100で取り上げていますので、参考にしてください。

## COLUMN 裏コードとスケールの関係

P.16で説明されているV7の代理コードⅡ♭7は、共通のトライトーンを持ち「**裏コード**」と呼ばれていることはご存知の方が多いでしょう。

さて、ここでは**G7**（V7）で使用される代表的なスケールであるオルタード・スケールと、代理コードである**D♭7**（Ⅱ♭7）で使用される代表的なスケールであるリディアン♭7スケール（P.11参照）を比較してみます。

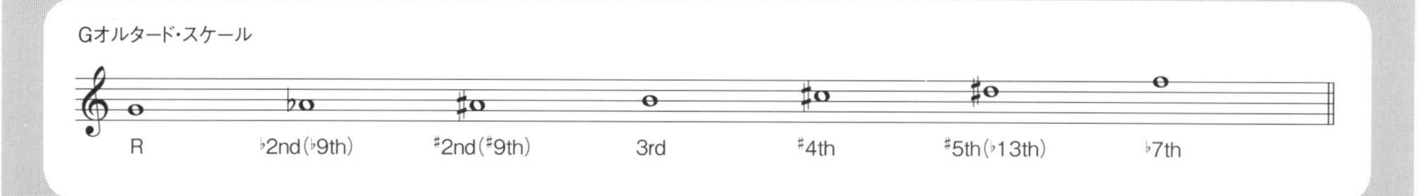


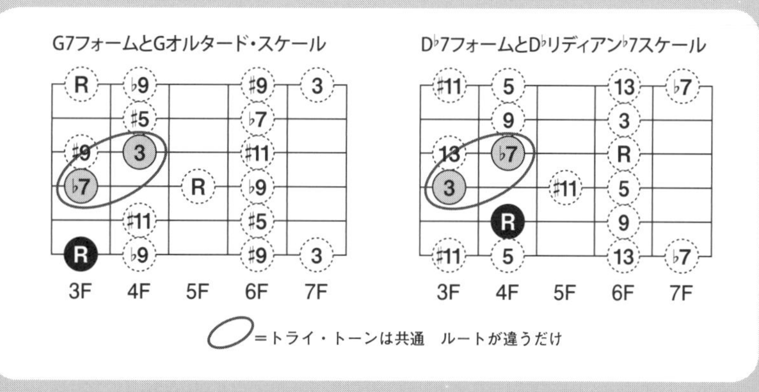


比べてみると、**G7**と**D♭7**は共通のトライトーンを持っており、かつ**G7**で使われているGオルタード・スケールと**D♭7**で使われているD♭リディアン♭7スケールは、ダイアグラム上同じ形になることがわかります。まさに同じものを「表から、または裏から見ているか」の違いといってもよく、フレージングの際にもほとんど同様のものと捉えて演奏することができます。

# ビバップらしいフレーズ1「アプローチ」

引き続き、特に「ビバップらしい」フレーズを作るための重要な手法を紹介していきましょう。ここでは、「アプローチ・ノート」と呼ばれる手法を取り上げます。

## アプローチ・ノートの活用

「**アプローチ・ノート**」とは、原則としてコード・トーン(※)へ**半音**、または**全音**で「**アプローチする音**」を指します。また、コード・トーンとテンションの間を経過的に半音でつなぐような音は、「**パッシング・ノート**」と呼ばれることがあります。

このような音を配置することでコード・トーンを強調したり、次のコード・トーンへの流れをスムーズにしたり、スケール以外の音を取り込むことで、よりフレーズを複雑にすることができます。

※または、テンションの場合もあり

**図-01** アプローチ・ノートの活用例1

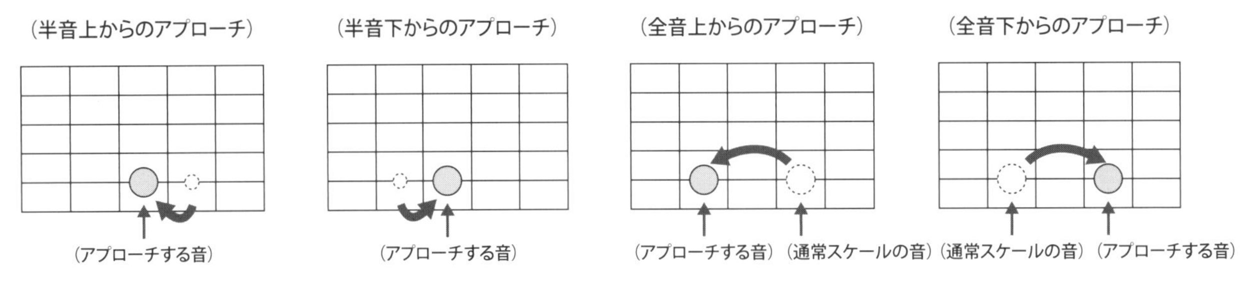


このようにコード・トーンの上、または下から半音や全音でアプローチします。アプローチ・ノートは必ずしもスケール上の音である必要はないため、「**スケール以外の音**」も使用することができます。

**Ex-01** アプローチ・ノートを意識したフレーズ1

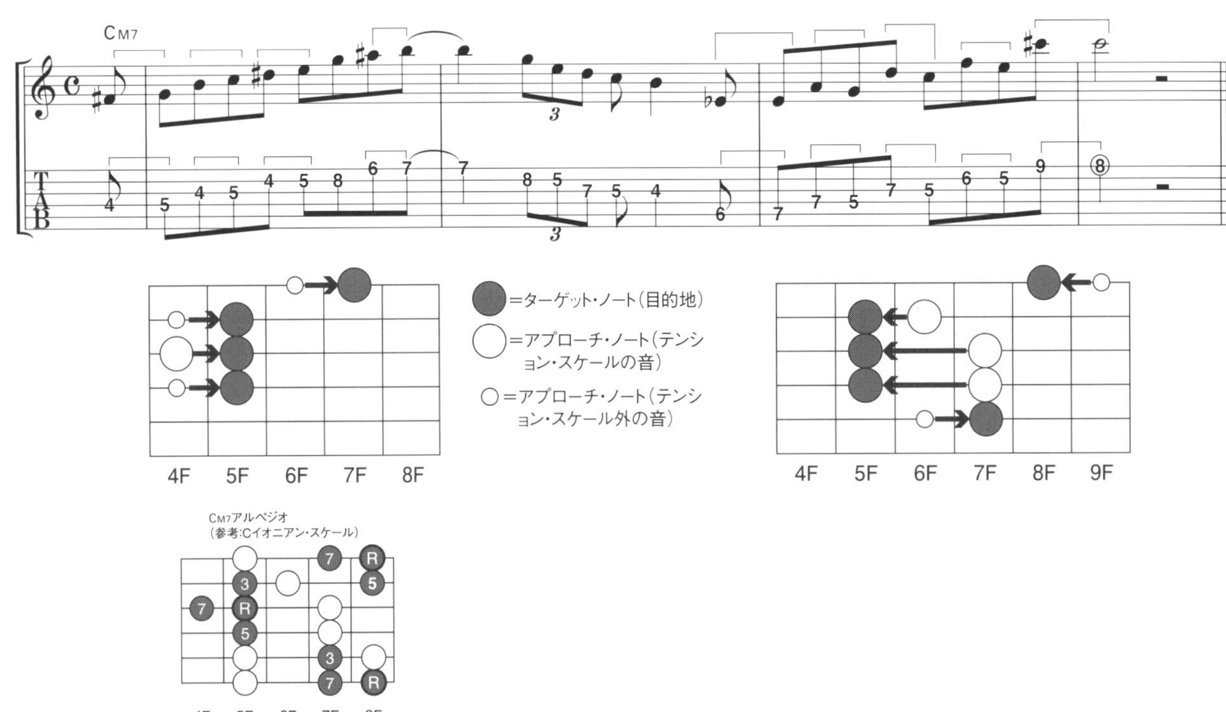

また、単に半音、全音上からだけではなく、狙った音を「**半音で挟み込む**」等、組み合わせによって様々なアプローチのバリエーションが考えられます。

## 図-02 アプローチ・ノートの活用例2

(全音上から経過音をはさんでアプローチ)

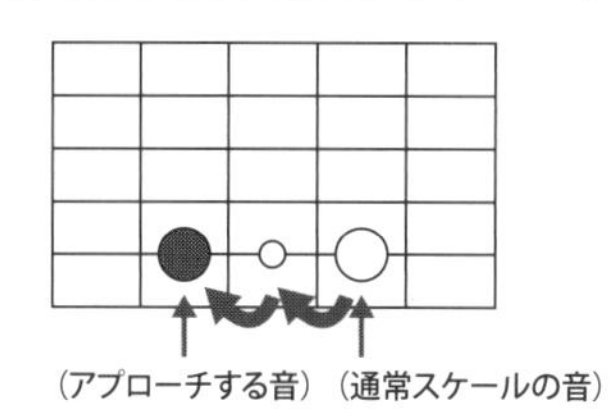


(全音下から経過音をはさんでアプローチ)

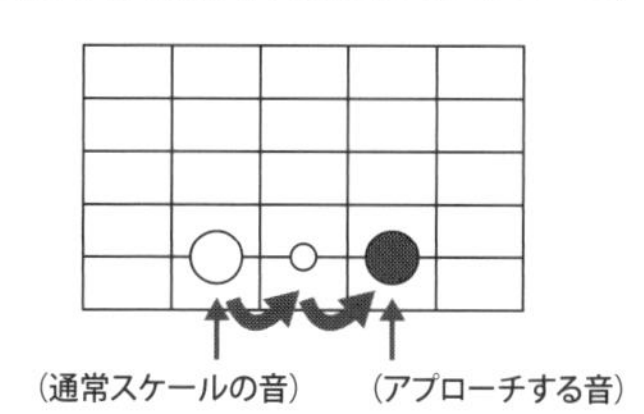


(目的の音を上下挟み込むアプローチ)

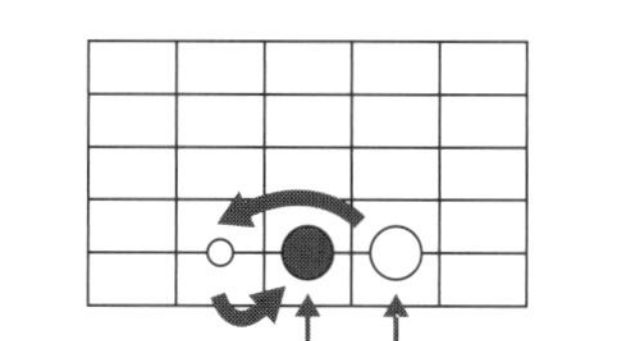


(半音上から目的の音の全音下を経由してアプローチ)

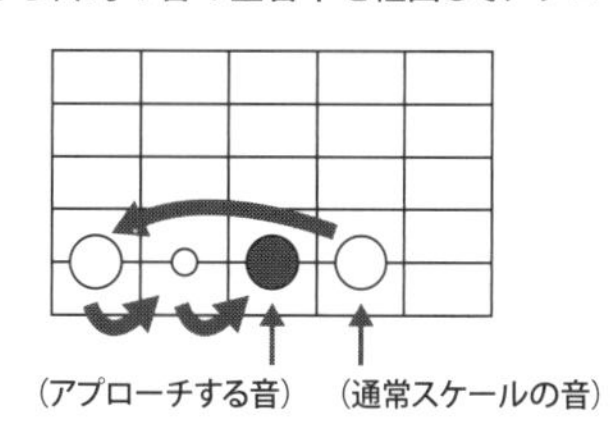


(全音上から目的の音の半音下を経由してアプローチ)

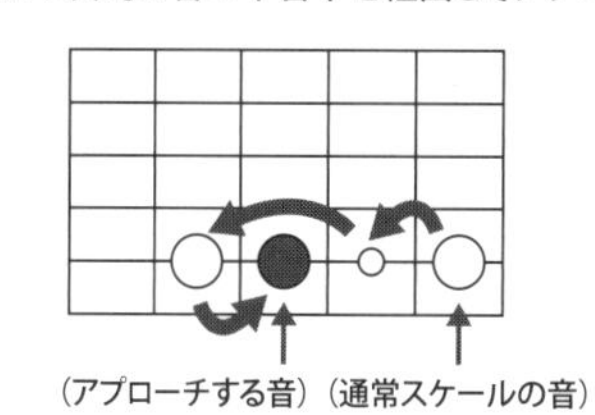


## Ex-02 アプローチ・ノートを意識したフレーズ2

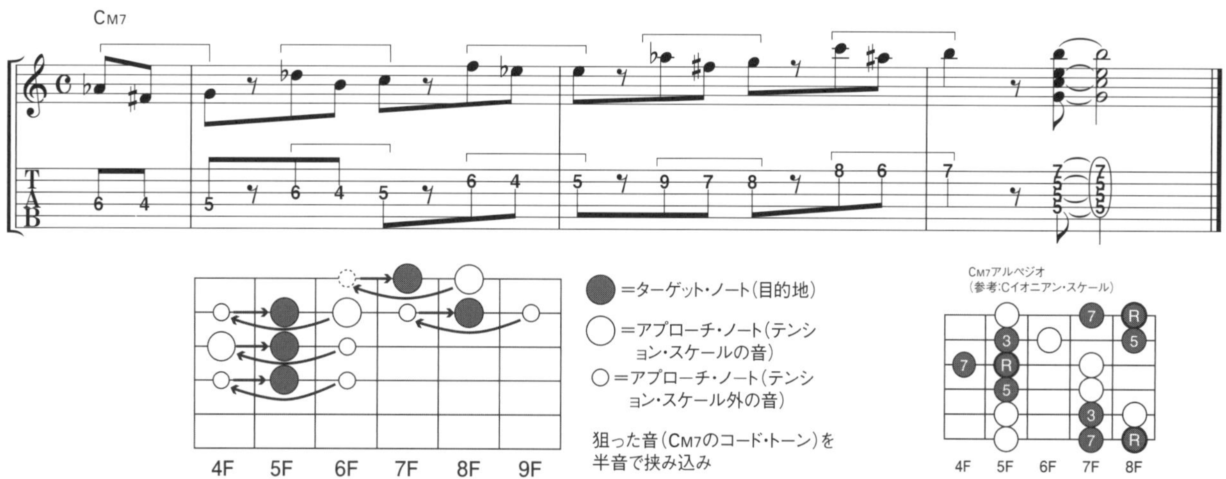

## ●アプローチ、パッシング・ノートの着地点

なお、アプローチ・ノートまたはパッシング・ノートの着地点となるのは、通常コード・トーンまたはテンションになりますが、特にアプローチ・ノートの着地点は一般的に「**1拍目または3拍目の表**」に配置されます。これらの1拍目、3拍目は「**強拍**」と呼ばれ目立つ音であるため、この位置にターゲット・トーンとしてコード・トーンまたはテンションを持ってくるとフレーズが明確になりやすく、結果的にアプローチ・ノート等はその間に配置されることが多い、ということです。

なお、4拍目の裏から次の小節へ「クって」入るようないわゆるアンティシペーションといわれる音は、4拍目の裏であっても「**次の小節の1拍目(強拍)を前倒しした目立つ音**」であるため、ターゲット・トーンが配置されることも多くあります。

しかし、チャーリー・パーカーやその他のビバップ期のミュージシャンのアドリブ・フレーズ等を見ていくと、これに当てはまらず1拍目や3拍目の頭にアプローチ・ノートが来ていたりするケースも結構見られます。結局はサウンドがよければよいということです。絶対的なルールととらえず自分でフレーズを考える際の参考程度にしてください。

なお、本書では学習者の参考となるようアプローチ・ノートが使用されている箇所を示していますが、すべてのコード・トーンに対するアプローチを記載すると煩雑になるため、第2章以降では「スケール外の音のみ」を示しています。

**Ex-03** アプローチ・ノートを意識したフレーズ3

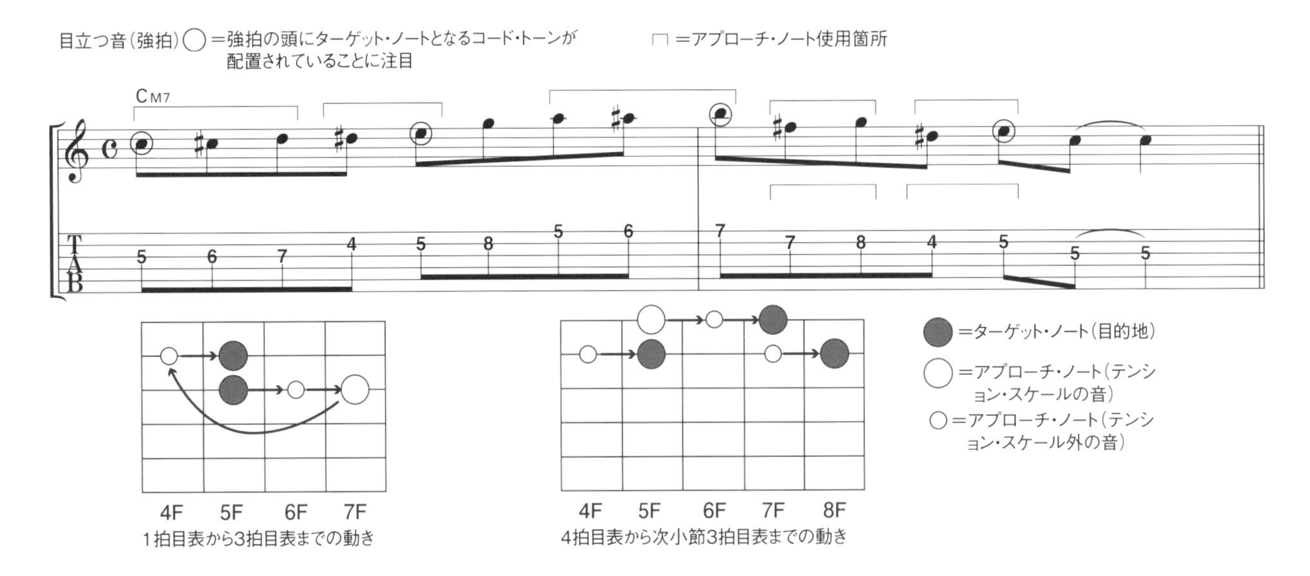


フレーズの強拍は、すべてCM7のコード・トーンになっています(ルート、3rd、7th、3rd)。ここまで説明した、スケール、コード・トーンのアルペジオ、アプローチ・ノートを組み合わせることで、ジャズらしいフレーズになります。

**Ex-04** アプローチ・ノートを意識したフレーズ4

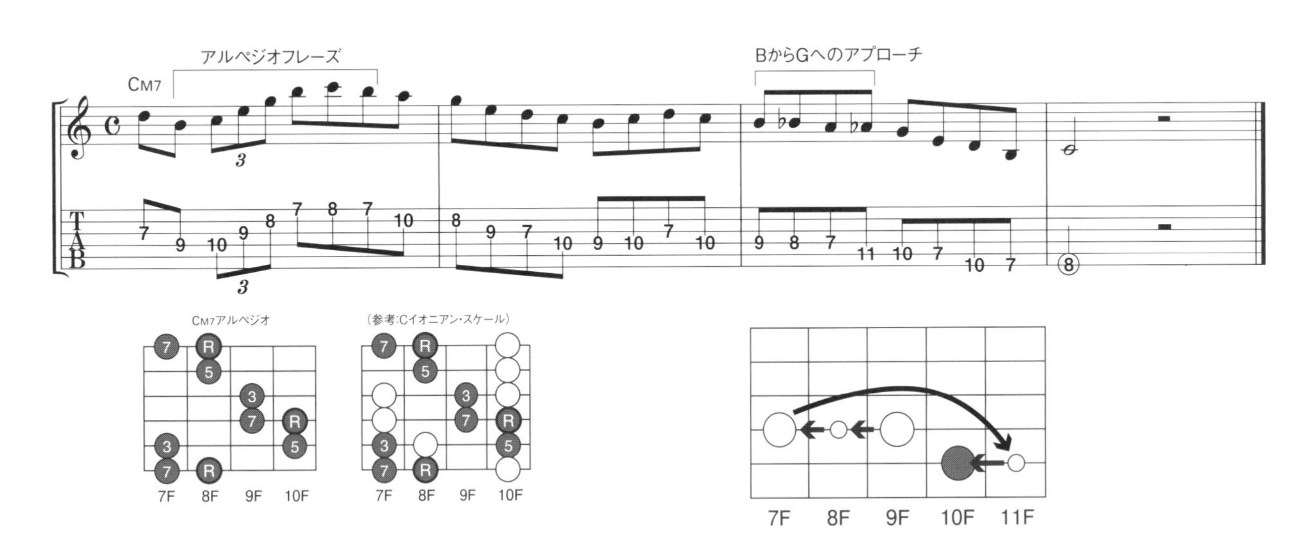

自分の好きなプレイヤーのフレーズをコピーして、実際にバックのコードに対してどのようなスケールやアルペジオが使われているか、アプローチ・ノート等がどのように活用されているか等を分析しながら少しずつフレーズのストックを増やしていきましょう。

## Ex-05 アプローチ・ノートを意識したフレーズ5

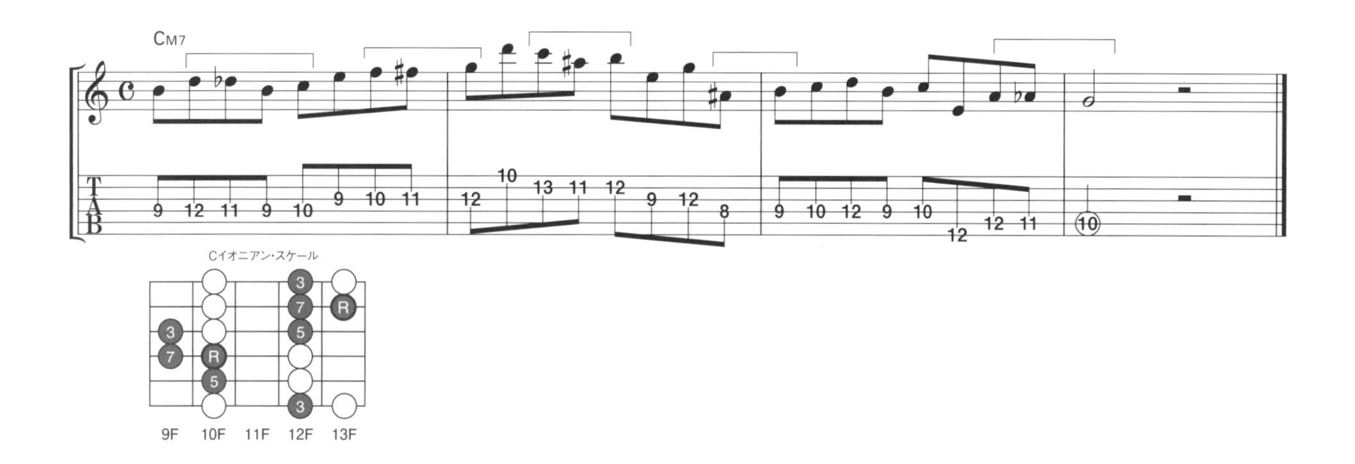


このフレーズ例でも１拍目裏のＤ音から３拍目表のＣ音（ターゲット・ノートCM7コード・トーン）へのディレイドリゾルブ・アプローチ、２小節１拍目表Ｇ音へ向かうダブル・クロマッチック・アプローチ等、いろいろなアプローチの手法が用いられています。ゆっくり分析して理解した後は、繰り返し弾いて指に覚えさせてください。

## Ex-06 アプローチ・ノートを意識したフレーズ6

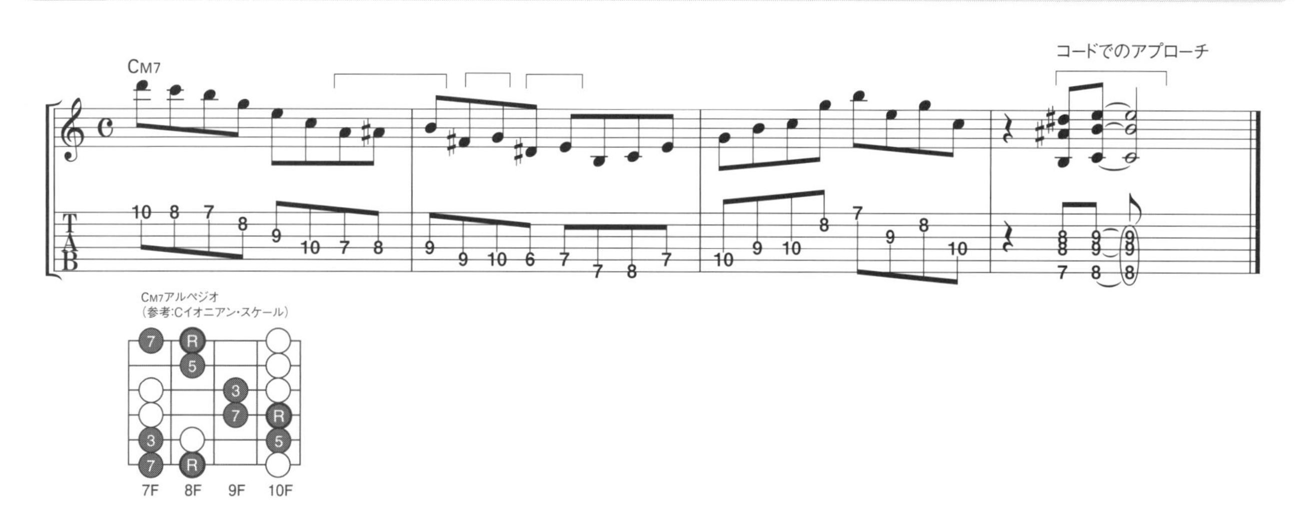


４小節目では、コードでアプローチしています。このように、単音だけでなくコードでも同様にアプローチの手法を用いることができます。

第1章 STEP 6

# ビバップらしいフレーズ2「スケール」

P.18～で説明したアプローチ・ノートやパッシングノートは、特にビバップにおいて慣例的に使われやすいパターンがあり、通常の7音のスケールにこの経過的に用いられる音を含めて「**ビバップ・スケール**」と呼ばれることがあります。これも絶対的なものではありませんが、指癖にしておくと便利なものですので紹介しておきましょう。

## メジャー・ビバップ・スケール

**図-01** メジャー・スケールとメジャー・ビバップ・スケールの比較

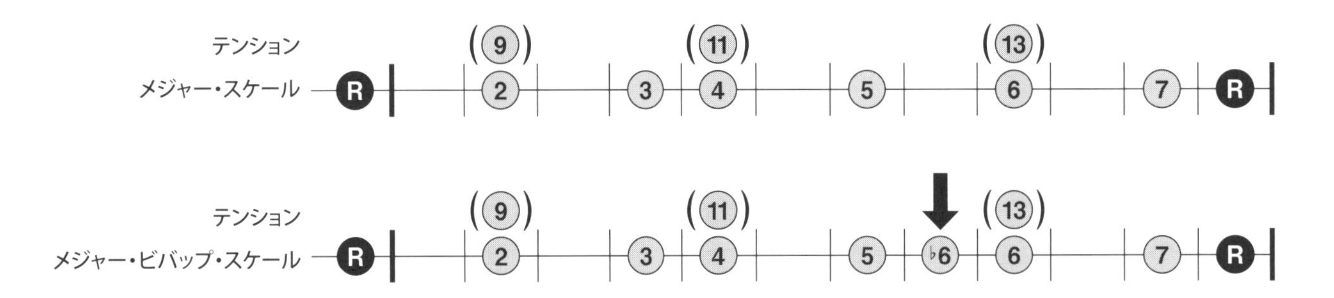


通常の7音のスケールを下降するフレーズを弾く場合、「R、7th、6th、5th、4th、3rd、2nd、R」と弾くとコード・トーンの位置が途中でひっくり返り、強拍の位置ではなくなります。そこで「**6thの音から5thの音**（またはその逆）」へアプローチする経過的な音を入れることにより、連続して弾いた際に強拍の頭にコード・トーンが配置され、フレージングがしやすくなります。

**Ex-01** メジャー・ビバップ・スケールでのスケール下降例1

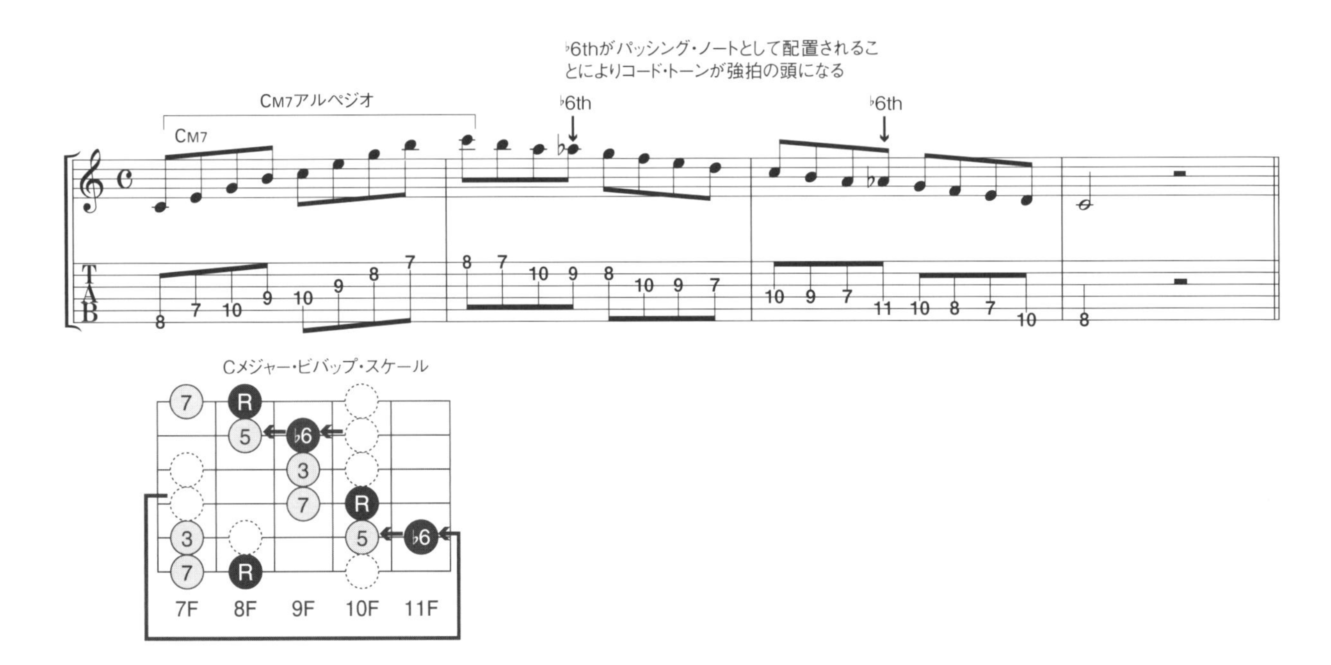


実音は同じですが、もう一つ別のポジションもご紹介しておきましょう。

**Ex-02** メジャー・ビバップ・スケールでのスケール下降例2（別ポジション）

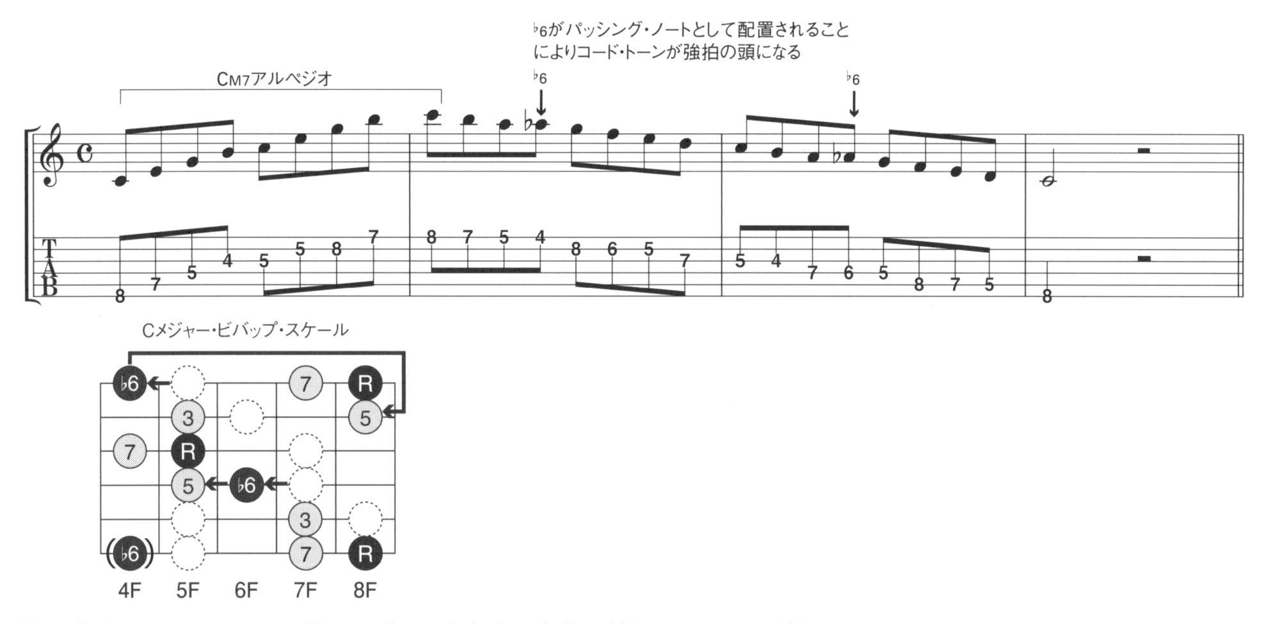


他のポジションは、下記のダイアグラムを参考に自分で練習してみてください。

**図-02** Cメジャー・ビバップ・スケール（各ポジション図）

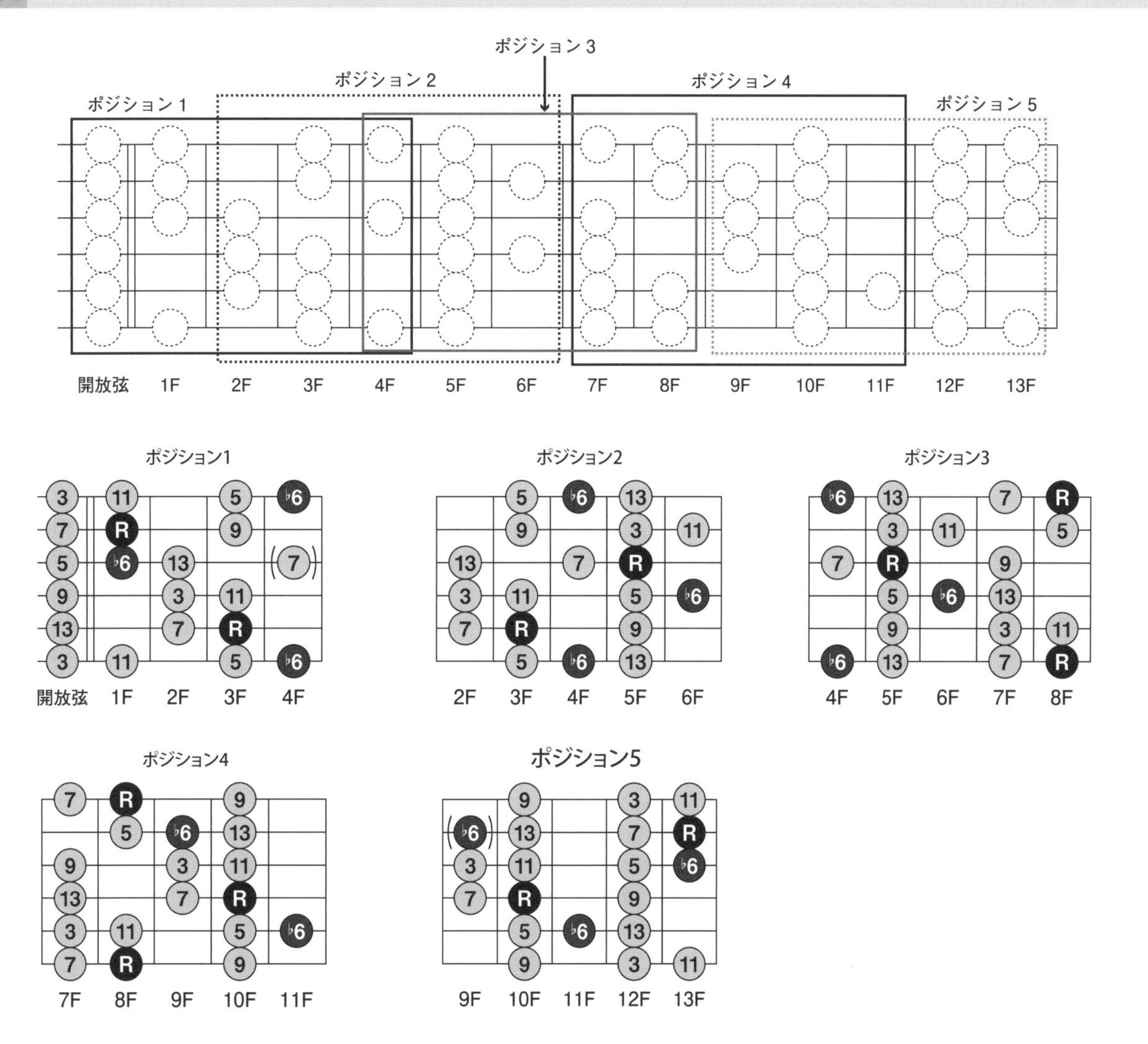


通常のスケールをビバップ・スケールにするために加える1音は、スケールを弾いたときにコード・トーンが強拍になる音を選んで加えるため、スケールによって配置される場所が変わります。引き続き次ページで説明していきましょう。

# ドリアン・ビバップ・スケール

次はドリアンです。たとえばKey＝CでのサブドミナントÂ・コードであるDm7では、通常Dドリアンが用いられますが、こちらは3rdであるF♯音をパッシング・ノートとして配置することにより、強拍でコード・トーンを弾くことができます。名称は、「**ドリアン・ビバップ・スケール**」と呼ばれることが多いようです。ドリアン・スケールも怪しいという方は、この機会に一緒に理解しておきましょう。

**図-03** ドリアン・スケールとドリアン・ビバップ・スケールの比較

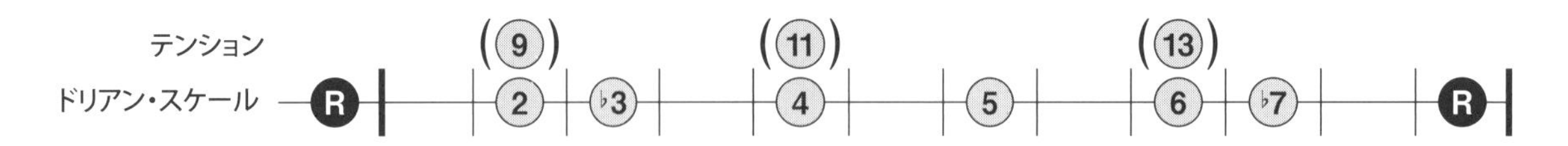


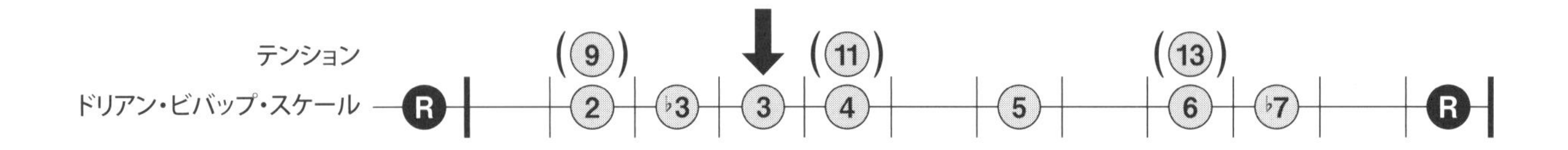


**図-04** Dドリアン・ビバップ・スケール（各ポジション図）

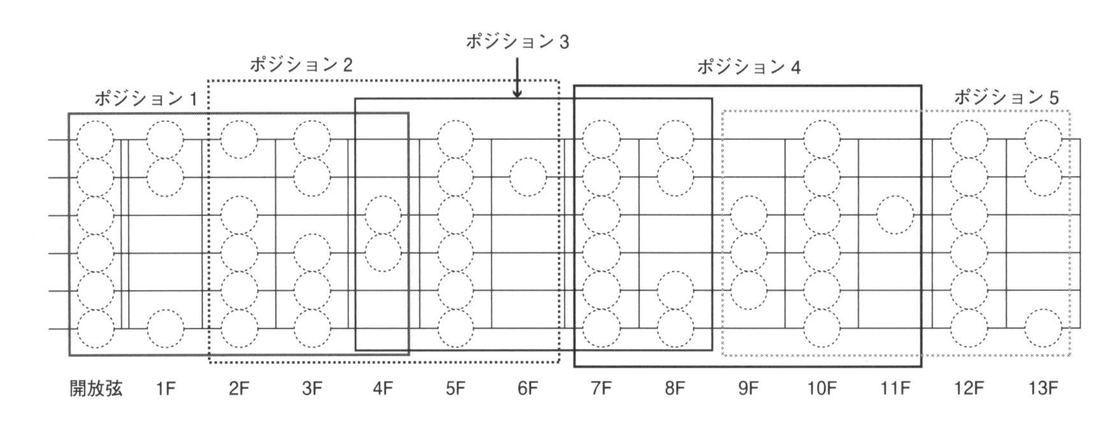


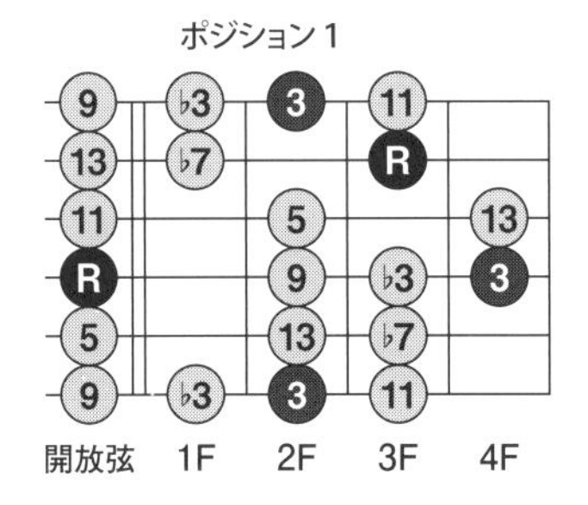


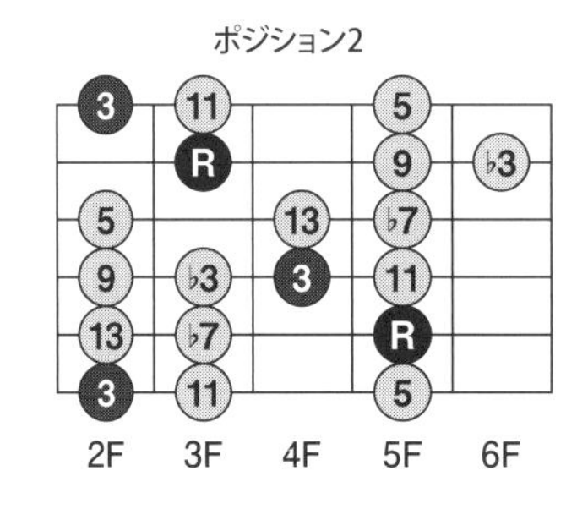


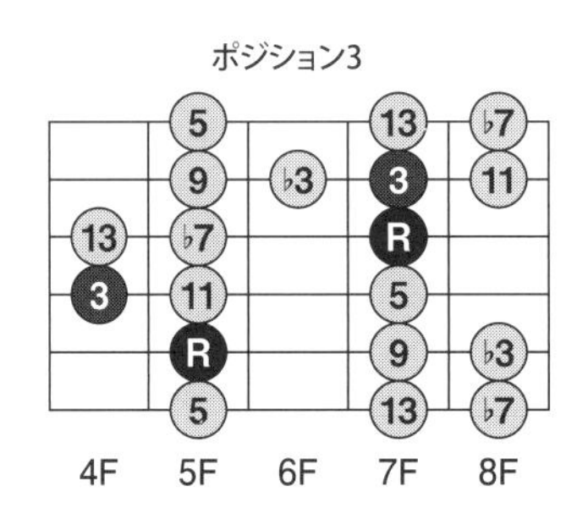


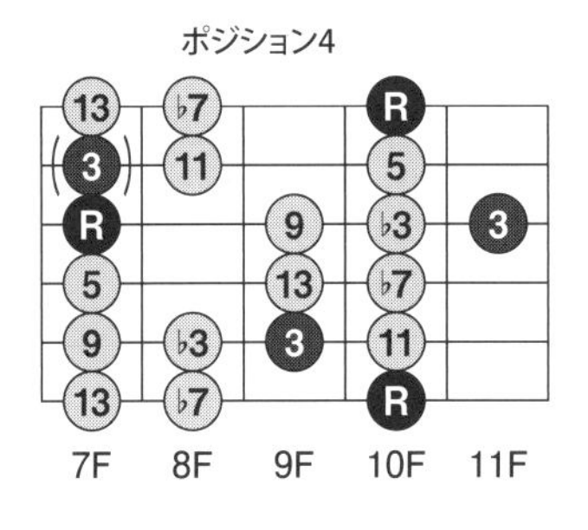


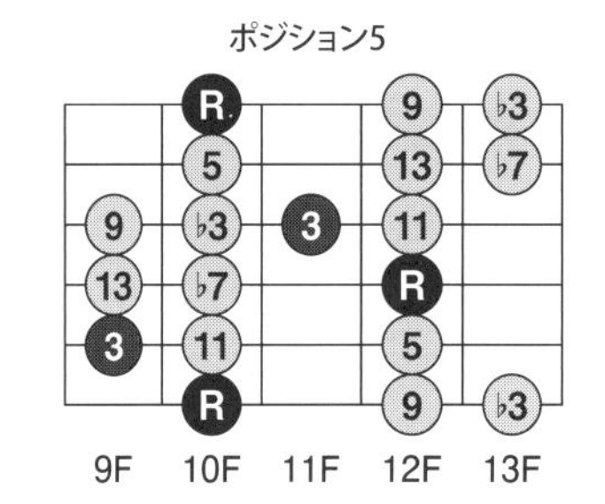

# ミクソリディアン・ビバップ・スケール

さて、トニックに用いられるメジャー・ビバップ・スケール、主としてサブドミナントに用いられるドリアン・ビバップ・スケールとくれば、当然ドミナントで用いられるものもあります。紹介しておきましょう。

**図-05** ミクソリディアン・スケールとミクソリディアン・ビバップ・スケールの比較

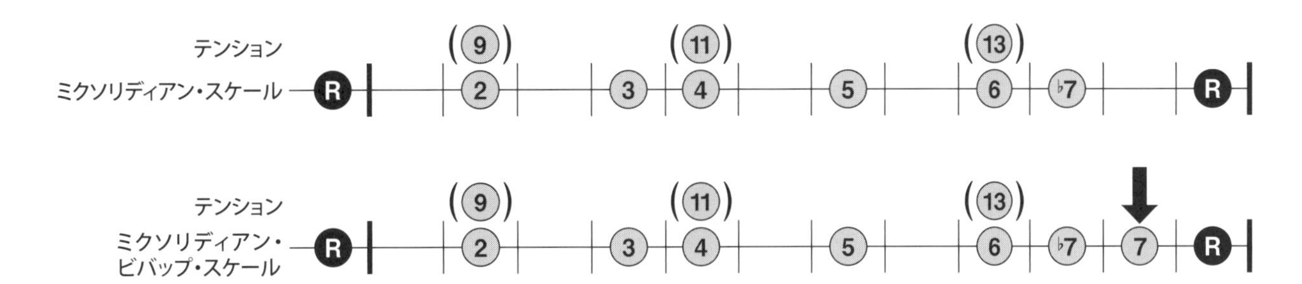


ミクソリディアン・ビバップ・スケールでは、Key＝Cの場合M7thであるF♯の音を追加することになりますが、これは結局のところ、Key＝Cにおいてサブドミナントで用いられるDドリアン・ビバップ・スケールとコードに対しての「**度数は異なるが、実音は同じ**」ということになります。運指は共通なのでわかりやすいでしょう。

**図-06** Gミクソリディアン・ビバップ・スケール（各ポジション図）

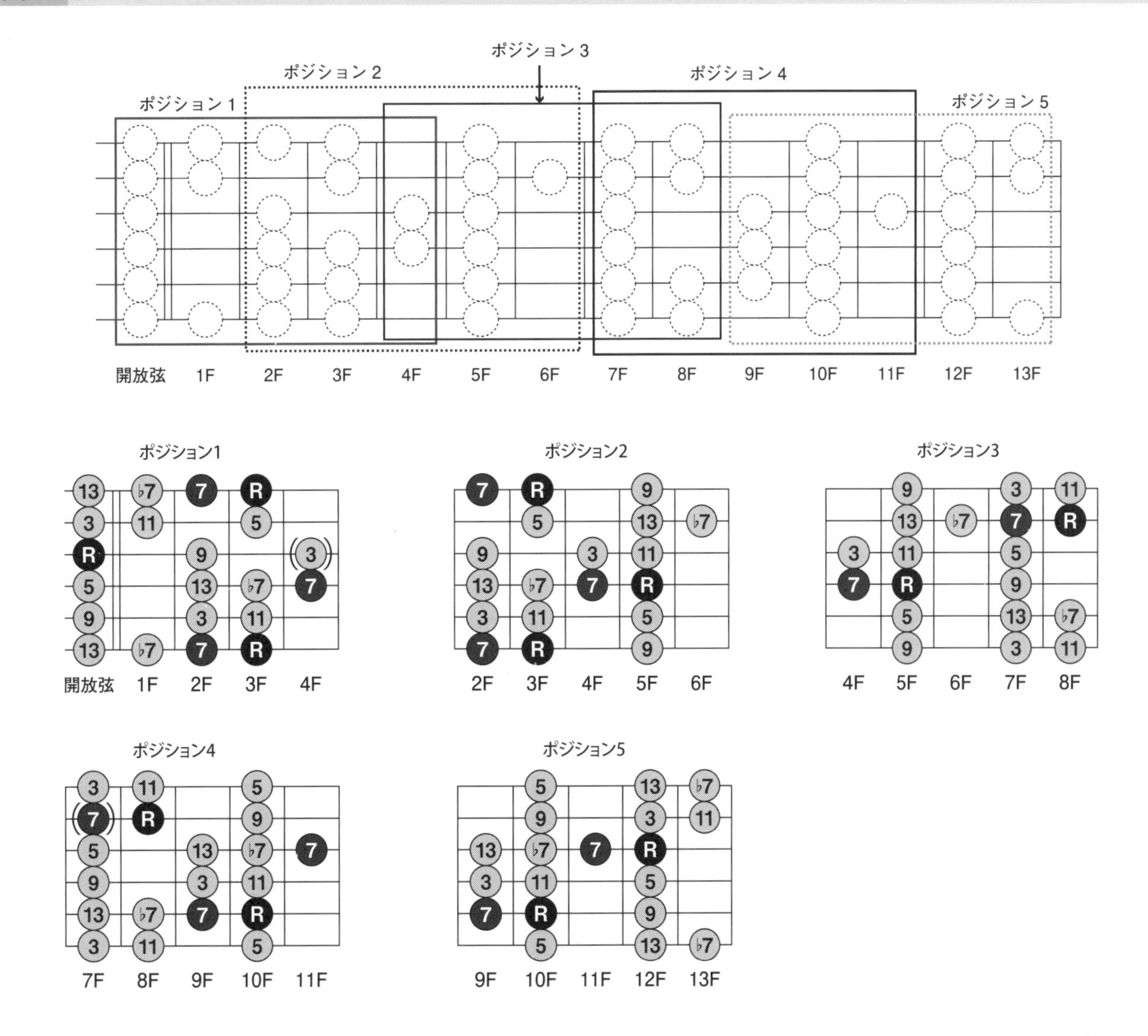


「ビバップ・スケール」として理解するか、アプローチ・ノートの典型的な利用例として理解するかは人それぞれで、わかりやすい方法でよいと思いますが、整理しておくとフレーズを作る際等に役に立つと思います。

第1章 STEP 7

# ビバップらしいフレーズ3「リズム」

## ビバップで好んで用いられるリズム

さて、ここまでジャズで典型的に用いられる音の使い方について説明してきました。音楽の要素としては、この他にリズムが大変重要なものになりますが、ジャズ・フレーズの中でも、特にビバップ特有の歌いまわしといえるような、「**好んで用いられるリズムのパターン**」がいくつかあります。これは理屈というよりは、ビバップ・プレイヤーの一種の「なまり」のようなものかもしれませんが、このようなリズムの形を用いることで、いかにもビバップという雰囲気を出しやすくなります。

**Ex-01** ビバップで用いられる様々なリズム1

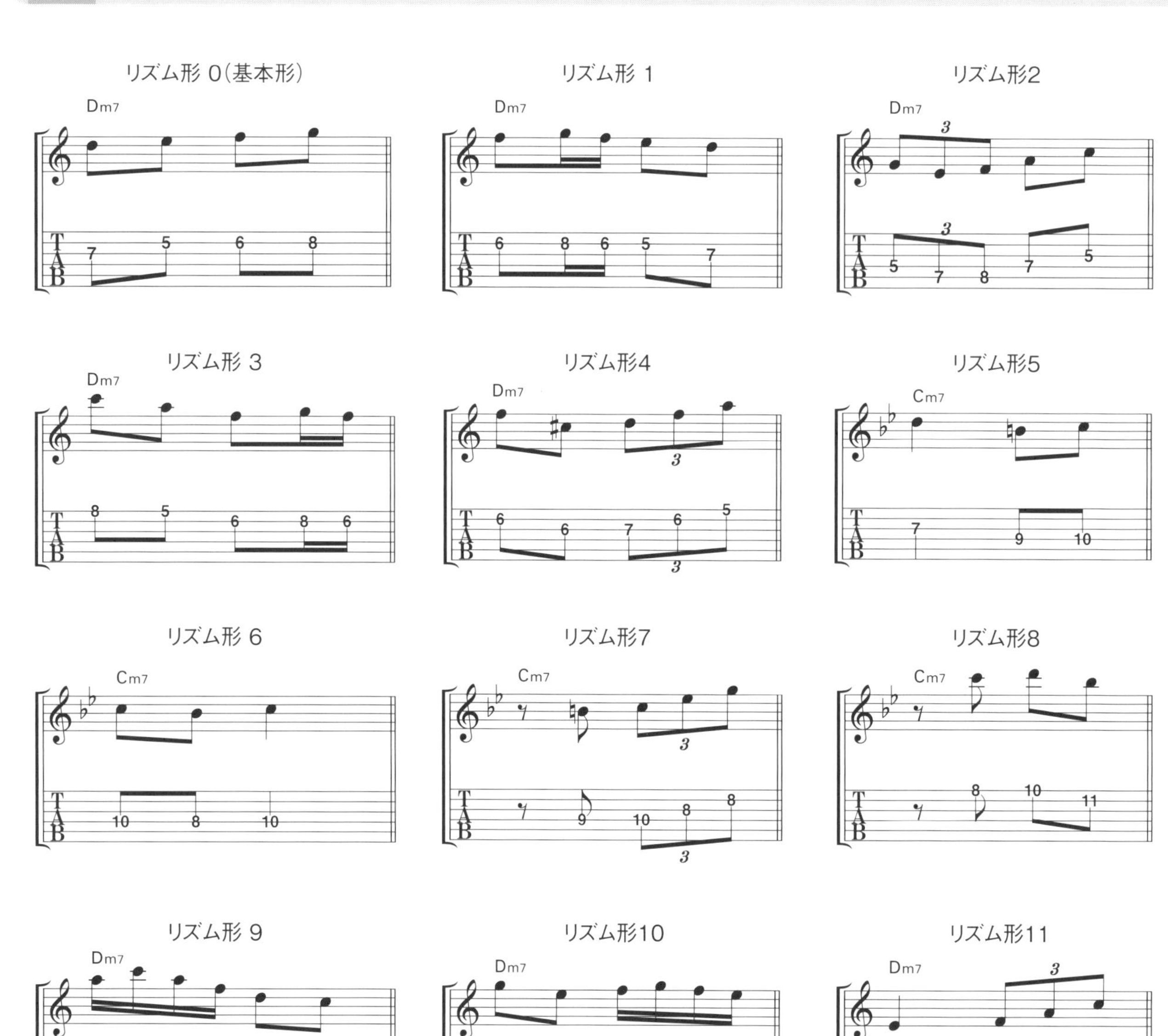

**Ex-02** ビバップで用いられる様々なリズム2

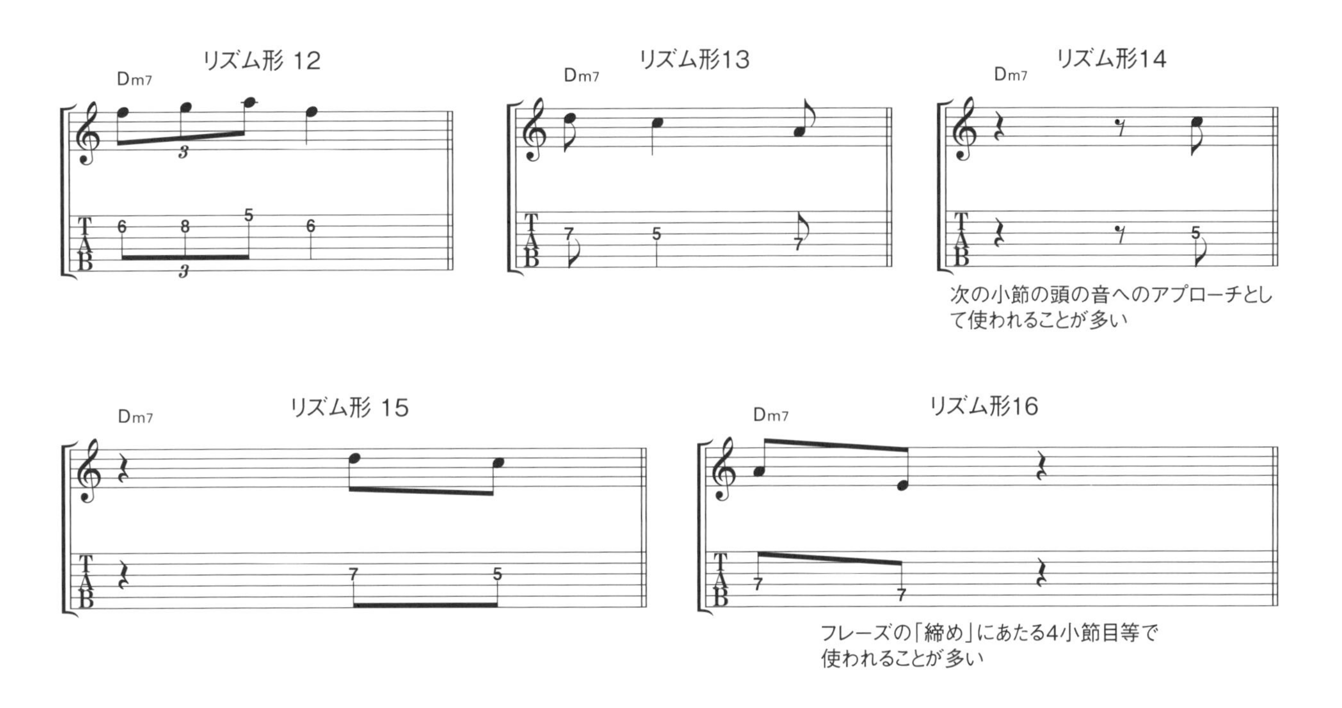


## ▶ビバップ特有のリズムを使った実践フレーズ

それでは、実際のフレーズ例で見てみましょう。多くの場合、これらのリズム形を用いたフレーズは、コード・トーンとコード・トーンへ向かうアプローチ・ノートの組み合わせによって成り立っています。

**Ex-03** ビバップ特有のリズムを使ったフレーズ例1

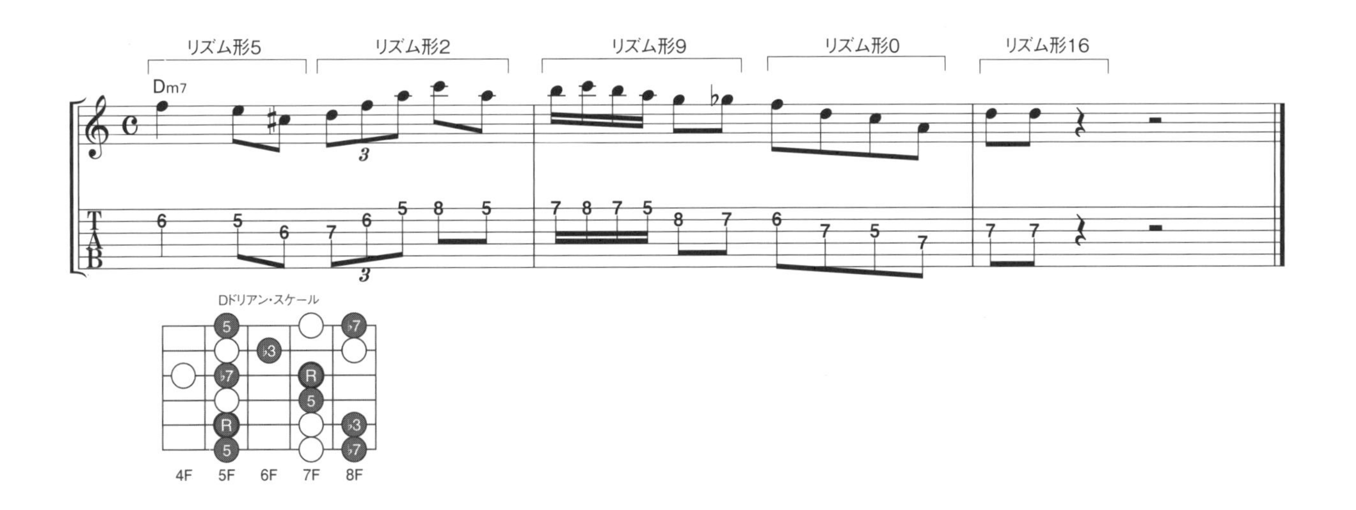

**Ex-04** ビバップ特有のリズムを使ったフレーズ例2

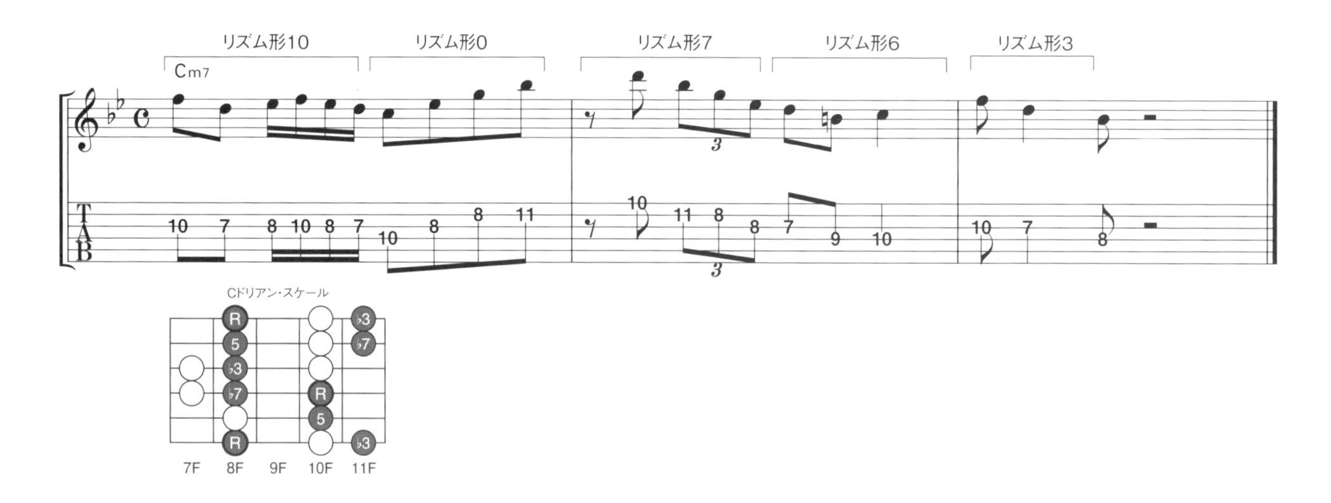


ジャズで用いられるフレーズの多くは8分音符の連続（リズム形0）を基本としつつ、特にビバップにおいては、P.26～27で示したようなリズム形を適宜挟むことによってフレーズにバリエーションをつけると同時に、緩急を繰り返すことによる独特の「ぐいぐい前へ進んで行くようなグルーヴ」も生み出しています。

## COLUMN スウィングを感じさせるアーティキュレーションについて

本書でも取り上げられているチャーリー・パーカーの曲は、テーマのメロディそれ自体もハーモニー（コード進行）とリズムを感じることのできる完成度の高いアドリブラインのお手本といえるもので、アーティキュレーションも含めぜひ身につけておきたいものです。

ここでいうアーティキュレーションとは、いわゆる「節回し」のことで、例えば同じ譜面を見て同じフレーズを弾いても、「ジャズっぽく聞こえる」人と「どうもジャズっぽく聞こえない」人が出てくるのは、この「**アーティキュレーションの違い**」によるといってよいでしょう。

一般的なジャズのフレーズは8分音符を中心としたものが多くみられますが、これを演奏する際は完全にイーブンに弾くのではなく「少しハネぎみ」に弾くのが一般的です。ただし、ハネるといってもいわゆる完全な3連ノリ（8分音符の比が表と裏で2：1）とともやや違い、「**イーブンと3連ノリの中間のどこか**」といったあいまいなもので、その度合いも曲のテンポや音価（4分音符、8分音符など楽譜上の音の長さ）、演奏する人によって違っているため、なかなか難しいところです。また、拍の頭を弾くタイミングについてもイーブンからややハネた分だけもたっている（結果的に音の長さは1：1に近い）、いわゆる「後ノリ」で演奏するミュージシャンも多くいます。

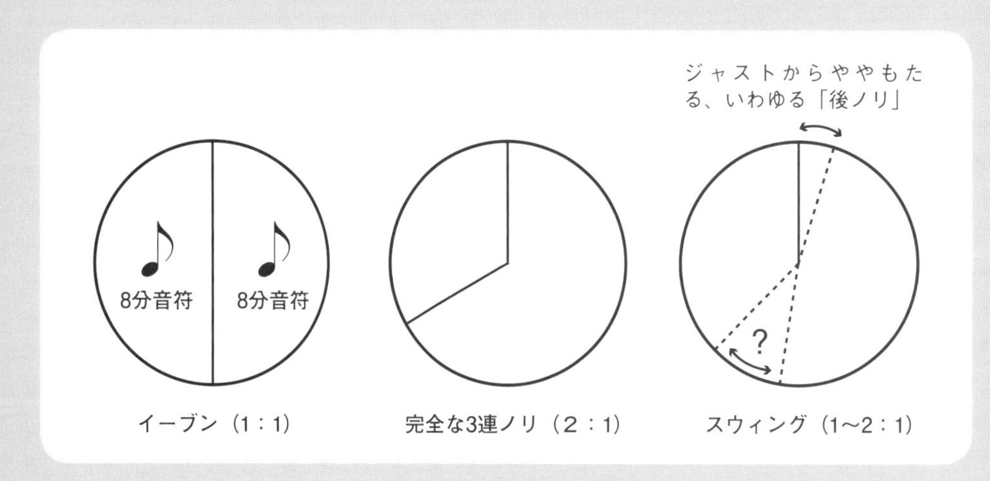


発音のタイミングだけでなくダイナミクスについてもすべての音が等価ではなく、フレーズの中で強調される音や逆にほとんど発音されないような「飲んだ音」もあります。このあたりは譜面や文章だけではなかなか表現しにくいものですので、ぜひ実際の音源や動画等も聴きながら音源とぴったり合わせて演奏できるように練習して、ジャズらしいアーティキュレーションをつかんでください。

# 第2章

# コード別フレーズ集

第２章では、ここまでに説明したビバップの特徴を備えたフレーズを、実際のチャーリー・パーカーや同時期のプレイヤーのアドリブ・フレーズ等も引用しながら見ていきましょう。

このような小さい単位のフレーズは、語学で言えば「**単語**」や「**慣用句**」の学習にあたるといえます。自由に使いこなせる単語が多いことは、そのままアドリブフレーズの豊かさにつながります。できる限り実際に音に出しながら繰り返し練習してください。なお、ビバップ期当時のジャズ・ミュージシャンはいわゆる「スケール」という概念では演奏してないと一般的に言われていますが、譜例には学習の参考となるよう便宜上のものとしてポジションとアルペジオ、および対応するスケール例をダイアグラムとして載せてあります。

解釈は一通りではなく、ダイアグラムで指定されたスケールや運指が唯一の正解ということではありません。他のポジションで弾いてみたり、他のアルペジオやスケールで解釈してみる等、自分なりのフレーズ整理の仕方を養ってください。

## 第2章 STEP 1

# IIm7上でのフレーズ

ここではIIm7上でのフレーズを取り上げます。IIm7コード上では、通常ドリアン・スケールやメロディック・マイナー・スケールが多く使われます。コード・トーンのアルペジオやアプローチ・ノート等の手法がどのように使用されているか整理しながら練習してください。

### Ex-01 Cm7のフレーズ例1 TRACK_01

1小節目の3拍目、Cm7の♭3rdへのアプローチは定番といえる動きです。覚えておきましょう。

### Ex-02 Cm7のフレーズ例2 TRACK_02

強拍である3拍目頭でルートであるC音にアプローチしています。このようなアプローチの仕方は典型的な動きの一つであり、ぜひ身につけておきたいものです。

## Ex-03 Cm7のフレーズ例3

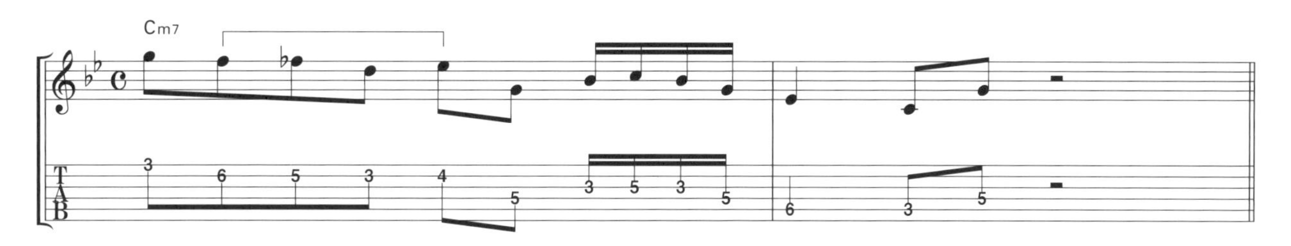


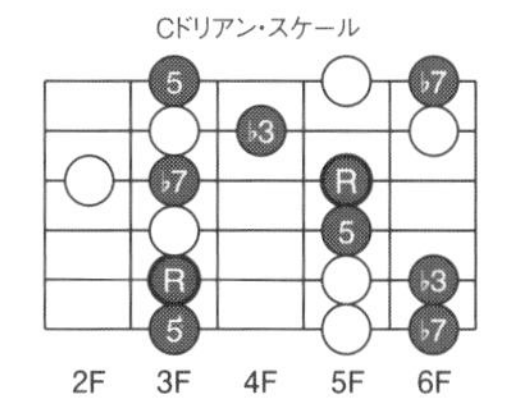


2弦6フレットのF音から、2弦4フレットCm7の♭3rdにあたるE♭にディレイドリゾルブ・アプローチしています。これも定番の動きですので、指にしっかり覚えさせましょう。

## Ex-04 Cm7のフレーズ例4

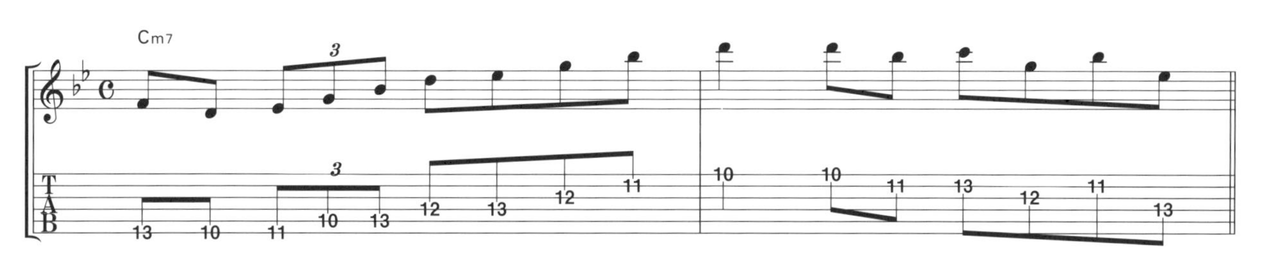


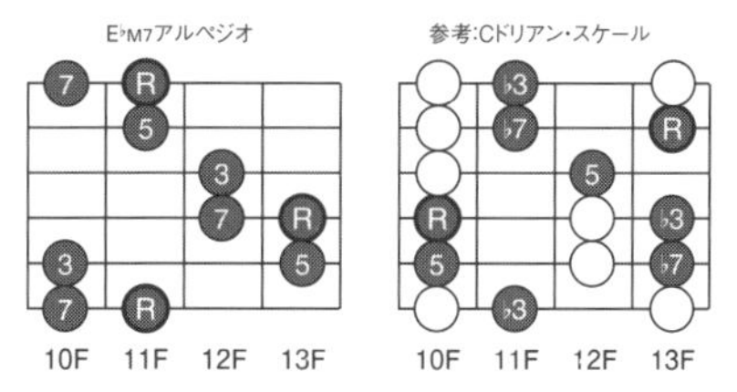


1小節目は、Cm7の代理コードE♭M7 のアルペジオをそのまま上昇フレーズとして使用しています。このように、実際のフレーズでは「サブドミナント・フレーズ」として、ほとんどCm7と区別されること無く使用されます。

## Ex-05 Cm7のフレーズ例5

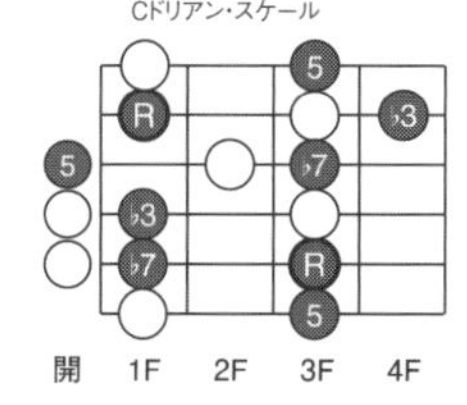


2小節2拍目、これもやはり♭3rdへのアプローチが特徴的です。コード・トーンのうち、3度の音は「**もっともよくコードの特色を表わす音**」としてアプローチ・ノート等によって、強調的に使用されることが非常に多いといえます。

## Ex-06 Gm7のフレーズ例1

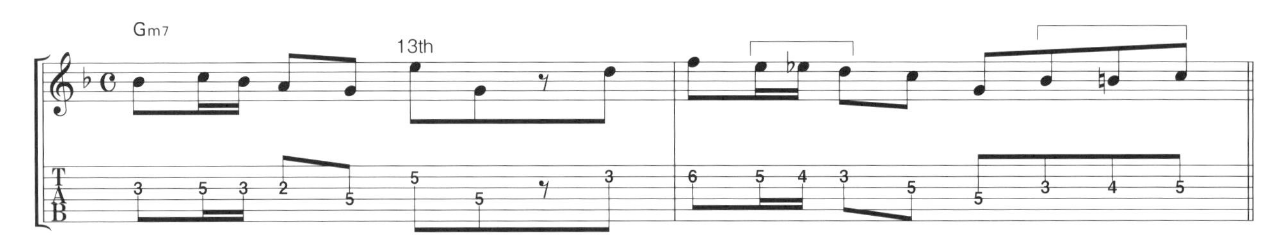


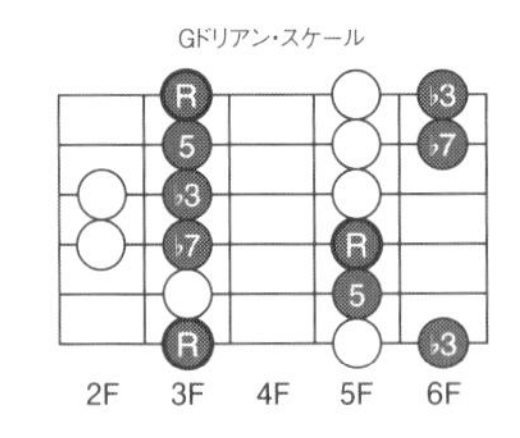


Key＝Fの例です。3拍目表のE音はGm7の13thにあたり、理論書によってはアボイド・ノートとされていることがありますが、近年のジャズではあまり気にせず使用されるケースが多いと思われます。

## Ex-07 Gm7のフレーズ例2

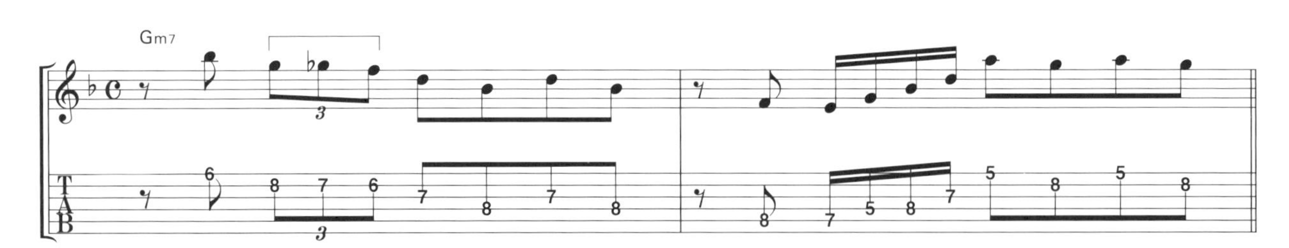


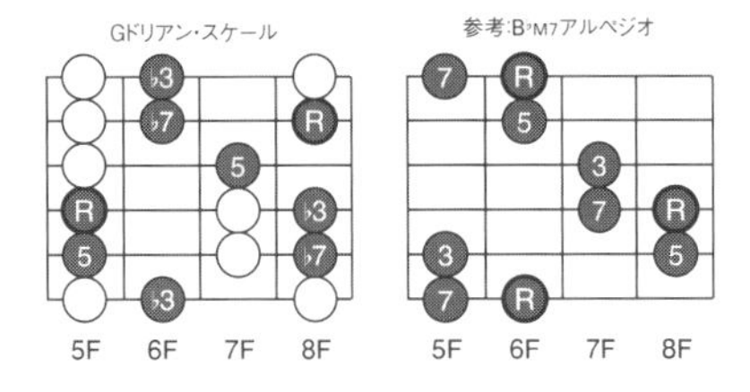


最初の2拍は、Gm7（IIm7）の代理コードであるB♭M7（IVM7）のアルペジオとも解釈できます。実際の演奏においては、ほとんど区別されることなく使用されます。

## Ex-08 Gm7のフレーズ例3

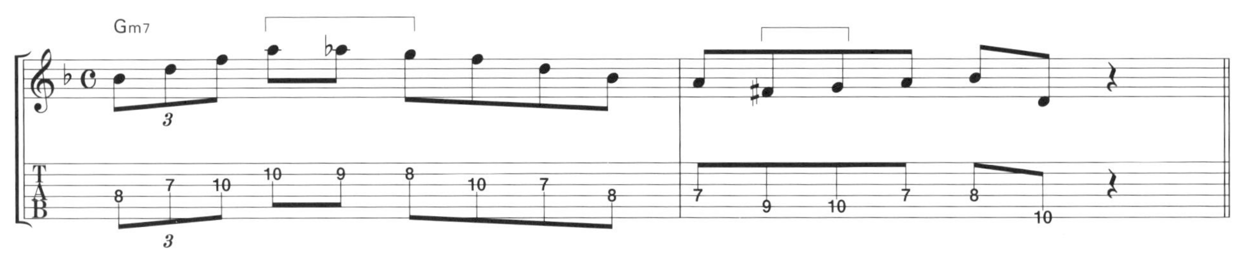


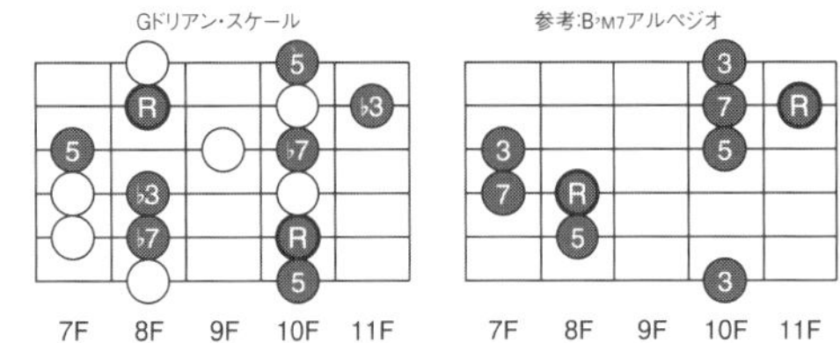


こちらもB♭M7（IVM7）のアルペジオからスタートしています。2小節目の「9th→7th→R」の動きも定番です。

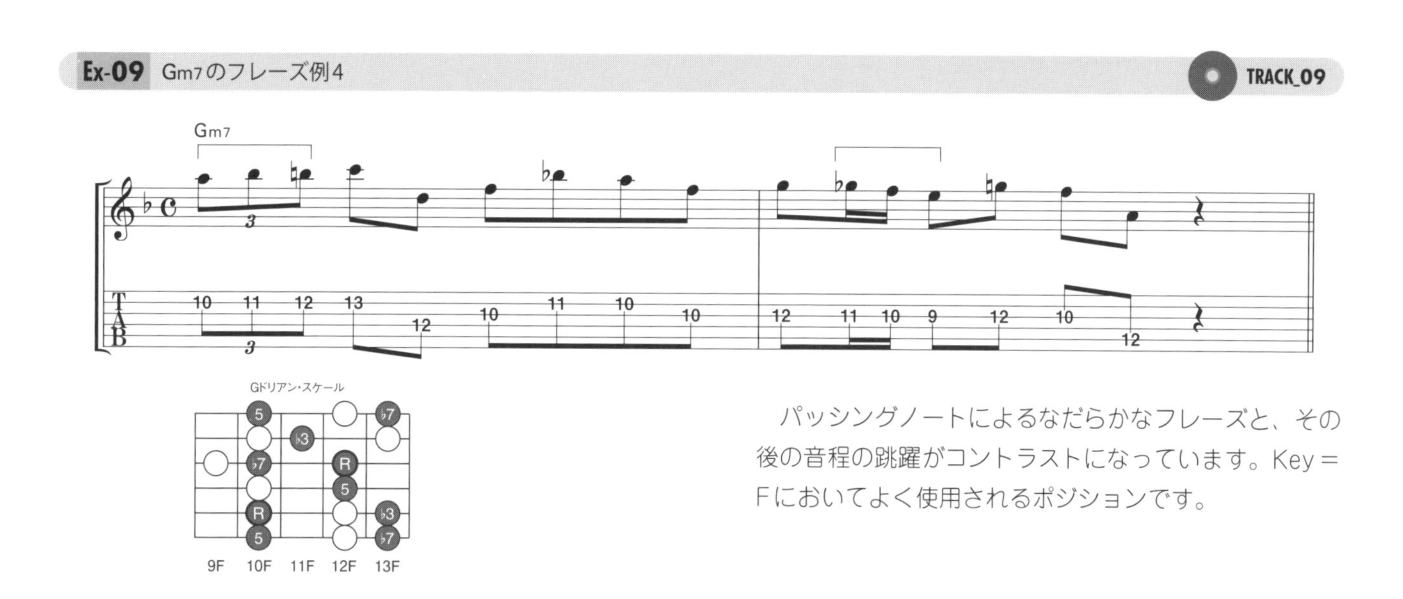


パッシングノートによるなだらかなフレーズと、その後の音程の跳躍がコントラストになっています。Key＝Fにおいてよく使用されるポジションです。

2小節2拍目裏からの連続したコード・トーンへのアプローチが特徴的です。実際の演奏では、もう少し上のフレットポジションで演奏されることが多いと思われますが、ここでは各ポジションをバランスよく紹介するため、開放弦を含むポジションで記載しています。

## 図-01 ドリアン・スケールとメロディック・マイナー・スケールの比較

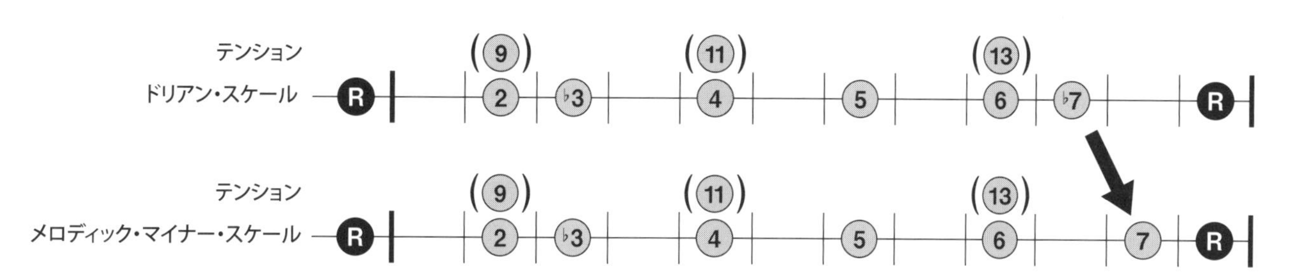


なお、ドリアン・スケールによるフレーズを中心にご紹介していますが、Ⅱm7上では特に上昇フレーズにおいてドリアンに代えてメロディック・マイナー・スケール（ドリアンの♭7thを半音上げたものと同じ音列。P.104参照）が用いられることがよくあります。厳密には、メロディック・マイナーの7度の音はⅡm7のコード・トーン♭7th音とぶつかりアボイドノート（P.9参照）になるはずですが、実際の演奏上ではアプローチノートとして機能するため、ほとんど違和感なく聴こえます。

第2章 STEP 2

# IM7上でのフレーズ

ここからは、メジャー・コードであるIM7上でのフレーズを取り上げます。IM7ではイオニアン・スケールがもっとも使われます。または、単にトニックと考えてマイナー・キーのIm7と共通の「♭3rd下のエオリアン・スケール」が使用されることもあります（マイナー・コンバージョン　P.100参照）。

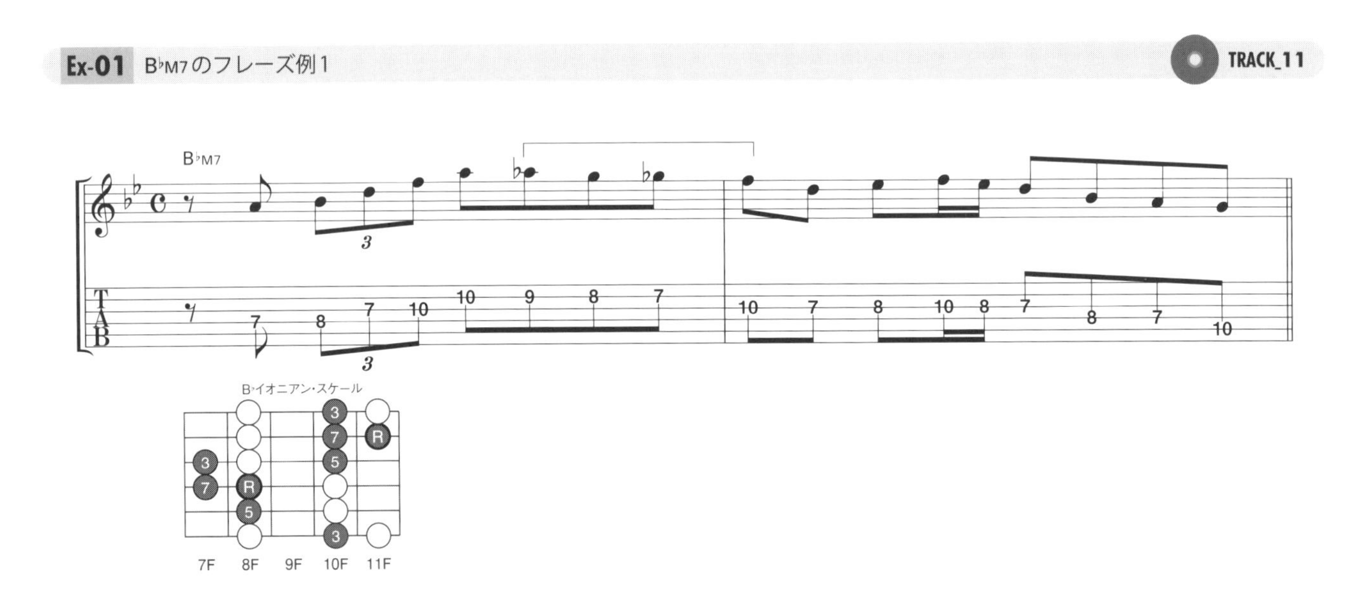


2小節1拍目表のB♭M7の5thであるF音へのロング・アプローチです。このようなフレーズを自然にできるようにするには、「今弾いているコードは何か」だけでなく、**「どこ（ターゲット）を目指して弾いているのか」**を意識できるよう、少し先の小節を見ながら演奏する癖をつける練習をすることが重要です。

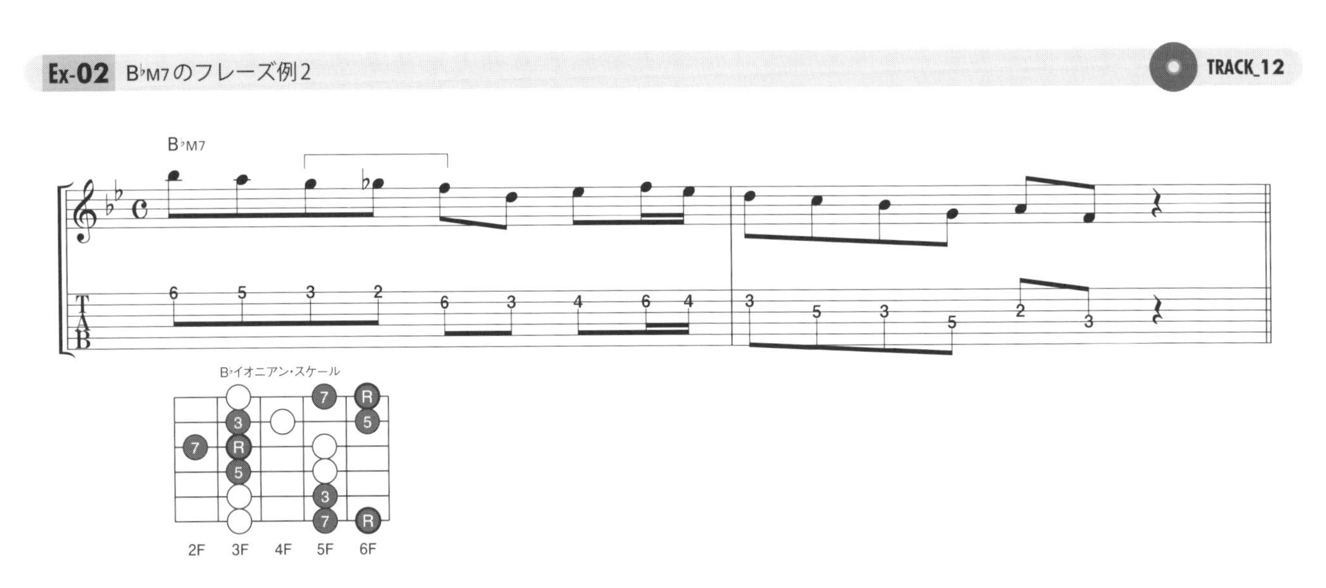


1小節3拍目表のF音へ向かうアプローチは、典型的なビバップ・スケールの下降フレーズになっています（譜面上は通常のB♭イオニアン・スケールとして記載しています）。

## Ex-03 B♭M7のフレーズ例3

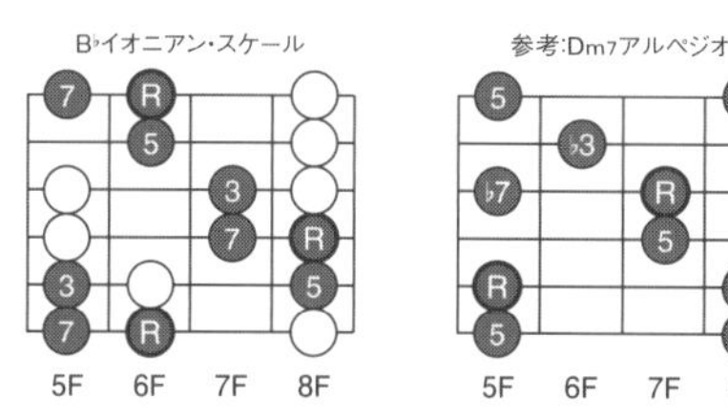


B♭M7（IM7）の代理コードである、Dm7（ⅢM7）のアルペジオからスタートしています。跳躍の多いビバップらしいフレーズです。

## Ex-04 B♭M7のフレーズ例4

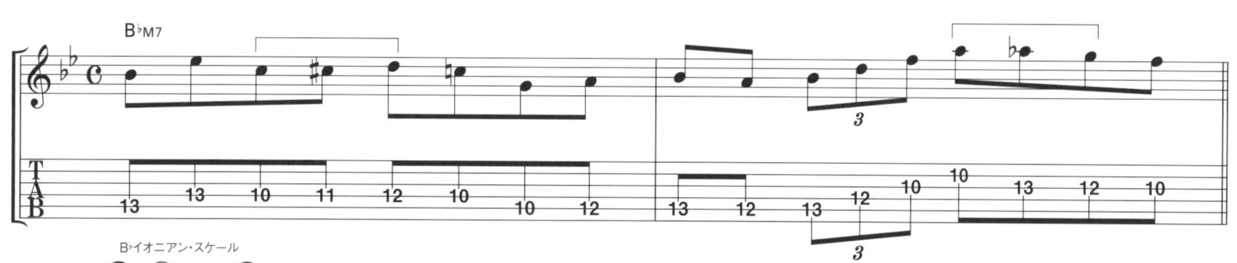


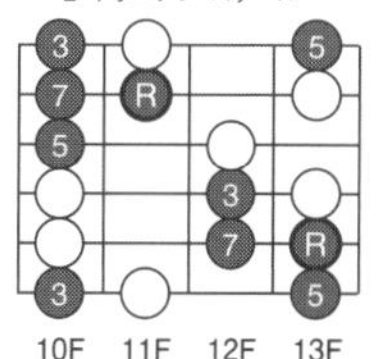


1小節目のスケールを横に動くような（ホリゾンタルな）フレーズから、2小節目のB♭M7アルペジオのフレーズへ滑らかに動いています。なお、Ex-3等もそうですが、指板を縦に動く（バーティカルな）アルペジオ・フレーズはギターでは中々弾きにくいものです。このようなアルペジオ・フレーズをスムーズに弾くには、「**スウィープ・ピッキング**」のテクニックが便利です。

## COLUMN スウィープ・ピッキングでの弦の当て方

ギターでジャズを演奏する場合、アルペジオ・フレーズ等において1弦につき1音ずつ弾かなくてはいけないようなケースが多く、楽器の特性上なかなか演奏しづらいものです。ジャズ・ギター・プレイヤーは、ダウン・ピッキングとアップ・ピッキングを交互に繰り返すオルタネイト・ピッキングで弾くのが一般的ですが、アルペジオのように1弦に1音ずつ弾くフレーズでは、右図のように「ダウン、ダウン」または、「アップ、アップ」等、1弦に1音ずつ一方向にピッキングすることで、よりスムーズに演奏することができます。このような演奏方法を「**スウィープ・ピッキング**」といいます。

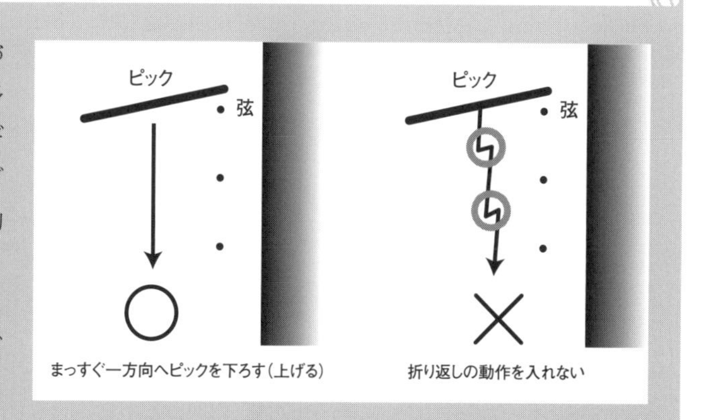

まっすぐ一方向へピックを下ろす（上げる）　折り返しの動作を入れない

この際、ピッキングする右手については折り返しの動作を入れず、文字通り「**掃くように**」演奏するのがコツです。左手については、「**ピッキングの終わった弦上の指を軽く浮かせ**」、音が重複しないよう順次ミュートしていきます。

最初のうちはとっつきづらいかもしれませんが、ギタリストでもチャーリー・クリスチャンからバーニー・ケッセル、最近のコンテンポラリー系のミュージシャンまで必須のテクニックになっていますので、研究してみてください。

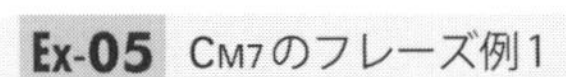

## Ex-05 CM7のフレーズ例1

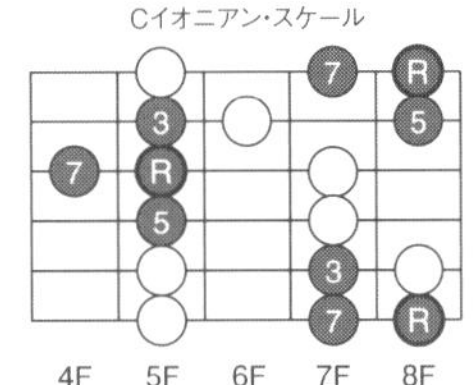


Key＝Cでもっともよく使われるポジションの一つです。最初に8分休符が入り、1拍目の裏からフレーズがスタートしています。実際のアドリブにおいては、このように1拍目裏から、2拍目裏から、あるいは前の小節の最後の裏拍から（アウフタクト）等、「**裏からスタートするフレーズ**」は大変多く、とってつけたようなフレーズにならないコツともいえます。

## Ex-06 CM7のフレーズ例2

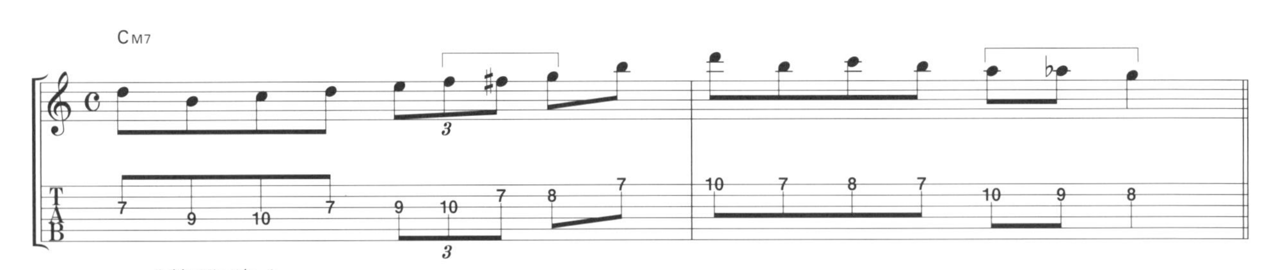


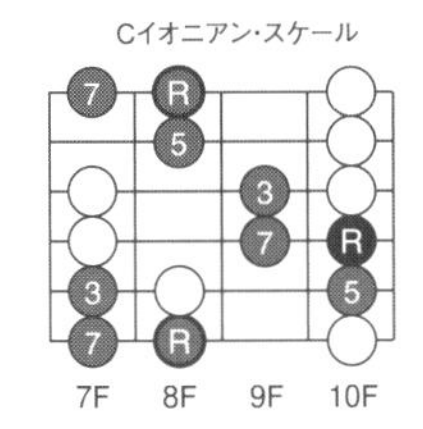


9thのテンション音であるD音からスタートします。2小節1拍目も再びD音でスタートし、「**9th**」が協調されることでCM7(9)のサウンドが表現されています。

## Ex-07 CM7のフレーズ例3

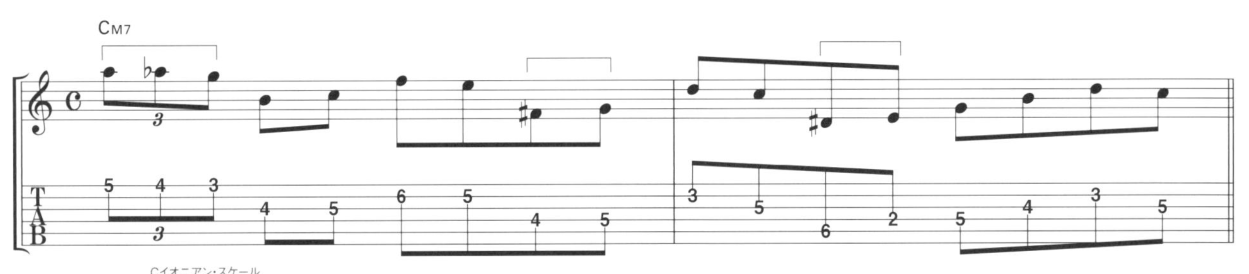


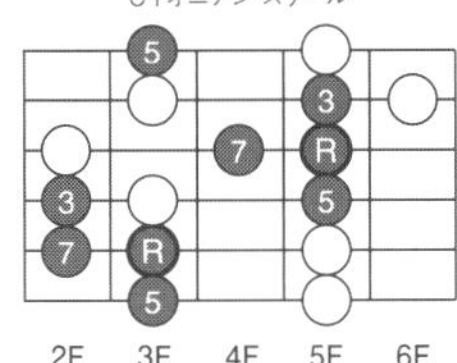


音の跳躍が特徴的なフレーズです。1小節4拍目、2小節2拍目ではアプローチ・ノートが表拍、ターゲット・ノートが裏拍に配置されており、これはセオリーとは異なりますが独特の雰囲気をもったサウンドになります。

## Ex-08 FM7のフレーズ例1

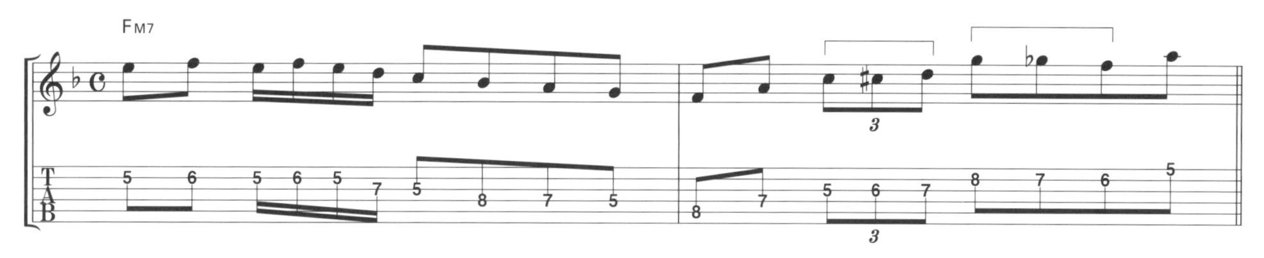


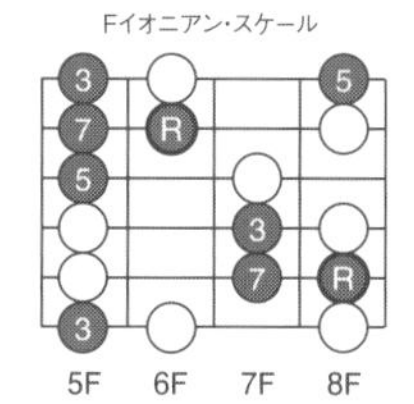


1小節2拍目の16分音符は、一種の「こぶし回し」のようなもので非常によく使われます。実際にチャーリー・パーカー等の録音盤を聴くと、譜面に再現されていない音も、このような「一種の手癖」と思われる速いフレーズをたくさん吹いていることがわかります。

## Ex-09 FM7のフレーズ例2

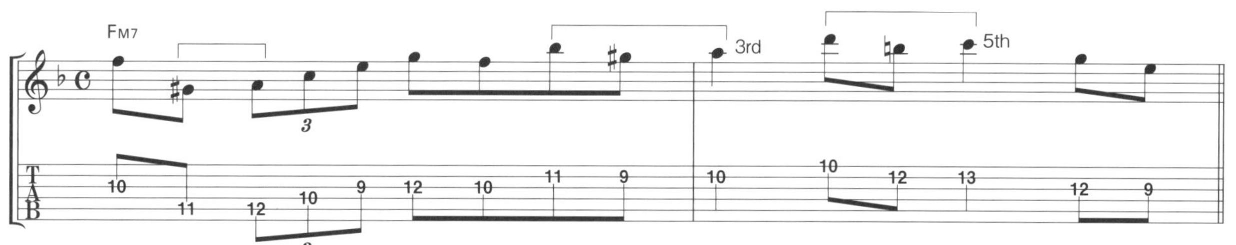


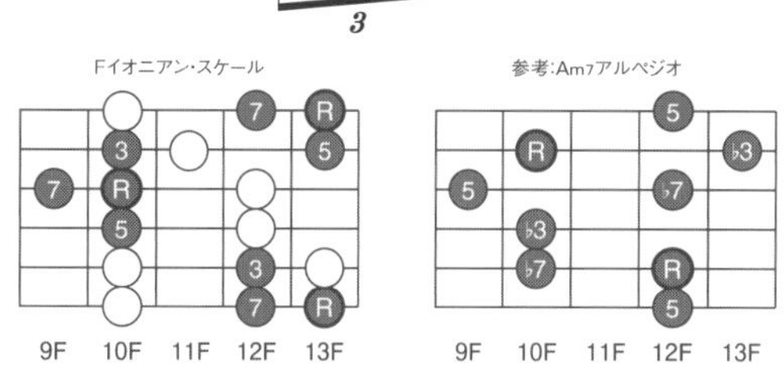


1小節目の2拍目は、FM7(IM7)の代理コードであるAm7(IIIm7)のアルペジオで、結果的にFM7(9)のサウンドになっています。2小節目強拍である1拍目表、3拍目表はそれぞれFM7の3rd、5thがターゲット・ノートとして配置され、ここへアプローチすることでコードの響きが効果的に強調されています。

## Ex-10 FM7のフレーズ例3

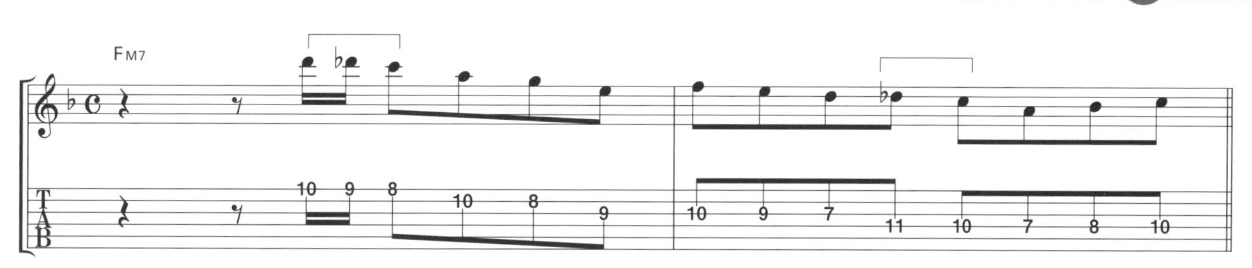


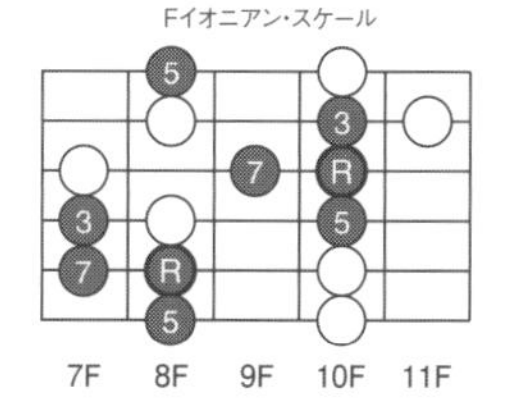


1拍半の休符からスタートするフレーズです。サックスのように「息継ぎ」の必要がないギターにおいては、このような「**息継ぎに相当する休符**」を意識して、どのようなタイミングで入れるかは非常に重要です。2小節目1拍目からの下降フレーズは、典型的なメジャー・ビバップ・スケールのラインになっています。

# V7上でのフレーズ

続いてV7上でのフレーズです。メジャー・キーのV7上では、通常ミクソリディアン・スケールやリディアン♭7スケールがよく用いられます。また、「**5度進行するV7上**」では、オルタード・テンションが含まれたオルタード・スケールやコンディミ、ハーモニック・マイナーP5↓(主としてマイナー・キーのV7で使用)等がよく使われます。アルペジオやスケールの構成音が、どのように使用されているかを確認しながら練習してください。

## Ex-01 F7のフレーズ例1

TRACK_21

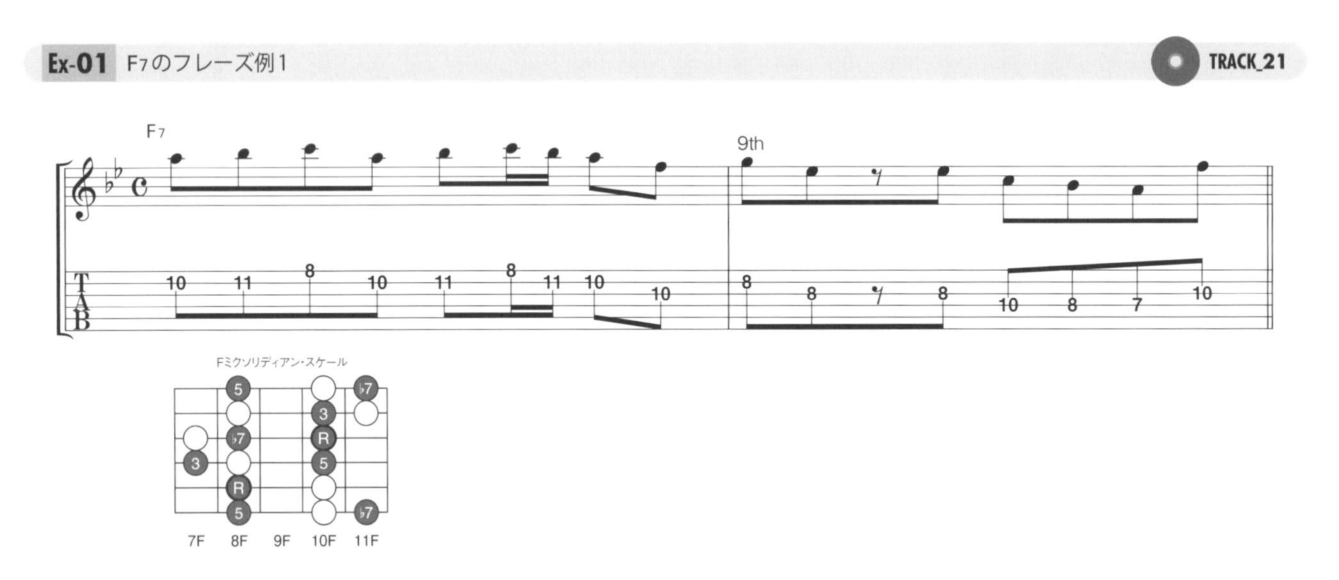


2小節目の1拍表のG音は、F7の9thにあたりF9のサウンドになっています。ブルースのI7等でも使用できそうなフレーズです。

## Ex-02 F7のフレーズ例2

TRACK_22

チャーリー・パーカーのセブンス・コード上でよく見られるラインです。1小節の4拍目裏のアプローチ・ノートはF7の3rdに解決しており、コードを強調しています。

## Ex-03 G7のフレーズ例1 TRACK_23

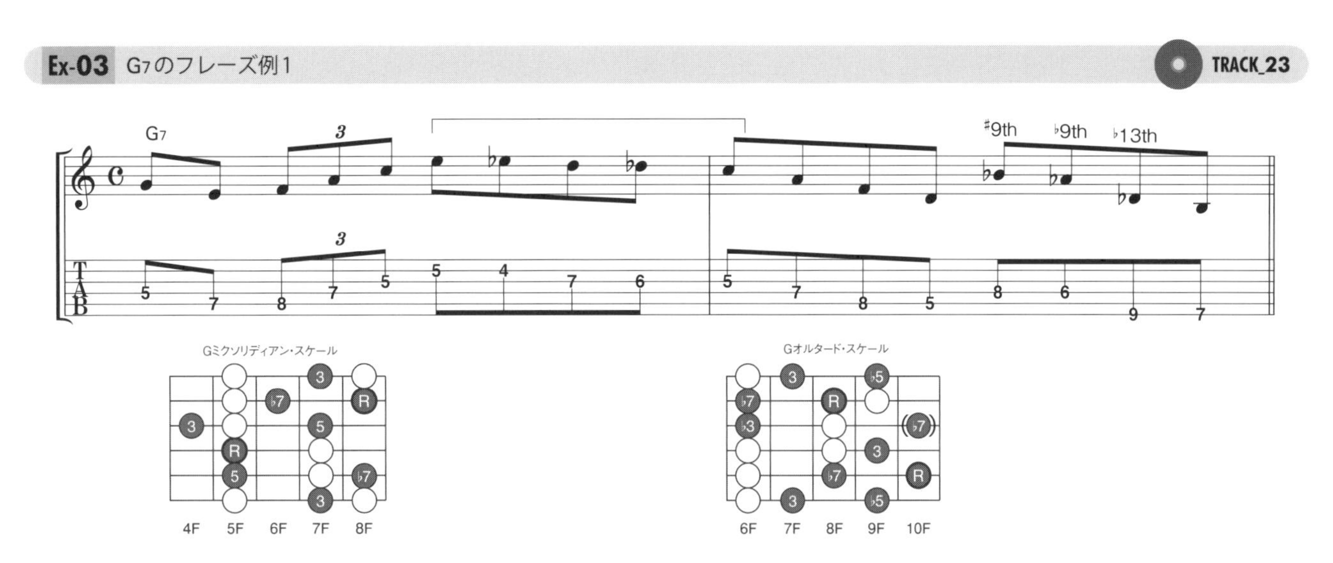


前半はFM7のアルペジオでスタートし、ミクソリディアンのフレーズというよりは、Ⅴ7を「Ⅱm7→Ⅴ7」に分けた「Ⅱm7**のサブドミナントのフレーズ**」として弾いているように見えます。2小節目の3～4拍目は、「♯9th→♭9th→♭13th」と下降するオルタードのフレーズになっています。

## Ex-04 G7のフレーズ例2 TRACK_24

Gコンディミ・スケールを使用した例です。コンディミは、リディアン系のテンションである「13th、♭9th、♯9th」といったオルタード系のテンションが入っており、現代的なフレーズを作りやすいといえます。あまりビバップ期のフレーズという感じではありませんが、コンディミのポジションは必須ですので確認してください。

## Ex-05 C7のフレーズ例1 TRACK_25

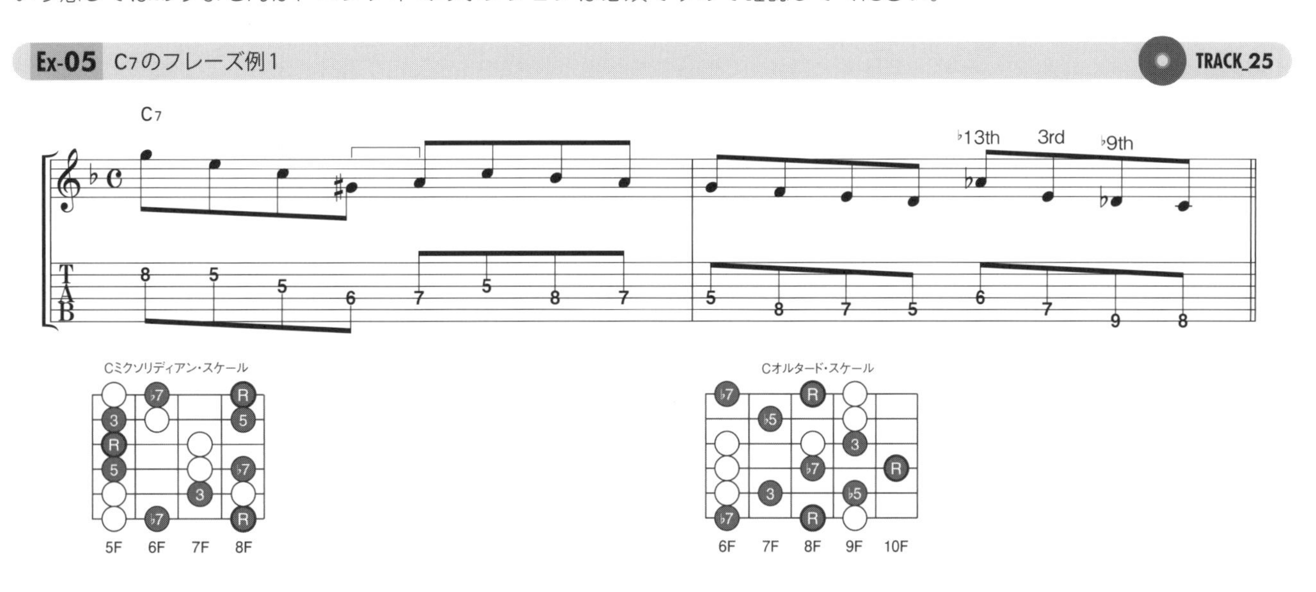


前半はC7のアルペジオになっており、3拍目表の13th（A音）へのアプローチでC13のサウンドになっています。2小節目の3～4拍目は、「♭13th→3rd→♭9th」でオルタードのフレーズです。

## Ex-06 C7のフレーズ例2　TRACK_26

1小節目の3～4拍目のアプローチは、ミクソリディアン・ビバップ・フレーズの典型的な例ともいえます。このようなフレーズは、ブルースのI7等でもこのまま使用できます。

## Ex-07 B♭7のフレーズ例　TRACK_27

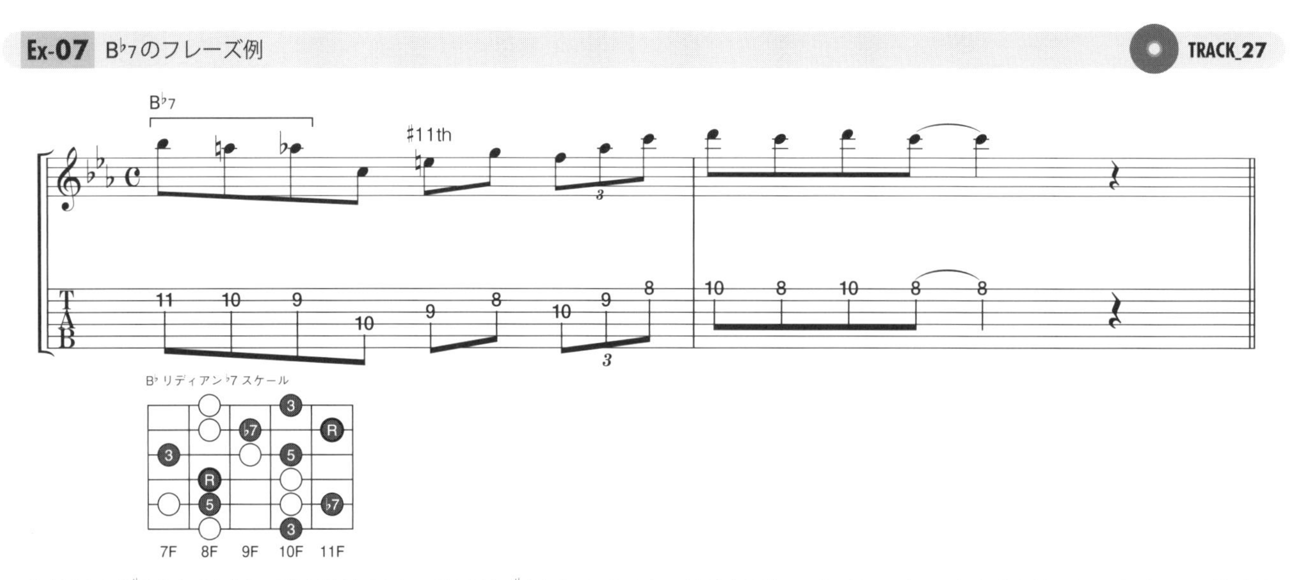


3拍目の「♯11th(E音)」が特徴的です。ここは、♯11thの含まれるB♭リディアン♭7スケールを使用しています。アボイド・ノートがなく使いやすいことから、最近のプレイヤーにも好んで使われます。

## Ex-08 A7のフレーズ例　TRACK_28

Key＝DmのV7であるA7上でのフレーズです。このフレーズ上で使われているAハーモニック・マイナーP5↓は、マイナー・キーの「IIm7(♭5)→V7」において使われるスケールの第一候補です。「ミクソリディアン♭9th、♭13th」と呼ばれることもあります。

第2章 STEP 4

# 「IIm7→V7」フレーズ

さて、ここまでは1つのコードを取り上げて練習してきましたが、ここからは「コード進行」の中でのフレージングを練習していきます。ここで取り上げるような2拍ずつコードが変わる進行では、「えーと、ここからDm7だから代理コードはなんだっけ？　次のコードのスケールは～」等と考えていては演奏になりません。

こういった早いコード・チェンジの上で自由に演奏できるようになるには、コード進行やそれに伴うアルペジオ、スケール・チェンジを意識しなくともできるくらいまで繰り返し練習し、「**ツー・ファイブ・フレーズを一固まり**(ひとかたまり)」として意識できるようにする必要があります。

**Ex-01** Key=B♭のツー・ファイブ例1 TRACK_29

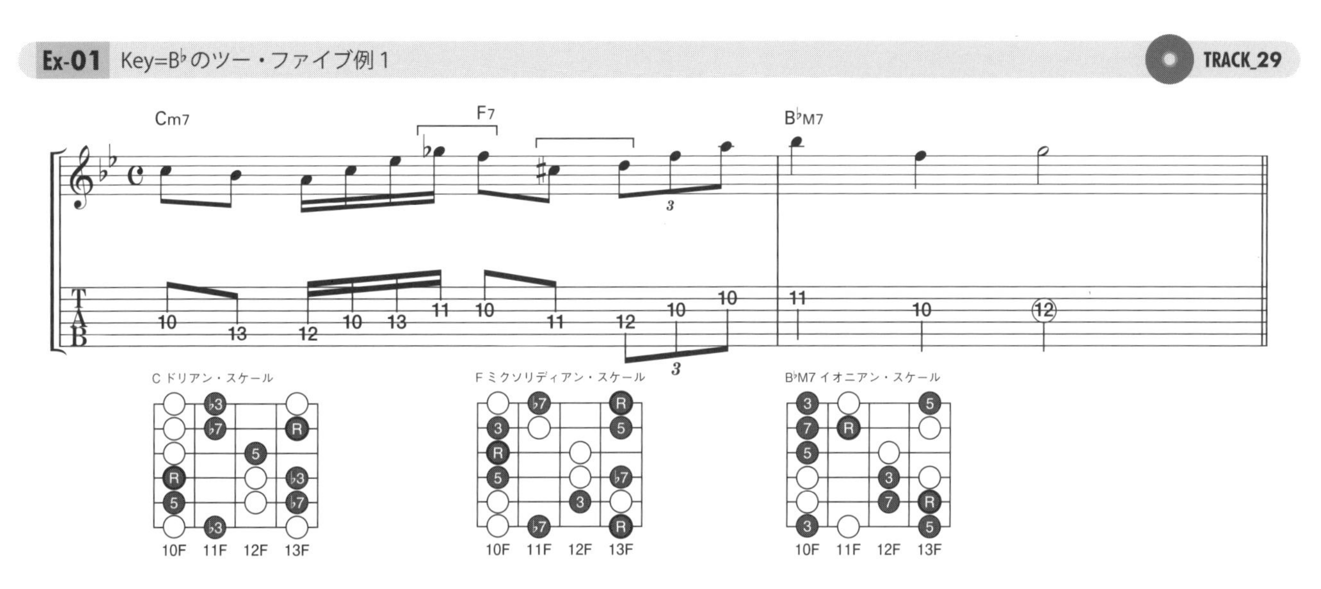


2拍目16分裏のG♭音は、F7のテンションである♭9thとも、F7のルートへのアプローチとも捉えることができます。ここではアプローチと解釈して、ドリアン・スケールからミクソリディアン・スケールへのチェンジとして書いてありますが、解釈は一通りでないことを確認し、自分で整理しやすい解釈で演奏してください。

**Ex-02** Key=B♭のツー・ファイブ例2 TRACK_30

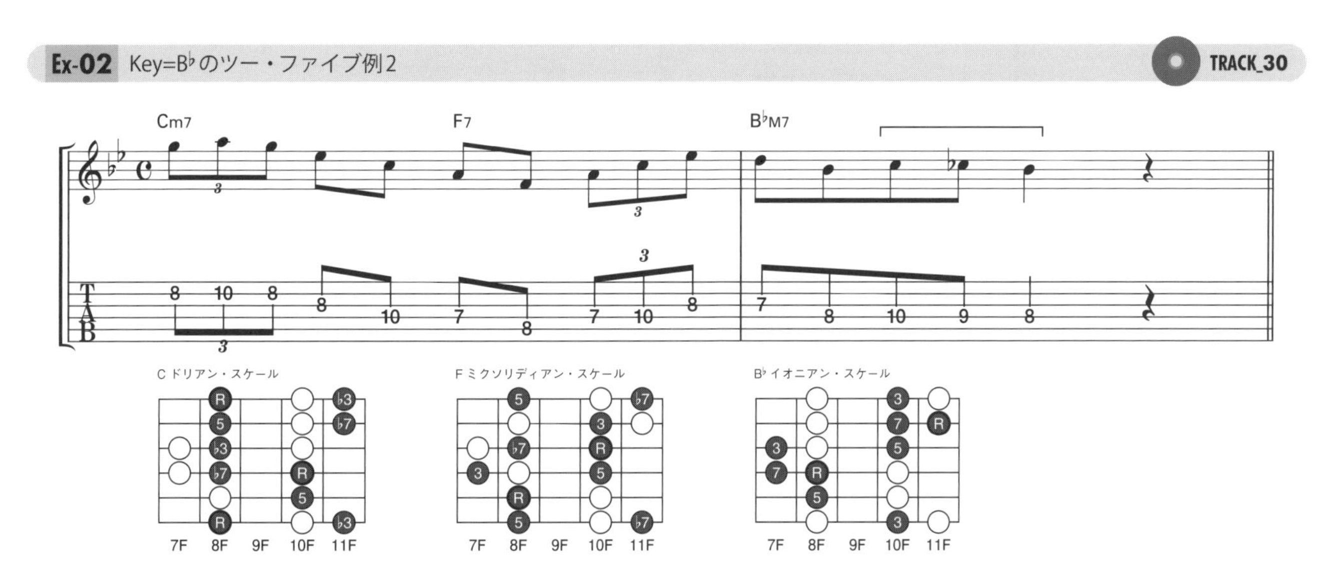


1小節4拍目は、典型的なF7のアルペジオです。ドミナントというとオルタードというイメージがありますが、ビバップ期の演奏ではメジャーに解決するV7では、素直なミクソリディアン・スケールやコードのアルペジオが多く用いられます。

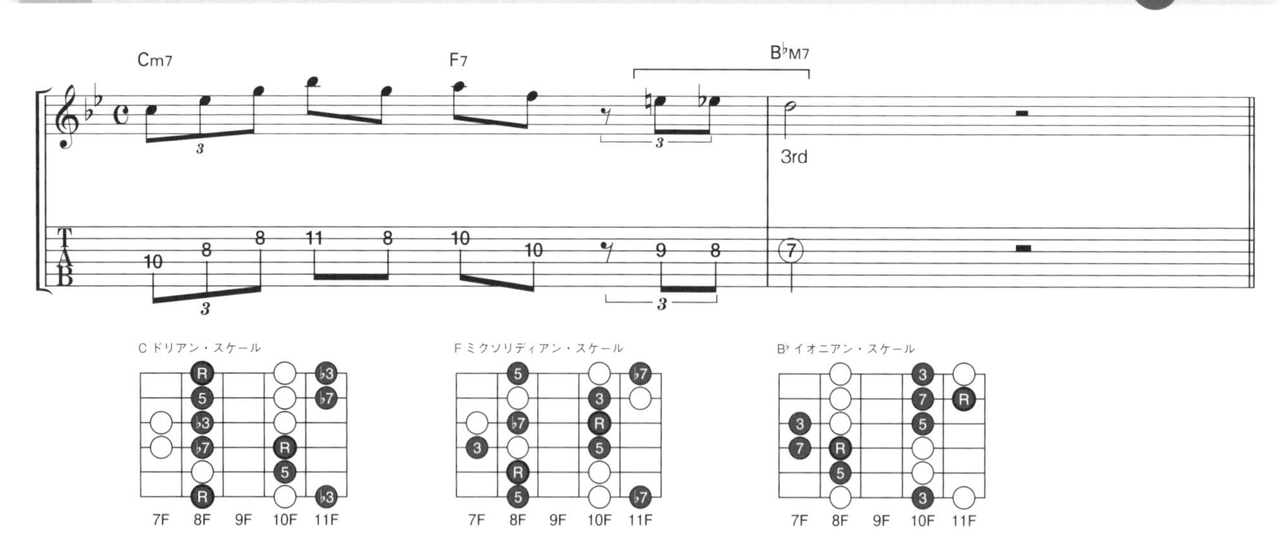


キレイにそれぞれのCm7、F7コードのアルペジオから最後はB♭M7の3rdへアプローチしています。分析しやすい典型的なフレーズの一つです。

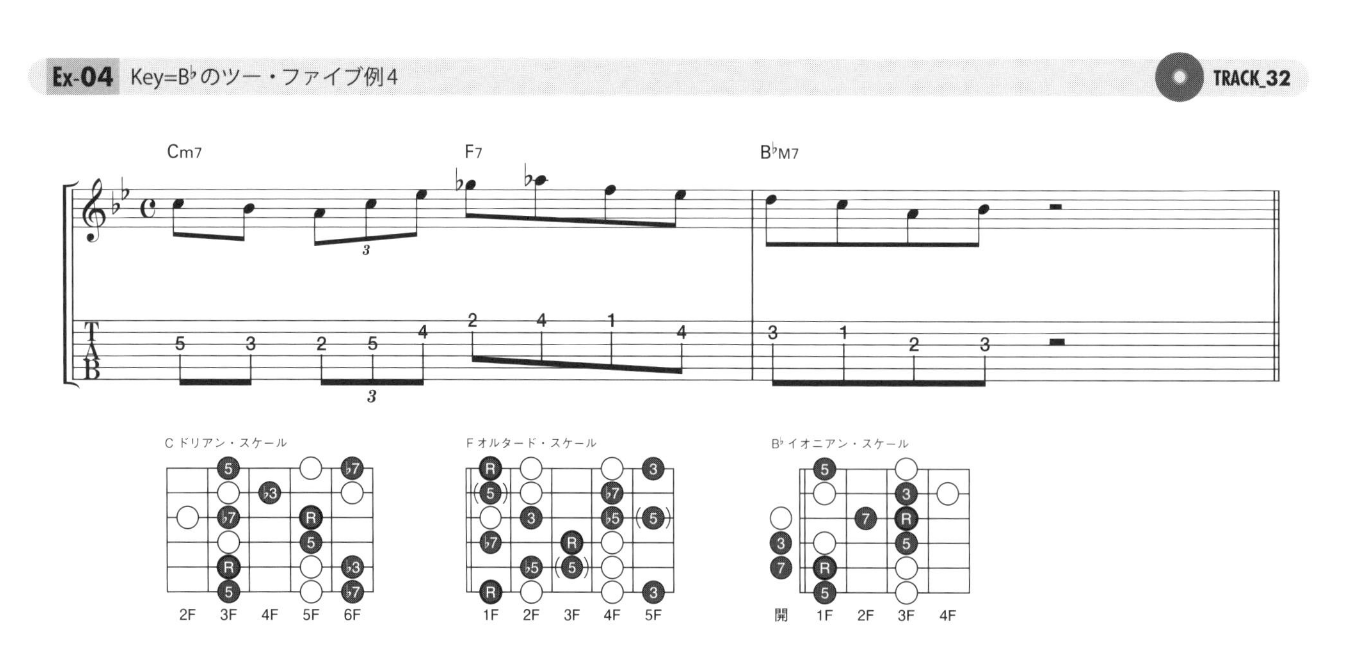


必修度MAXのオルタード・スケールの典型的なフレーズです。1弦2F（フレット）、4FがそれぞれF7に対して「♭9th、♯9th」にあたります。6弦ルートのオルタードのポジションは、比較的ギターで見えやすい方だと思いますので、F7のコード・トーンやコード・フォームと関連させて覚えてください。半音上のメロディック・マイナーとして理解する方法も一般的です（P.100～101マイナー・コンバージョン参照）。

## Ex-05 Key=B♭のツー・ファイブ例5

TRACK_33

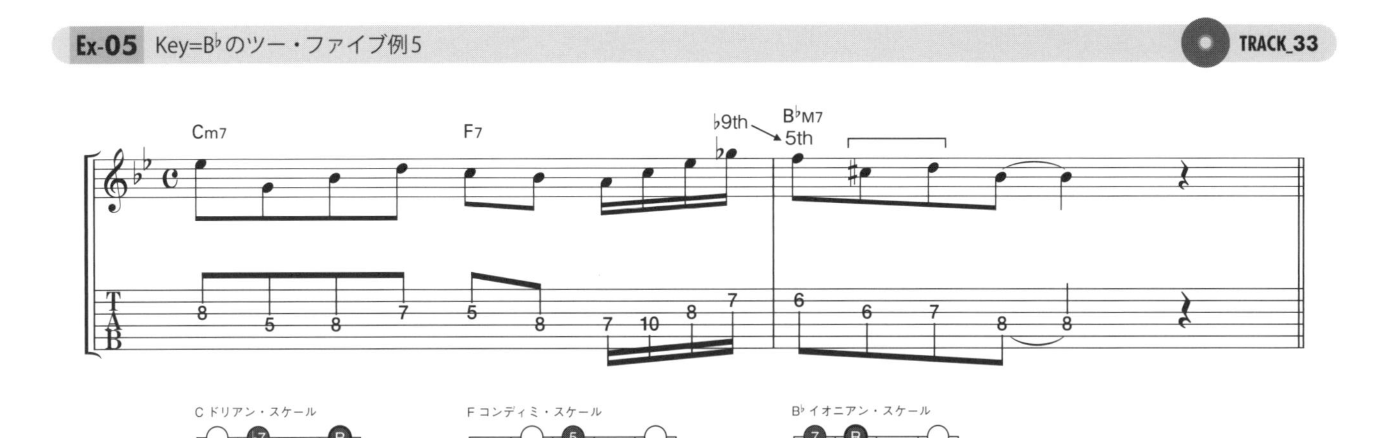


このフレーズで見られる1小節目の4拍目16分裏、F7の♭9thからB♭M7の5thへの動きも典型的なものです。F7のスケールはコンディミで書いてありますが、ミクソリディアン・スケールと捉えて♭9thをアプローチと考える方法もあります。

## Ex-06 Key=Cのツー・ファイブ例1

TRACK_34

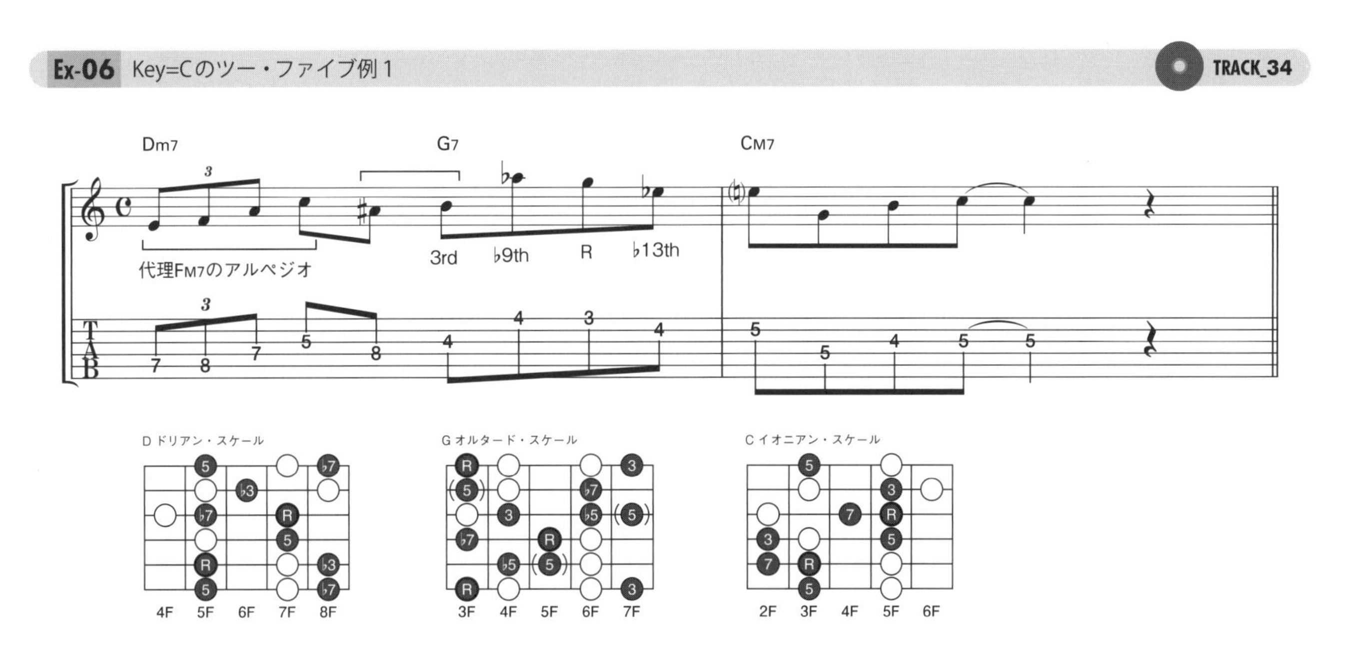


1小節目Dm7は代理であるFM7のアルペジオからスタートし、2拍目裏からG7の3rdへアプローチすることでコード・チェンジを強調しています。CM7へ向かう3拍目、4拍目の「3rd→♭9th→R→♭13th」という動きも典型的なオルタード・フレーズです。

## Ex-07 Key=Cのツー・ファイブ例2

TRACK_35

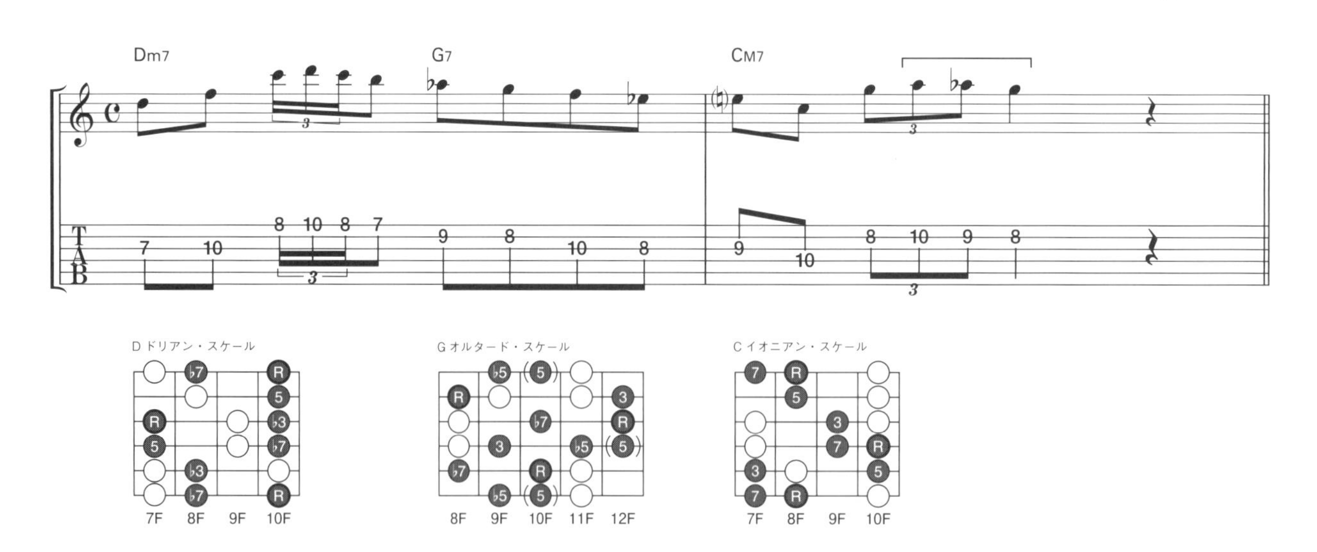


1拍目から2拍目への跳躍フレーズが特徴的です。2拍目の「こぶし回し」については、16分3連と8分で書いてありますが、実際には16分音符のフレーズと区別がつきにくいような、あいまいなものもよく見られます。3拍目、4拍目は典型的なオルタード・フレーズです。

## Ex-08 Key=E♭のツー・ファイブ例1

TRACK_36

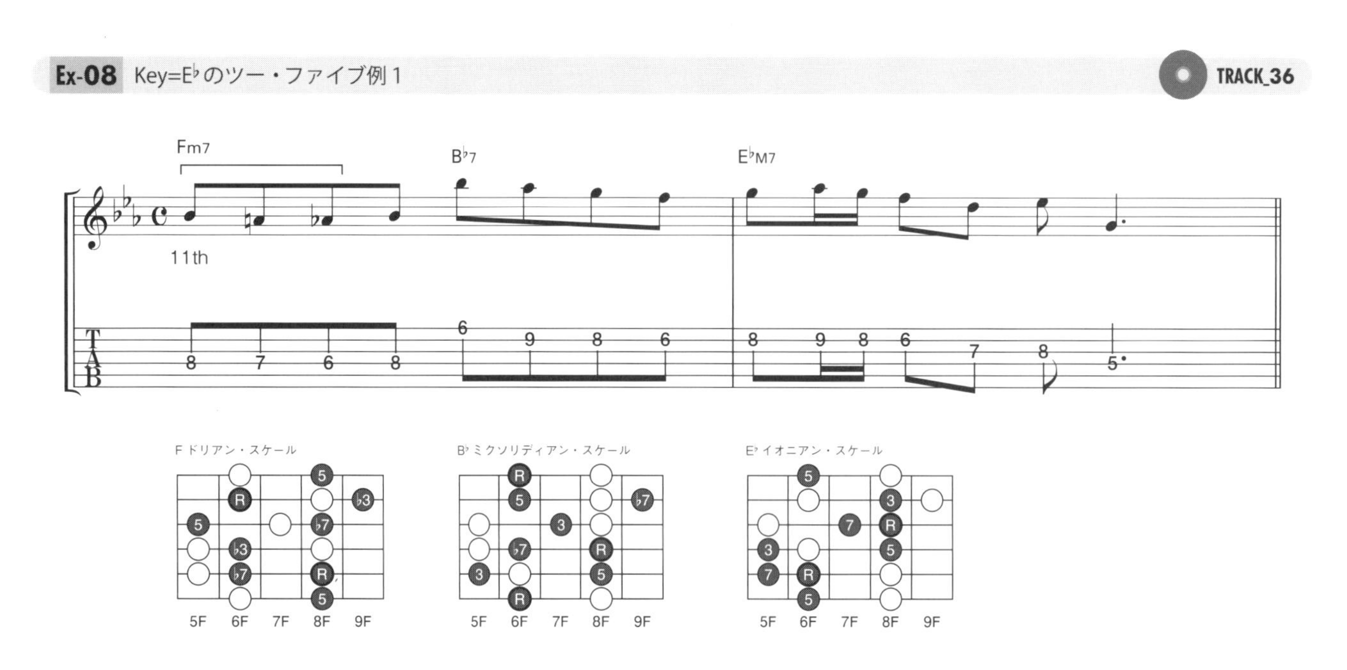


Fm7の11thの音からスタートしています。こういった「Ⅱm7→Ⅴ7」のフレーズでは、演奏時にはほとんど「Ⅴ7一発」、または「Ⅱm7一発」と考えて弾いているケースもよくあります。このフレーズでも譜面上はFm7とB♭7で、それぞれドリアン・スケール、ミクソリディアン・スケールのダイアグラムを示していますが、Ⅴ7のみで考えても同様のフレーズは弾けると思われます。どちらでも意識できるように練習してください。

**Ex-09** Key=E♭のツー・ファイブ例2 TRACK_37

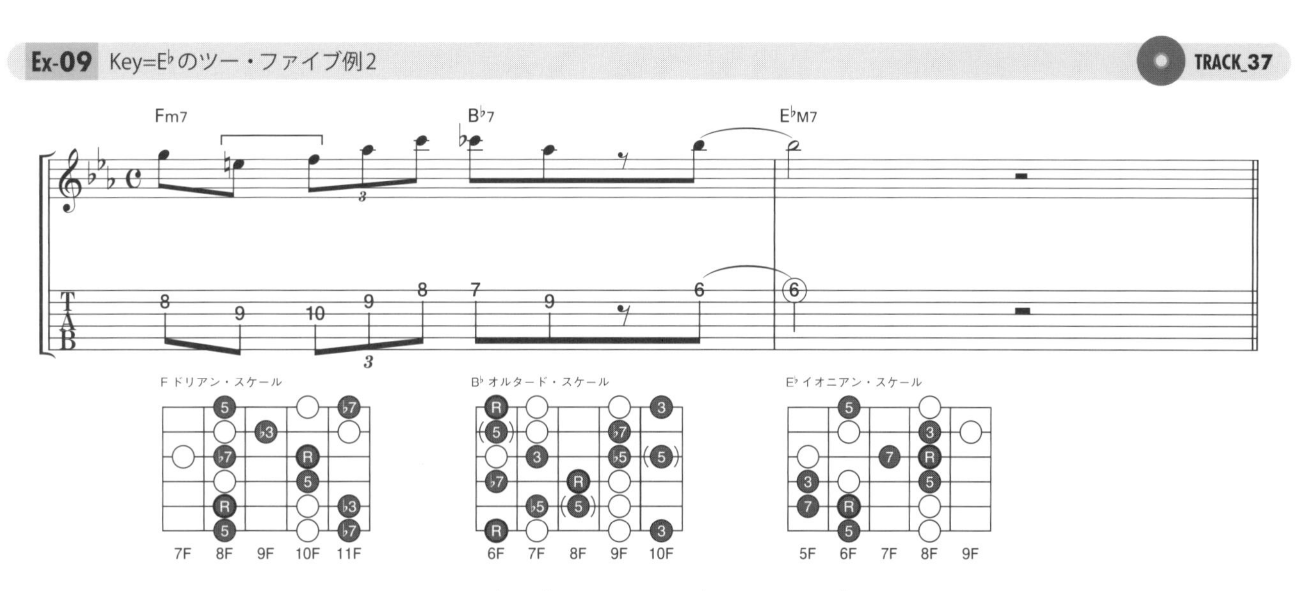


Fm7アルペジオの最後の5thのC音から、B♭7の♭9th（B音）、E♭M7の5th（B♭音）へ半音で下がっていくクリシェのようなラインになっています。自然でよく利用されるフレーズです。

## COLUMN コード進行の細分化、「Ⅱm7→Ⅴ7」のⅤ7代理

ビバップでは、P.12で説明したような一つのコードに対して対応する一つのコードという代理関係の他、あるコードをもっと細かいコード進行に分割したり、その逆にいくつかのコードをまとめて大きく捉えて代理することが頻繁に行われます。もっとも典型的なものとしては、ドミナントであるⅤ7を「Ⅱm7→Ⅴ7」や「Ⅱ7→Ⅴ7（Ⅱ7はⅤ7へ向かうセカンダリー・ドミナント）」に分ける方法がよく知られており、相互に代理することができます。

● 1小節のG7を、それぞれ2拍ずつの「Dm7→G7」や「D7→G7」に

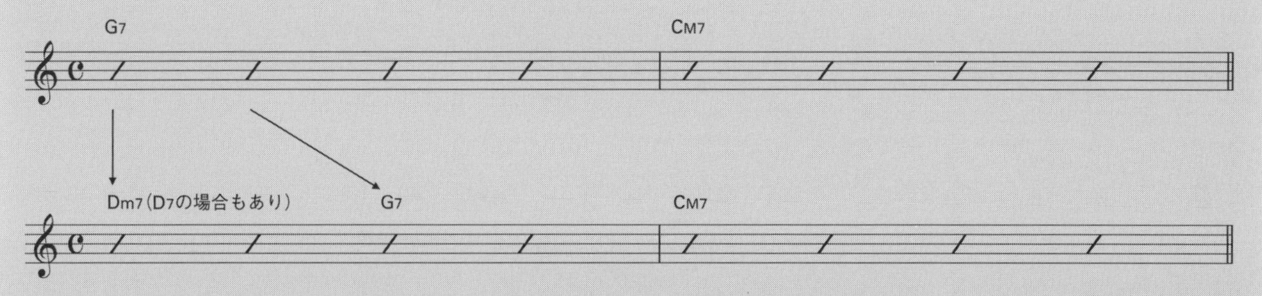


また、逆に「Ⅱm7→Ⅴ7」のコード進行を「大きくⅤ7」と捉えることもできます。実際の演奏においては、単純に譜面にかかれたコードのみでなく、このように置き換え可能なコードやコード進行を想定しながら、コードを大きく捉えたり、逆にもっと細かく捉えたりしながらアドリブ・フレーズを弾いていくことになります。これはつまり、**「緊張（サブドミナント、ドミナント）→弛緩（トニック）」**という流れにおいて、最後の落ち着きどころが一致していれば途中の配分はどのようなものでも概ね問題ない場合が多い、と言い換えることもできます。

● 2小節続くCM7にG7を挿入

この他、上図のように長く続くコードがある場合、そのコードへ向かうドミナント・コードを適宜挿入してフレーズに変化をつける（上記譜例ではCM7へ向かうG7を想定）こともよく行われます。ジャズに限らず、いわゆる一発もの等、一つのコードが長く続くような曲を弾くときも同様のアイデアが活用できるでしょう。

## Ex-10 Key=Gのツー・ファイブ例

TRACK_38

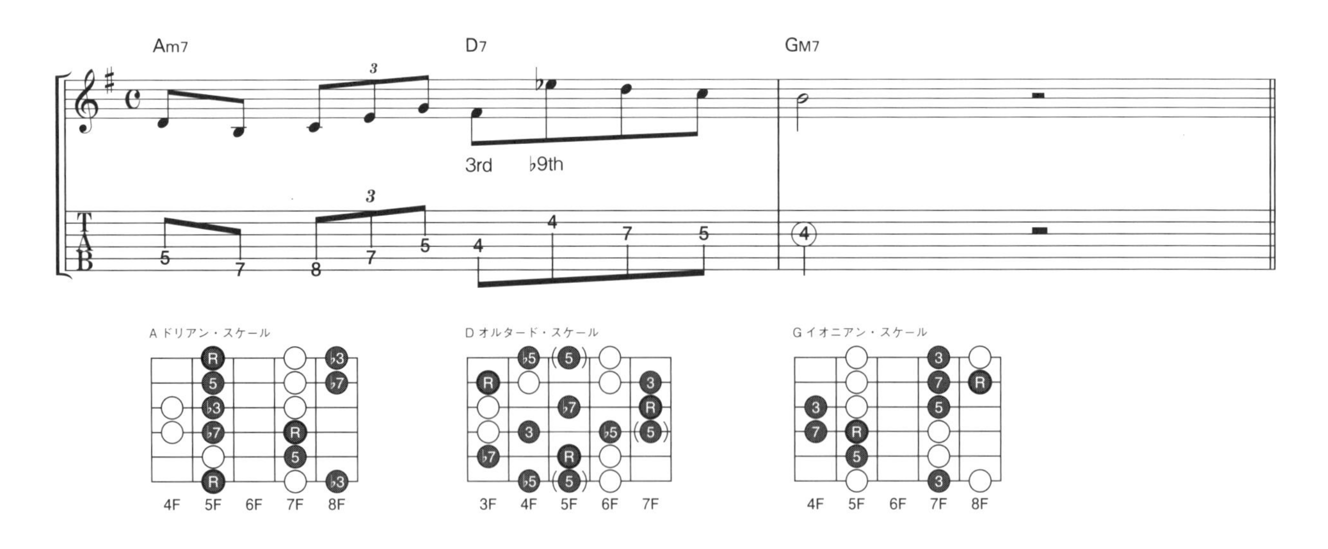


Key＝Gの「Ⅱm7→Ⅴ7→ⅠM7」です。1小節目の3拍目は、5弦ルートのオルタード・フレーズの典型例で、Ⅴ7の3rdから♭9thへの動きは、非常に多くのフレーズの中で見ることができます。オルタードのポジションが見えにくいかもしれませんが、繰り返し弾いて指に覚えさせてください。

## Ex-11 Key=Fのツー・ファイブ例1

TRACK_39

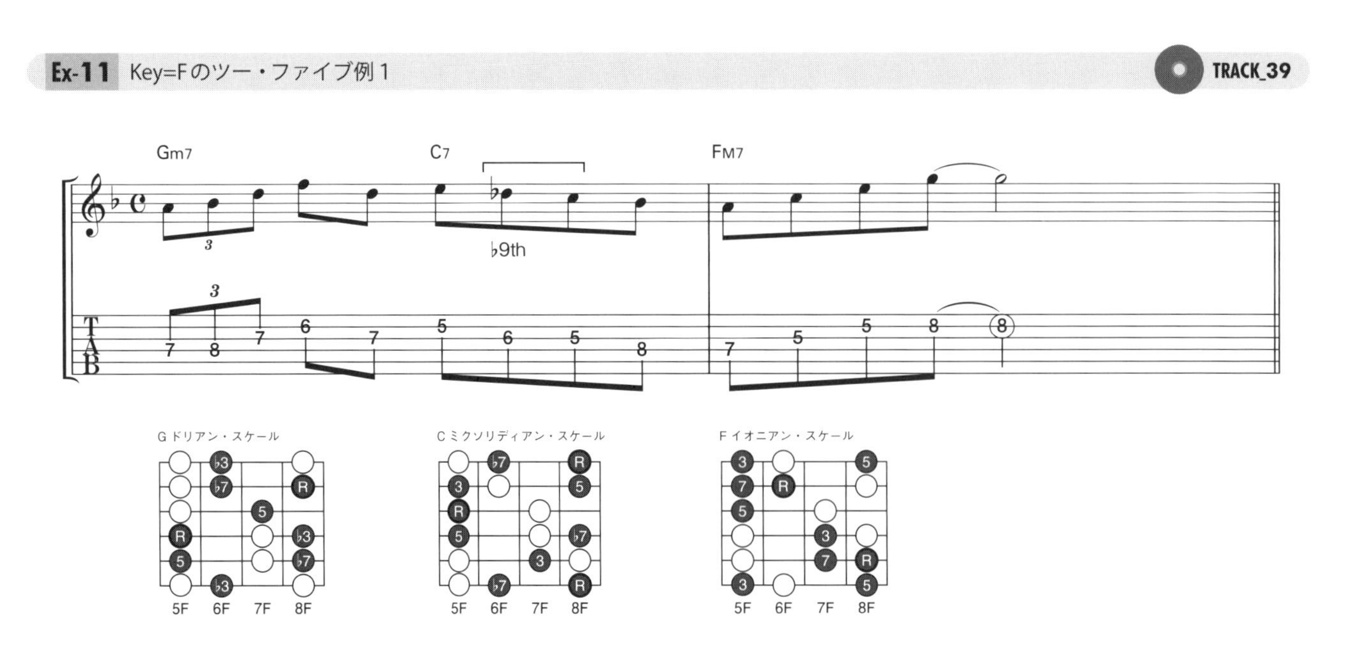


1小節目の3拍裏のD♭音は、C7から見ると♭9thにあたり、テンションと捉えればスケールはコンディミかオルタードとも捉えられますし、単にC7のルートへのアプローチと捉えれば、ミクソリディアン・スケールであると解釈することもできます。ここでは、ミクソリディアンのダイアグラムで示しています（同様にどちらとも解釈できる譜例〈P.41、Ex-01〉とも比較してみてください）。

## Ex-12 Key=Fのツー・ファイブ例2　TRACK_40

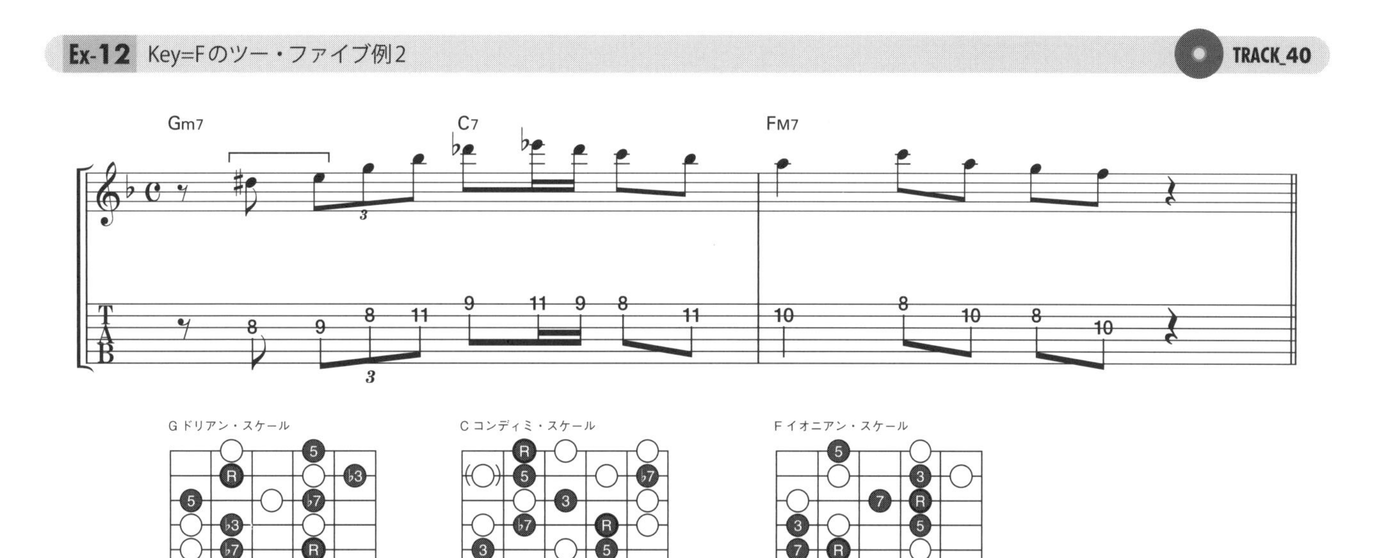


「Gm7→C7」は、コード・スケールとしては「Gドリアン→Cコンディミ（orオルタード等）」ですが、フレーズを見る限り「C7（ミクソリディアン）→C7（コンディミ）」と捉えているように見えます。フレーズはGm7から見ると13th（C7から見ると3rd）へのアプローチからスタートし、オーソドックスな「♭9th→♯9th→♭9th」の動きを経て、FM7の3rdに解決しています。

## Ex-13 Key=Fのツー・ファイブ例3　TRACK_41

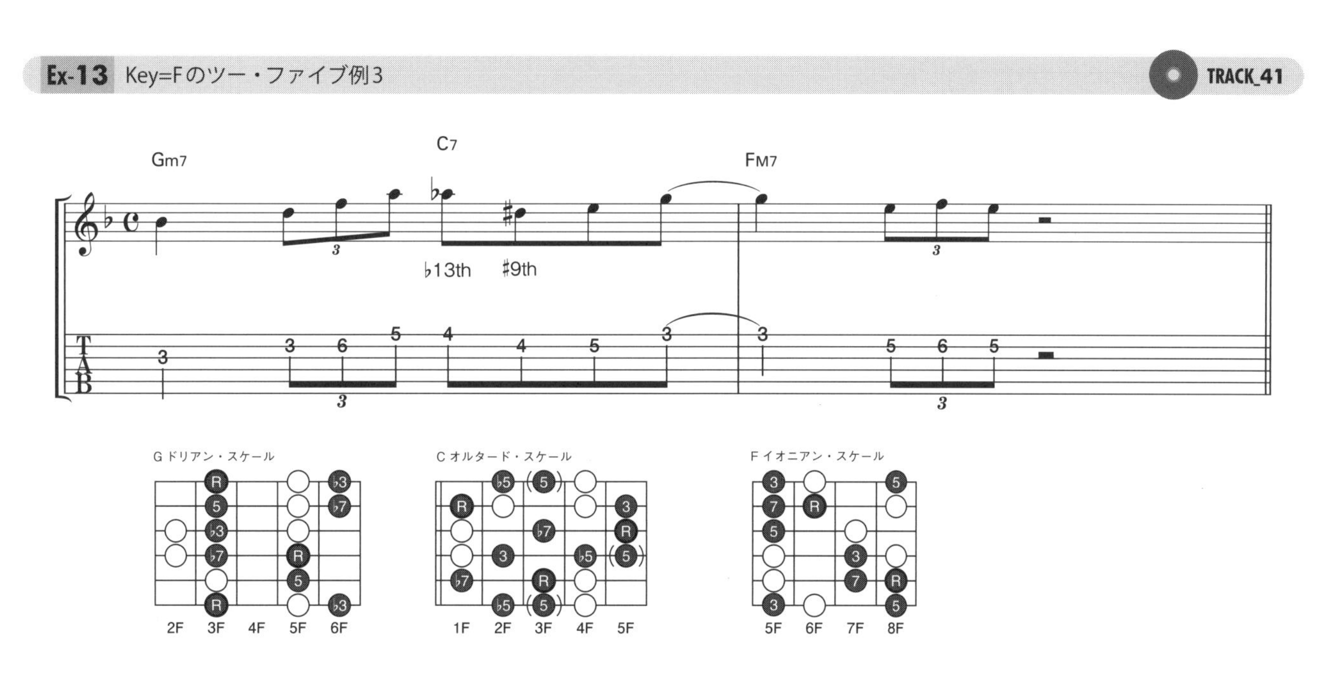


最初のGm7は、代理コードのB♭M7のアルペジオのフレーズになっています。2拍目裏のA音から3拍目C7の♭13th（A♭音）へ半音でスムーズに進行した後の♯9thへの跳躍が特徴的です。

## Ex-14 Key=Fのツー・ファイブ例4

TRACK_42

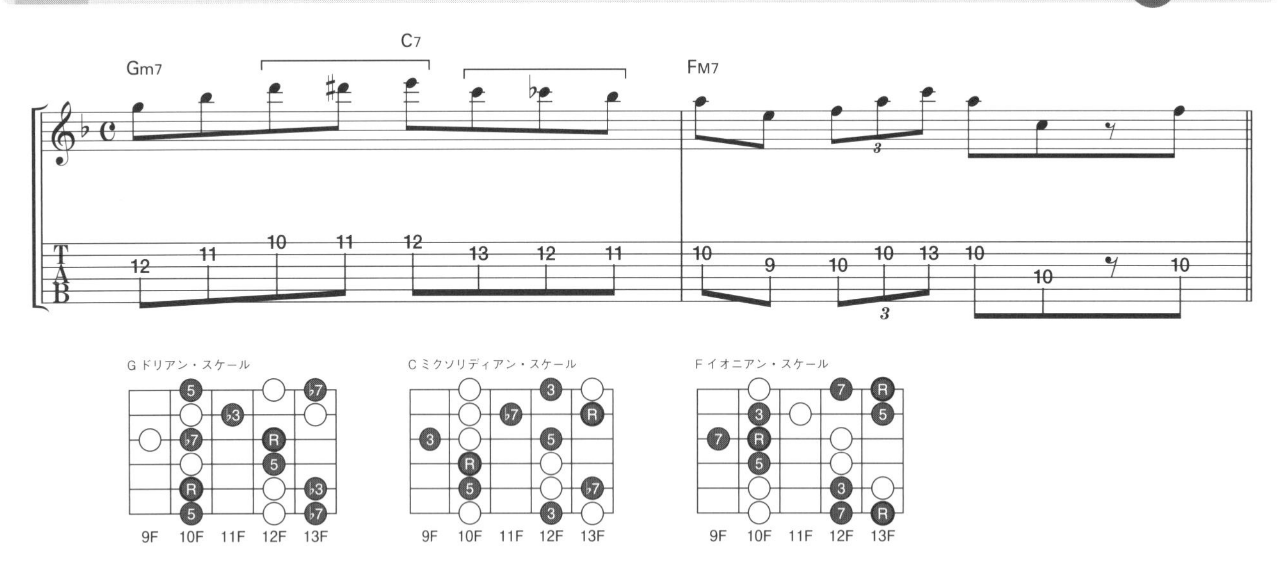


3拍目裏から2小節1拍目FM7の3rdへのアプローチの動きは、ミクソリディアン・ビバップ・スケールの下降フレーズと捉えることができます。また、2小節目の4拍目表にこのような8分休符を挟むことで、次のフレーズのアウフタクトとして機能するため、このような符割はよく使われます。

## Ex-15 Key=Fのツー・ファイブ例5

TRACK_43

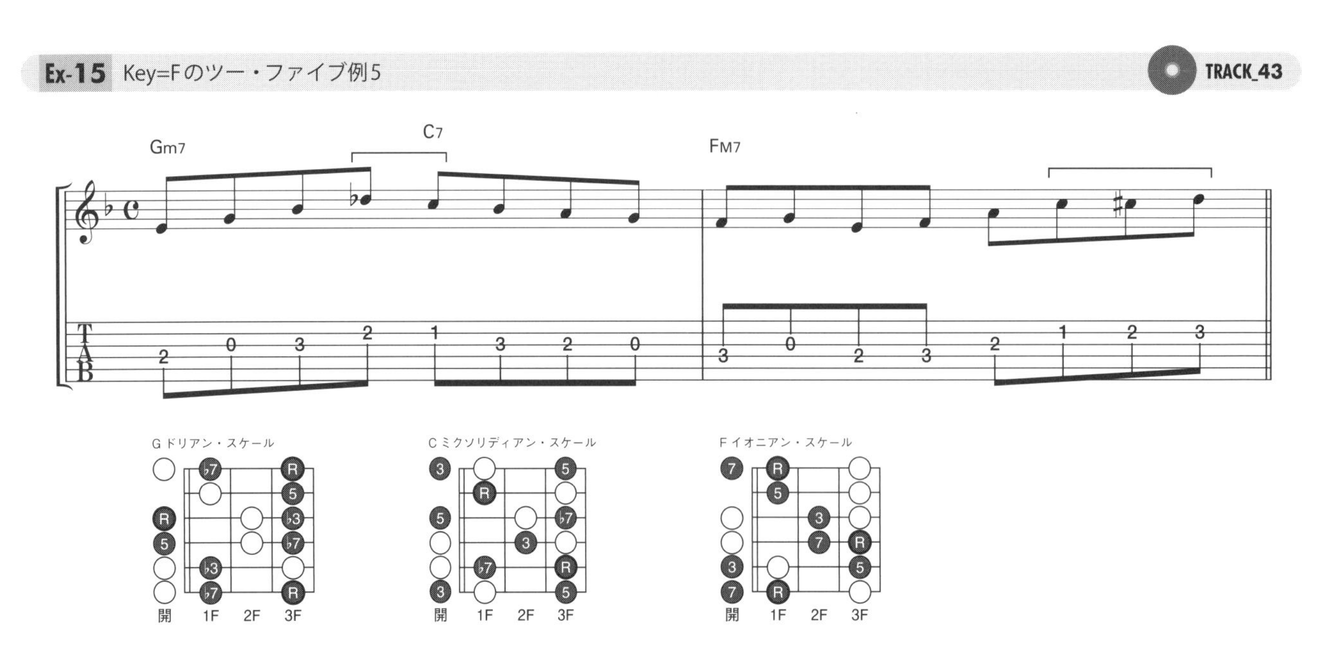


ショート「IIm7→V7」の最後のフレーズです。ツー・ファイブ部分は、単にC7と捉えたようなフレーズになっています。Key＝Fのフレーズとしてはあまり使われないポジションですが、他のキーではよく使う形になりますので覚えておきましょう。

第2章 STEP 5

# ロング「IIm7→V7」フレーズ

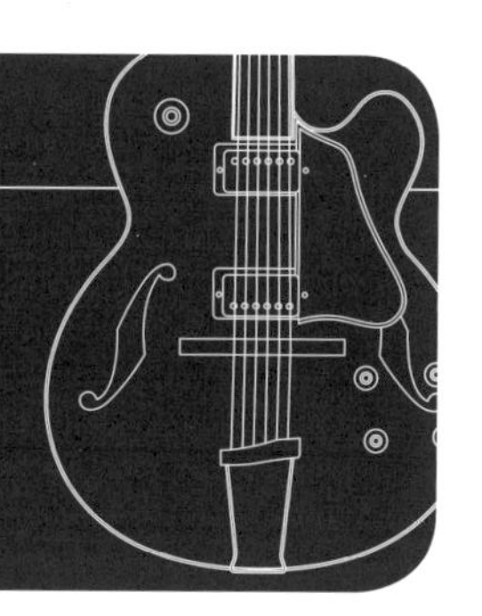

ここからは、1小節1コードずつの「IIm7→V7」フレーズを紹介していきます。実際のフレーズにおいては、「**小節線をまたいで前のコードのフレーズ**」が続いたり、逆に「**次のコードを先取りする形のもの**」も珍しくありませんので、柔軟に捉えて解釈してください。

## Ex-01 Key=Cのツー・ファイブ例1

TRACK_44

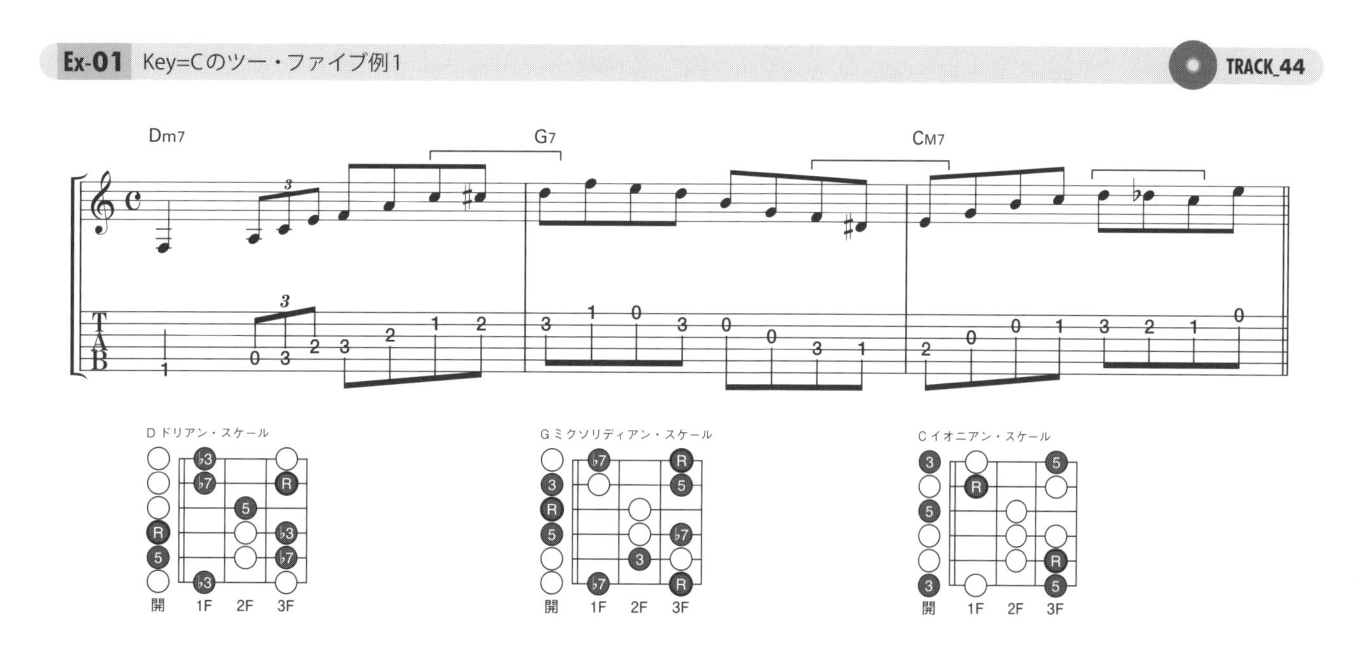


開放弦も活用したオーソドックスなアルペジオ・フレーズです。それぞれのコードのアルペジオをほぼそのまま弾いています。

## Ex-02 Key=Cのツー・ファイブ例2

TRACK_45

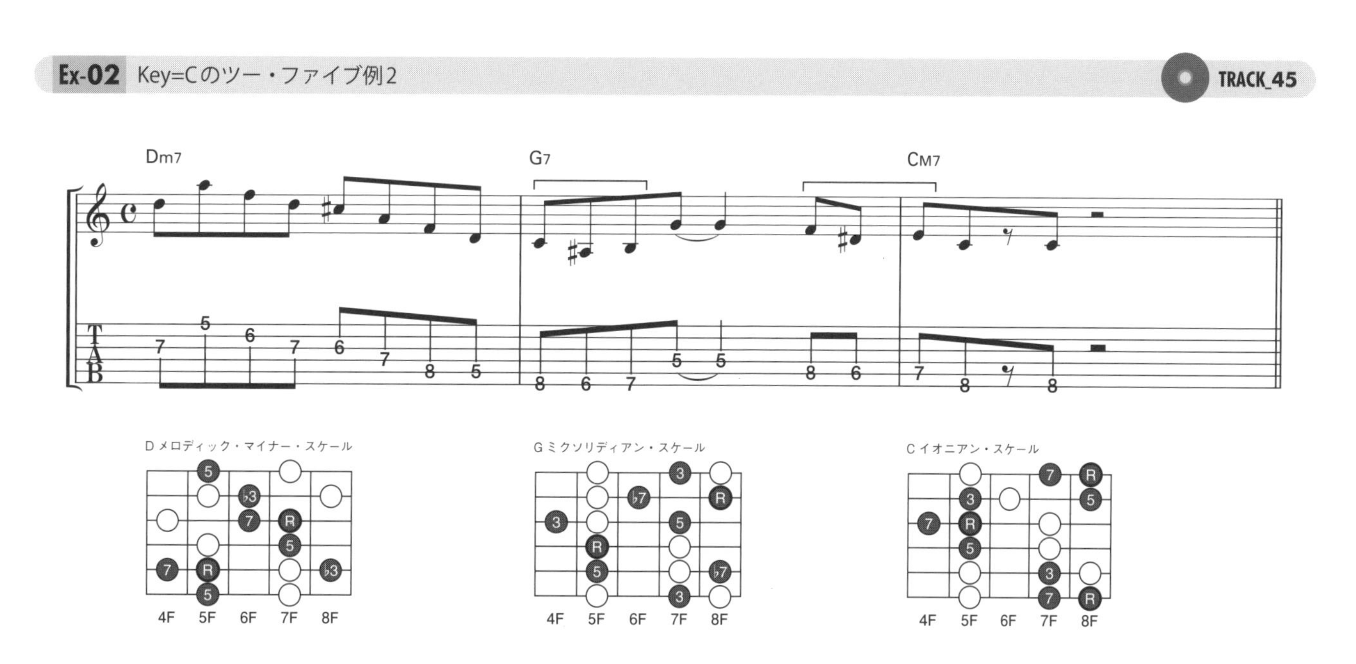


3拍目のC♯音が特徴的で、**Dm7**から見ると7thにあたり、**DmM7**のサウンドになっています。C♯音は**Dm7**の♭7thに対して♭9thの関係になるためアボイド・ノートですが、「D→D♭」と半音で下降する一種のクリシェのようなフレーズになっており、自然に聴こえます。このようなラインは、ビバップ期によく見られます。

## Ex-03 Key=Cのツー・ファイブ例3

TRACK_46

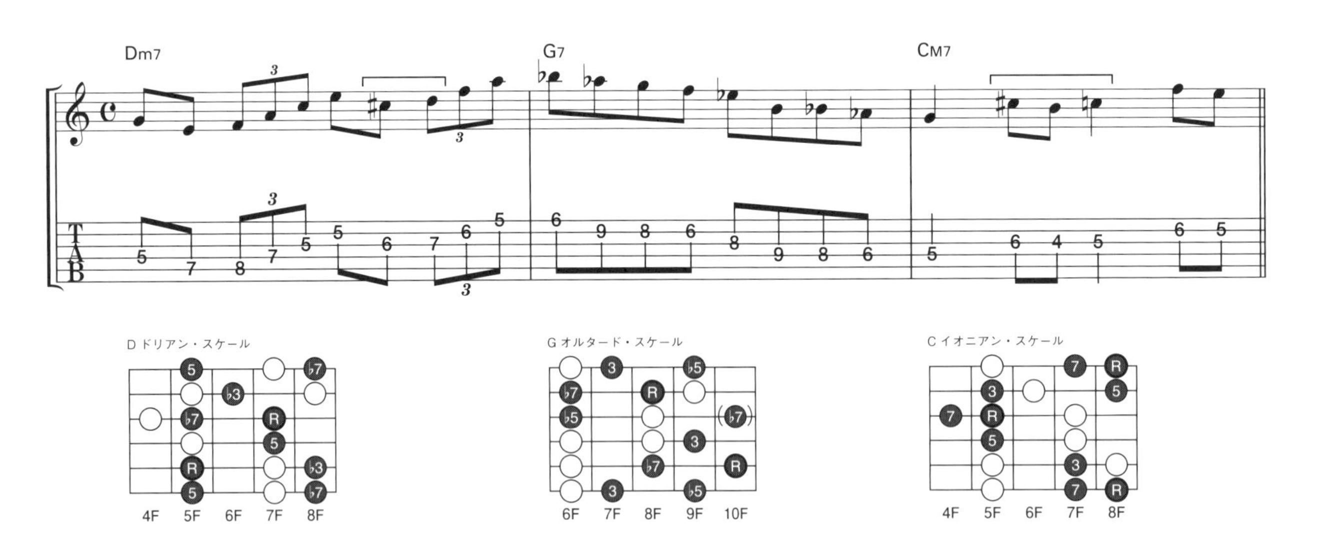


代理コードである「FM7のアルペジオ→Dm7のアルペジオ」とスムーズにつなげて、その後オルタード・スケールを下降しています。最後のCM7は、P.37 Ex-09等でも出てきたコード・トーンを挟み込むアプローチです。

## Ex-04 Key=B♭のツー・ファイブ例1

TRACK_47

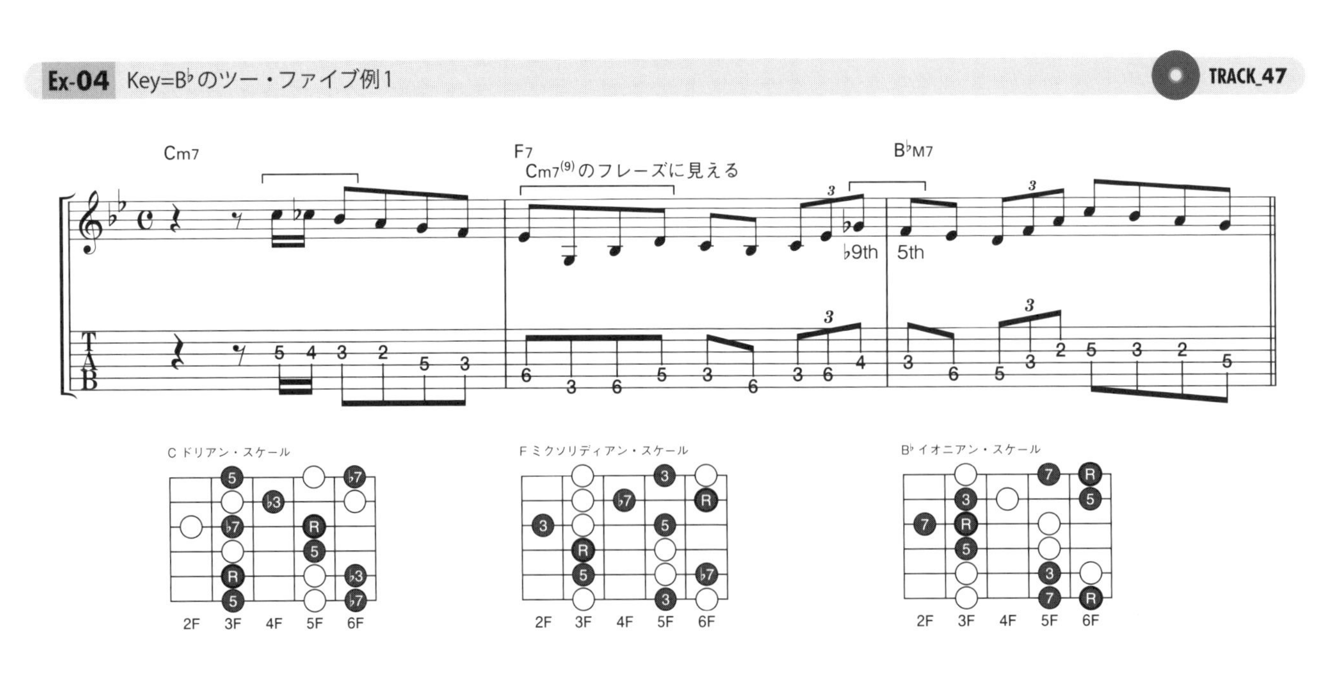


F7の前半1～2拍目まではCm7のフレーズに見えることから、F7をさらに「Cm7→F7」に分けていると考えることもできます。最後は、F7の♭9thからB♭M7の5thへ半音で降りる典型的なフレーズになっています。

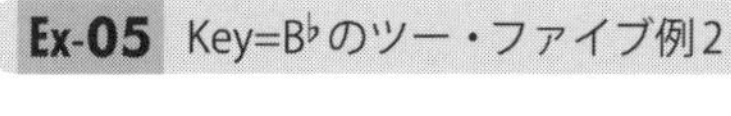

## Ex-05 Key=B♭のツー・ファイブ例2

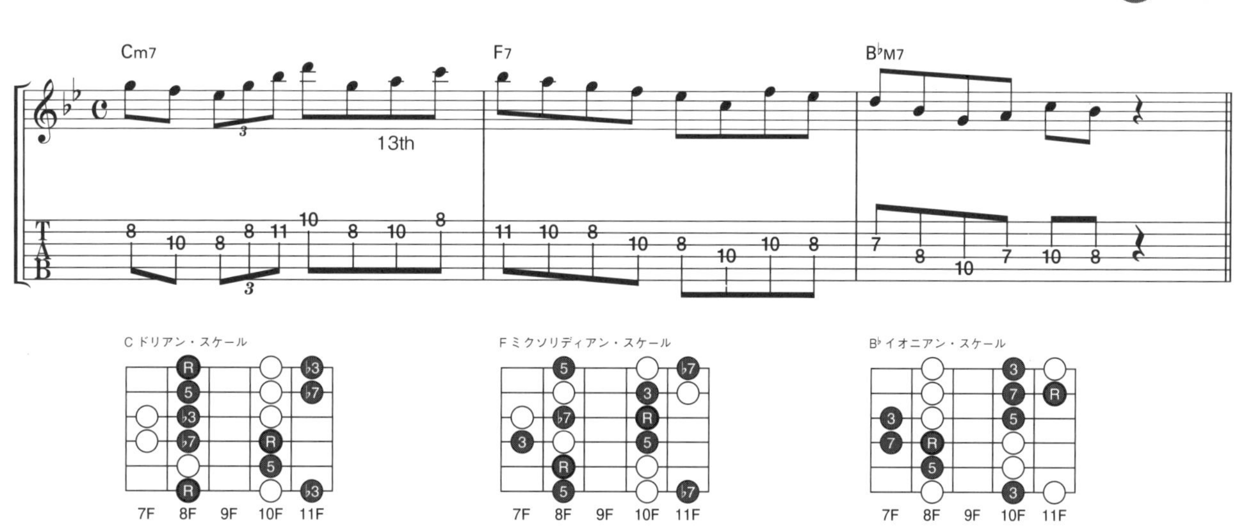


1小節目の4拍目表のA音は、Cm7の13thにあたり特徴的なサウンドになっています。13thの音は2小節目F7から見ると3rdであり、1小節目の4拍目から次のF7コード・トーンを先取りしていると考えることもできます。

## Ex-06 Key=B♭のツー・ファイブ例3

TRACK_49

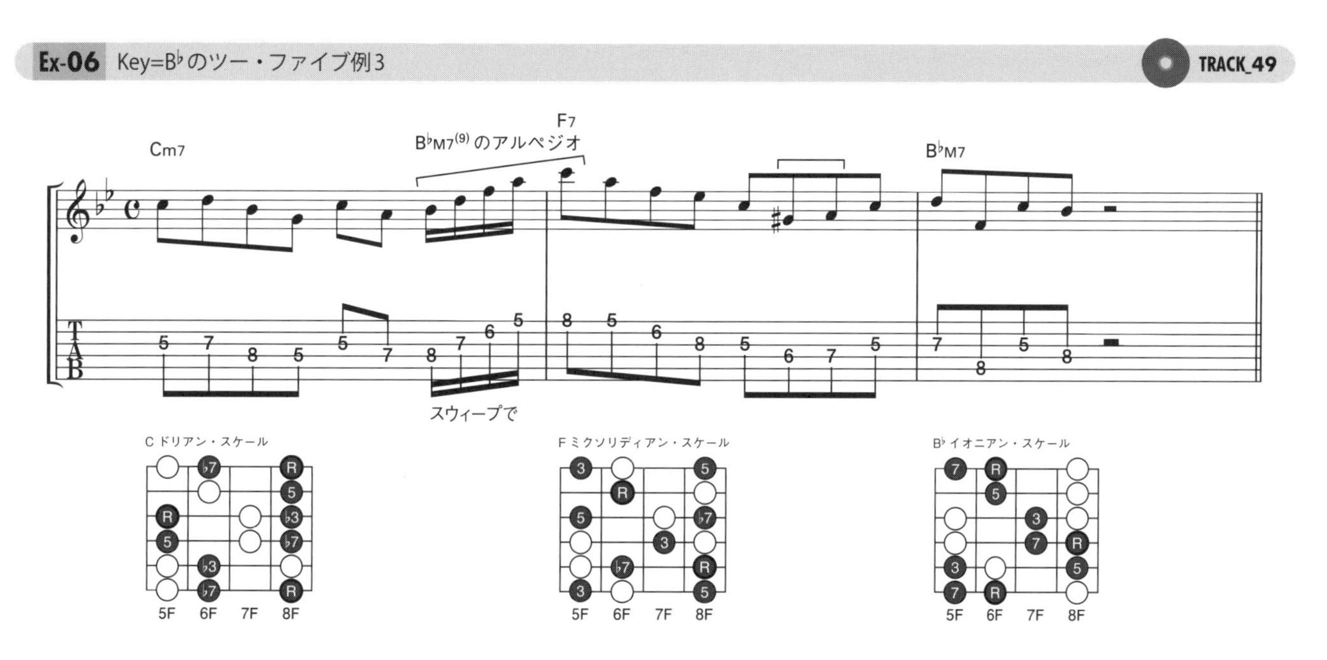


1小節4拍目はB♭M7(9)のアルペジオになっており、ここだけ見るとサブドミナントのフレーズというよりはトニックのフレーズに見えますが、4拍目16分裏のA音はF7の3rd、2小節目頭C音はF7の5thで自然につながっていて、まったく違和感はありません。Cm7から見た場合、それぞれ「♭7th→9th→11th→13th」となります。

## Ex-07 Key=B♭のツー・ファイブ例4

TRACK_50

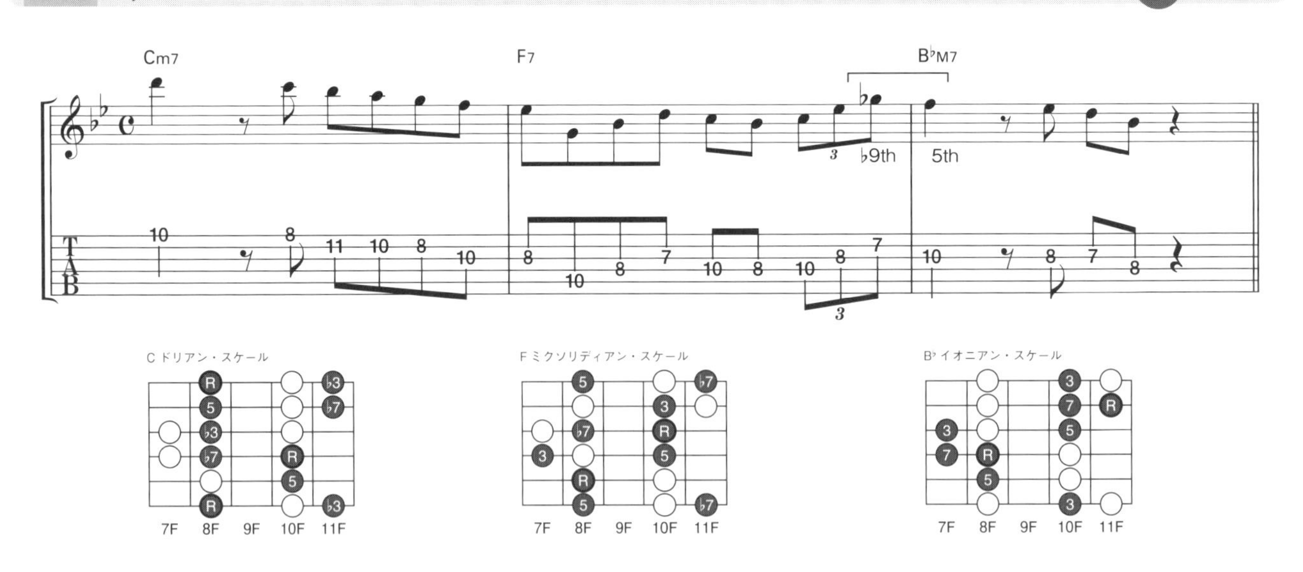


このフレーズもF7の最後は「♭9th→B♭M7の5th」への動きです。非常に多くのフレーズで同じ動きが使われていることを確認してください。

## Ex-08 Key=Fのツー・ファイブ例1

TRACK_51

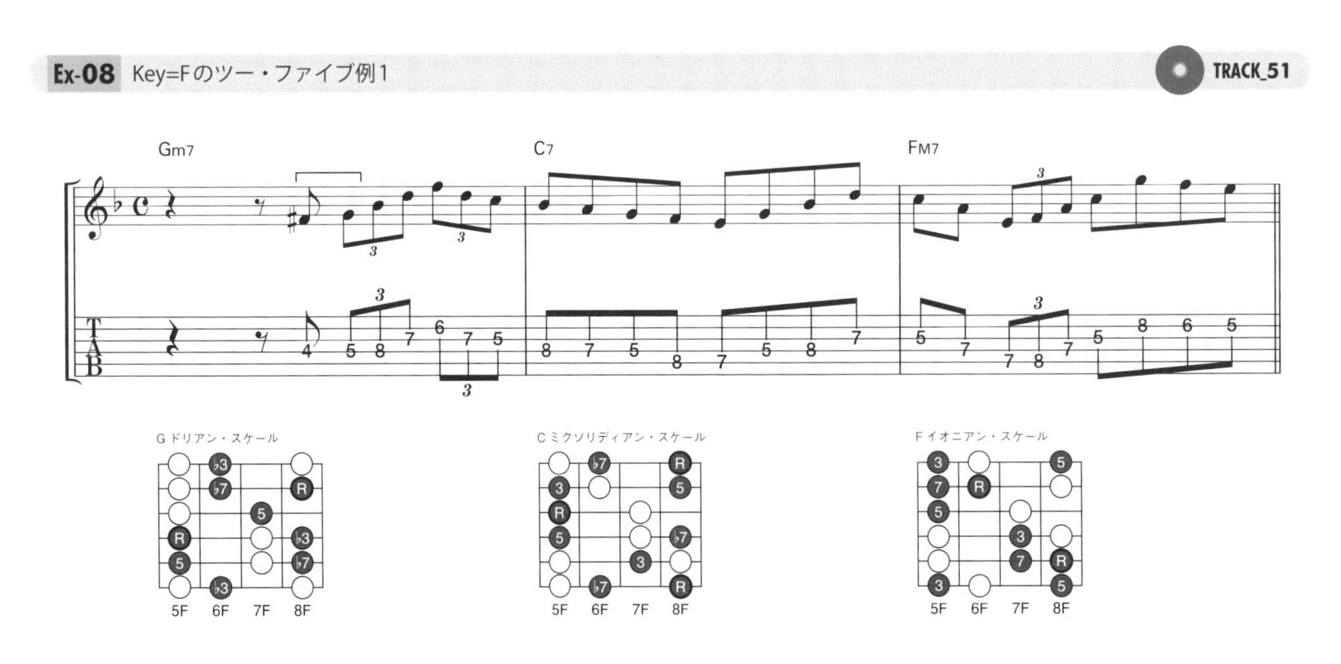


Key＝Fでよく使われる「5F～8F」までのポジションを使用したフレーズ例です。オーソドックスなアルペジオのラインが使われています。

## Ex-09 Key=Fのツー・ファイブ例2

TRACK_52

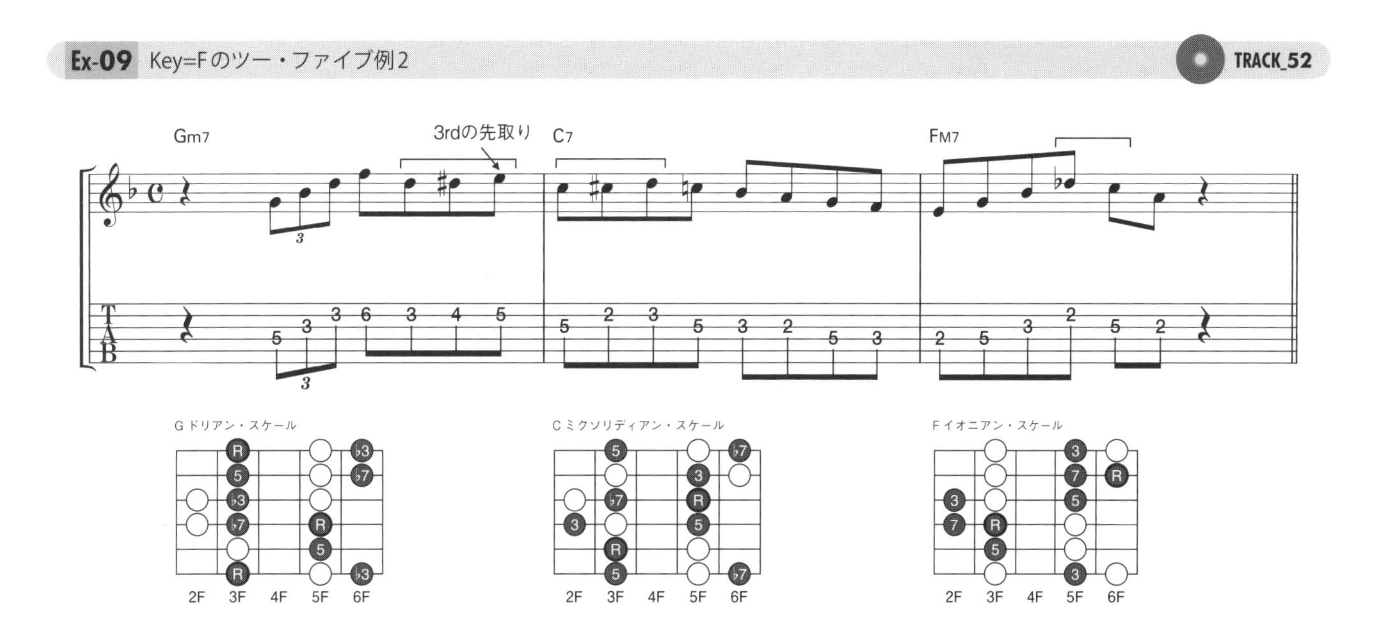


1小節目の4拍目裏のE音は、2小節目C7の3rdを先取りしていて自然に流れています。また、3小節目FM7の2拍目裏、5thへ向かうアプローチ・ノートのD♭音も特徴的です。

## Ex-10 Key=Fのツー・ファイブ例3

TRACK_53

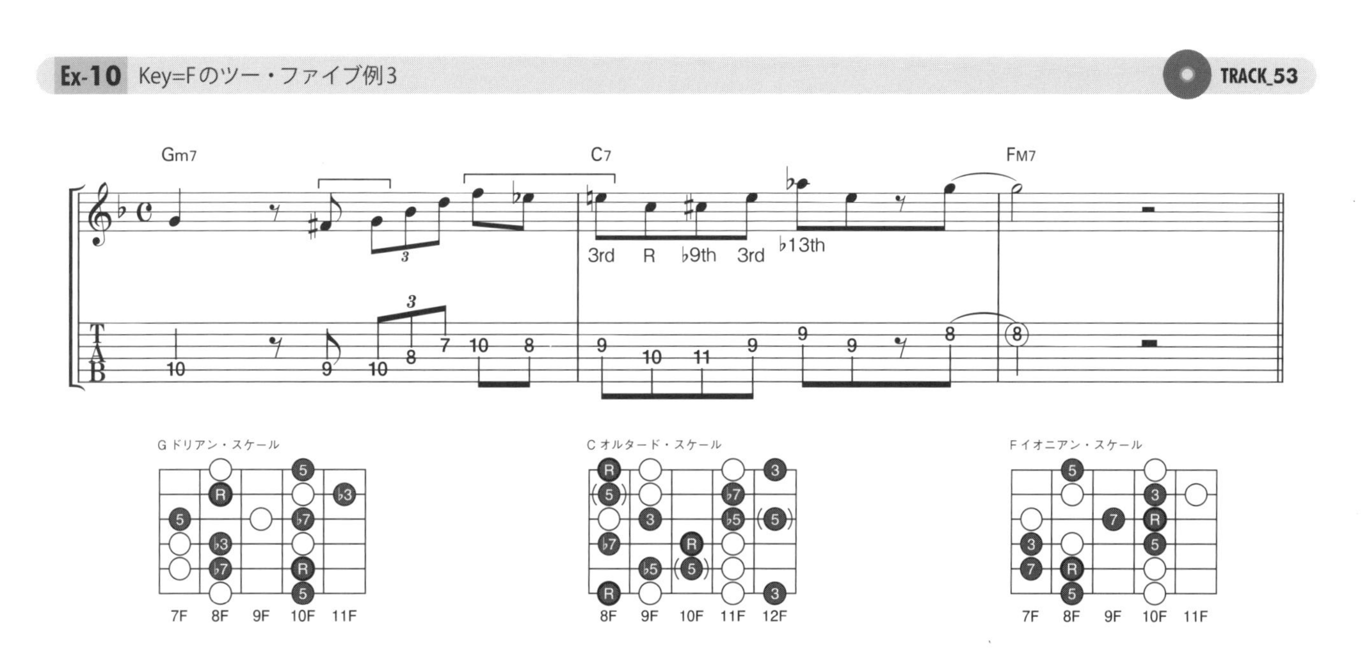


Gm7のアルペジオからCオルタード「3rd→R→♭9th→3rd→♭13th」という動きを経て、FM7の9thの音に解決しています（このようにテンションに解決する動きを「**テンション・リゾルブ**」と呼ぶことがあります）。

## Ex-11 Key=E♭のツー・ファイブ例1

TRACK_54

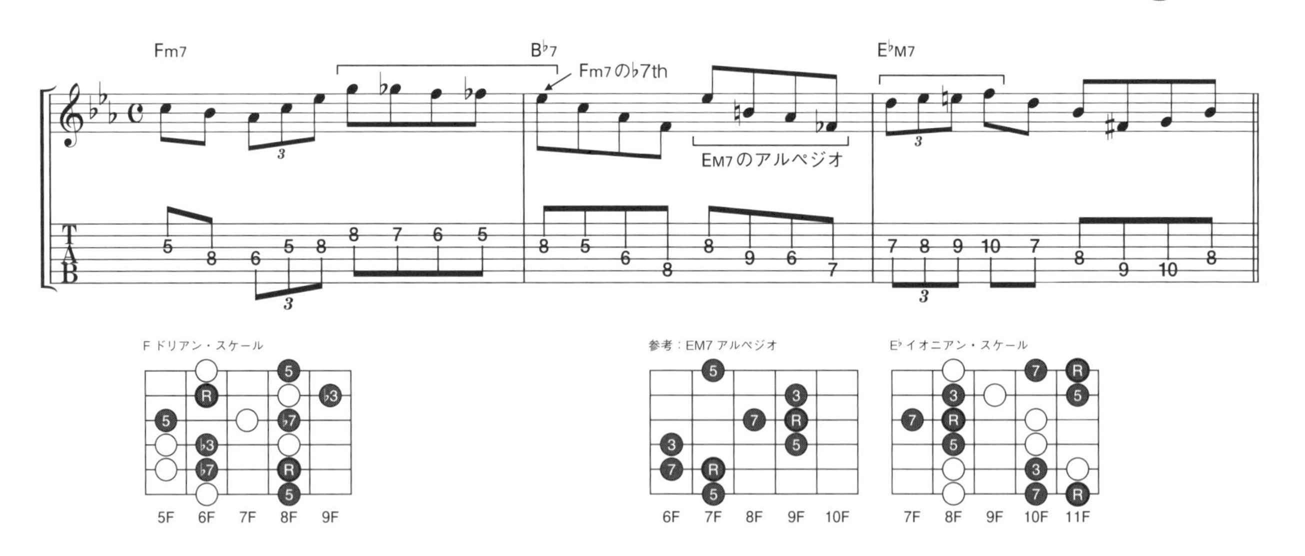


1小節目の3拍目からのアプローチは、Fm7の♭7thの音に着地しており、B♭7上でもそのままFm7のフレージングが続いています。その後の2小節3～4拍目は、EM7のアルペジオです。Fm7とEM7は3rdと7thの音（A♭(G♯)、E♭(D♯)）が共通で、ルートが半音で下がっていくクリシェになっています。エンディング等でもよく使われる動きです。

## Ex-12 Key=E♭のツー・ファイブ例2

TRACK_55

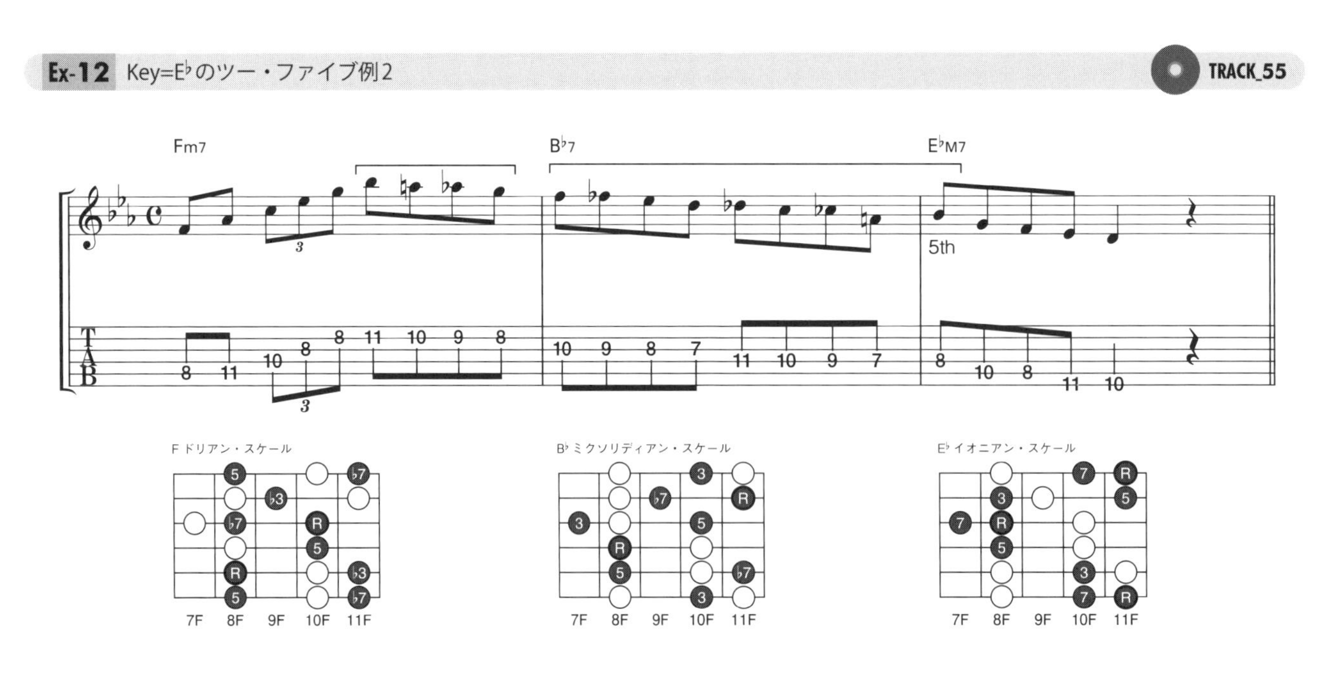


B♭7の5th、F音をスタートとする長いアプローチが特徴的です。最終的にディレイド・リゾルブ・アプローチを経て、E♭M7の5thに解決しています。

## Ex-13 Key=E♭のツー・ファイブ例3

TRACK_56

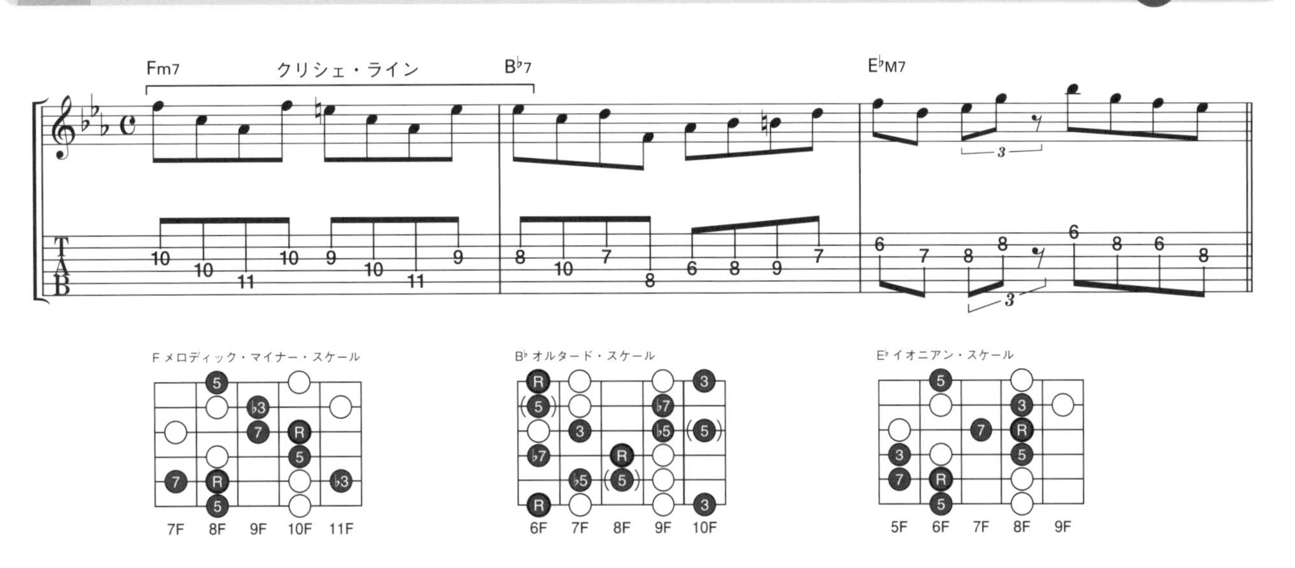


Ex-02(P.49)とも似たクリシェラインです。♭3rdと5thの音を共通音として、トップ・ノートが「F→E」と半音ずつ下がっていき、途中FmM7のサウンドを経てB♭7に自然につながっています。

## Ex-14 Key=Gのツー・ファイブ例1

TRACK_57

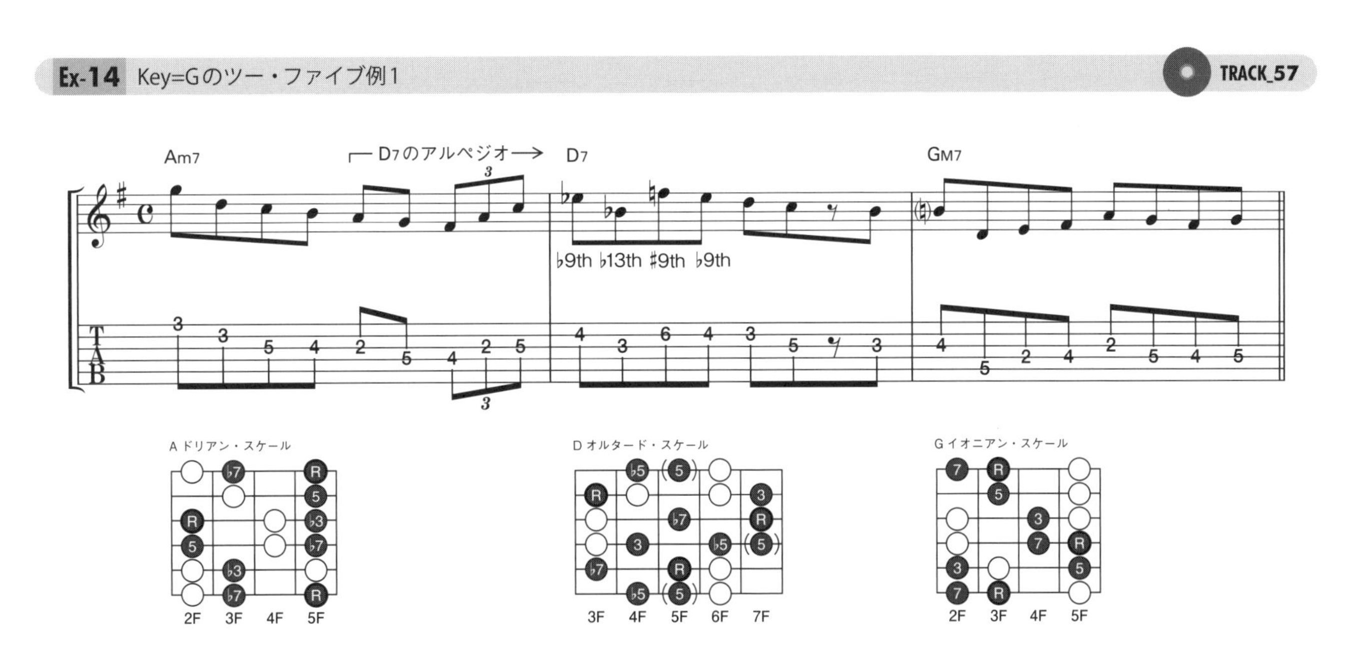


1小節目Am7は、3拍目からD7のアルペジオを弾いています。2小節目は、「♭9th→♭13th→♯9th→♭9th」という典型的なオルタード・フレーズです。

## Ex-15 Key=Gのツー・ファイブ例2

TRACK_58

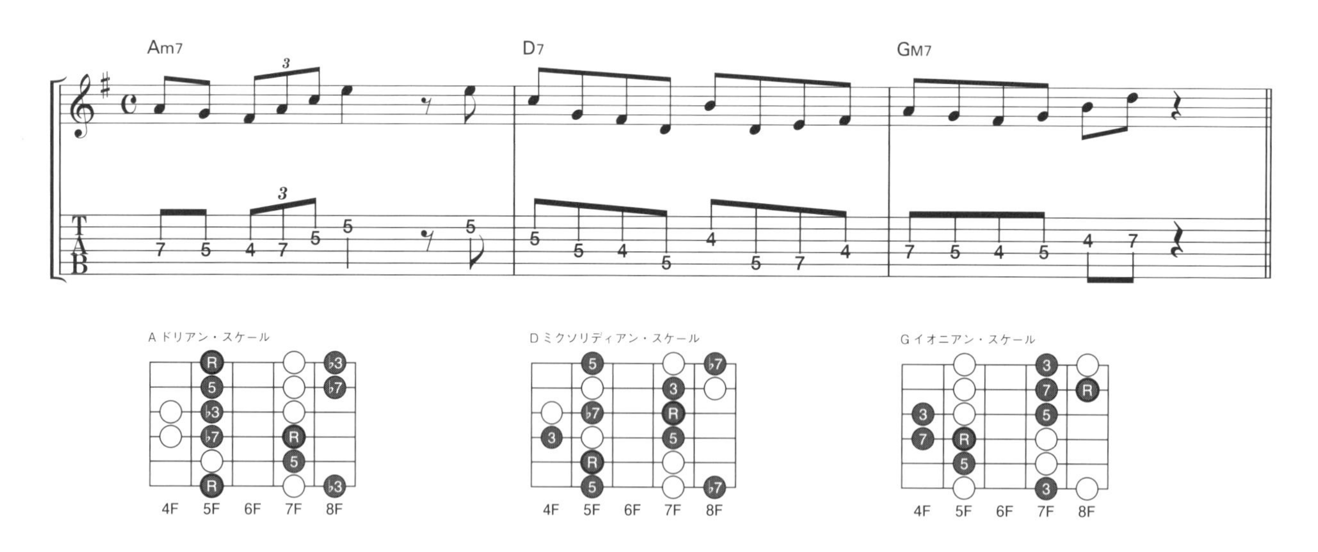


オーソドックスなスケールの上昇下降を中心としたフレーズです。このようなフレーズでは、演奏者の感覚としてはほとんどAm7とD7を区別しないで弾いているのが一般的だと思われます。

## COLUMN リズムの捉え方

ジャズのリズムを形容する際、ドラムのシンバルレガートを模して「チーチッキ」などと表現することが多いと思われます。しかしながら、この2拍分のフレーズをそのまま「チーチッキ・チーチッキ【パターン1】」という1・2拍目のペアと3・4拍目のペアというカタマリで捉えていると、なかなかジャズらしいリズムにはなりません。

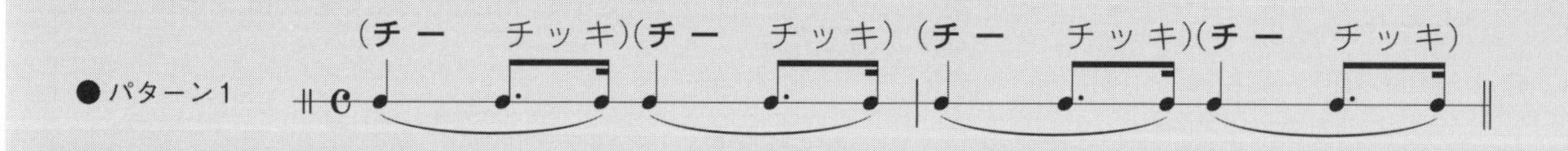


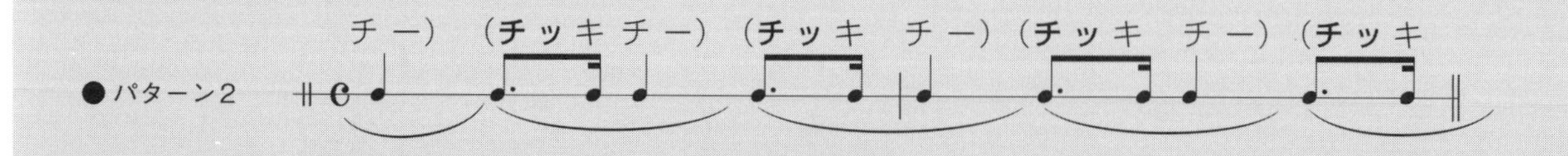


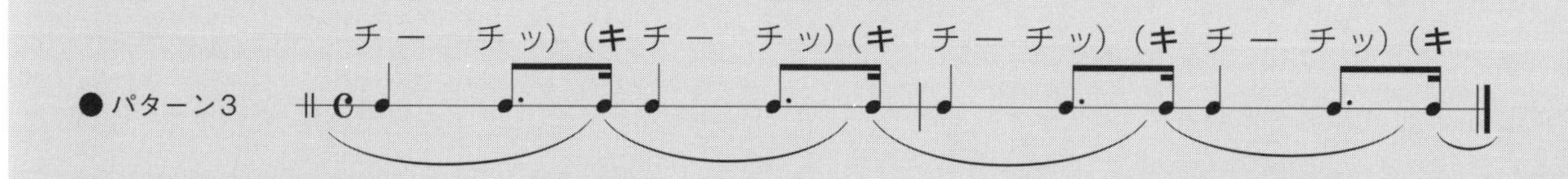


ジャズは「オフビート」のリズムですから、2・3拍目のペアと、4拍目と次の小節の1拍目のペアをリズムのカタマリとして意識し「(チー) チッキチー・チッキチー」と意識することが重要です【パターン2】。譜面上では同じでも、リズムの捉え方の意識を変えるだけで躍動感が変わってくるのが理解できると思います。

さらに、2拍目の裏、4拍目の裏からスタートして「(チーチッ) キチーチッ・キチーチッ」というカタマリで捉えるとさらに躍動感やリズムのキレが変わってきます【パターン3】。

ギターでバッキングやアドリブをする場合も、意識して裏拍にアクセントをつけたり、2拍目や4拍目、または2拍目裏、4拍目裏からフレーズをスタートするように変えてみると、フレーズの表情がガラッと変わります。リズムは奥が深く、追及し甲斐のあるテーマです。皆さんもいろいろと試してみてください。

# マイナー「Ⅱm7(♭5)→Ⅴ7」フレーズ

ここからは、マイナーのツー・ファイブを取り上げます。マイナーのⅡm7(♭5)では多くの場合、ロクリアン・スケールまたは、ロクリアン♯2スケールが使われます。また、Ⅴ7ではハーモニック・マイナーP5↓が使われることが一般的です。

その他、マイナーの「Ⅱm7(♭5)→Ⅴ7」では、ツー・ファイブを単にⅤ7と解釈して**ハーモニック・マイナーP5↓スケールのみ**で演奏されることが頻繁にあります。本書では、オルタードやコンディミ等、どちらでも解釈できるようなフレーズについては、どちらの解釈も紹介しながら進めていきますが、慣れてきたら自分のやりやすい方法で構いません。また、Ⅰm7ではエオリアン・スケールがもっともよく利用されます。

## Ex-01 Key=Cmのツー・ファイブ例1 TRACK_59

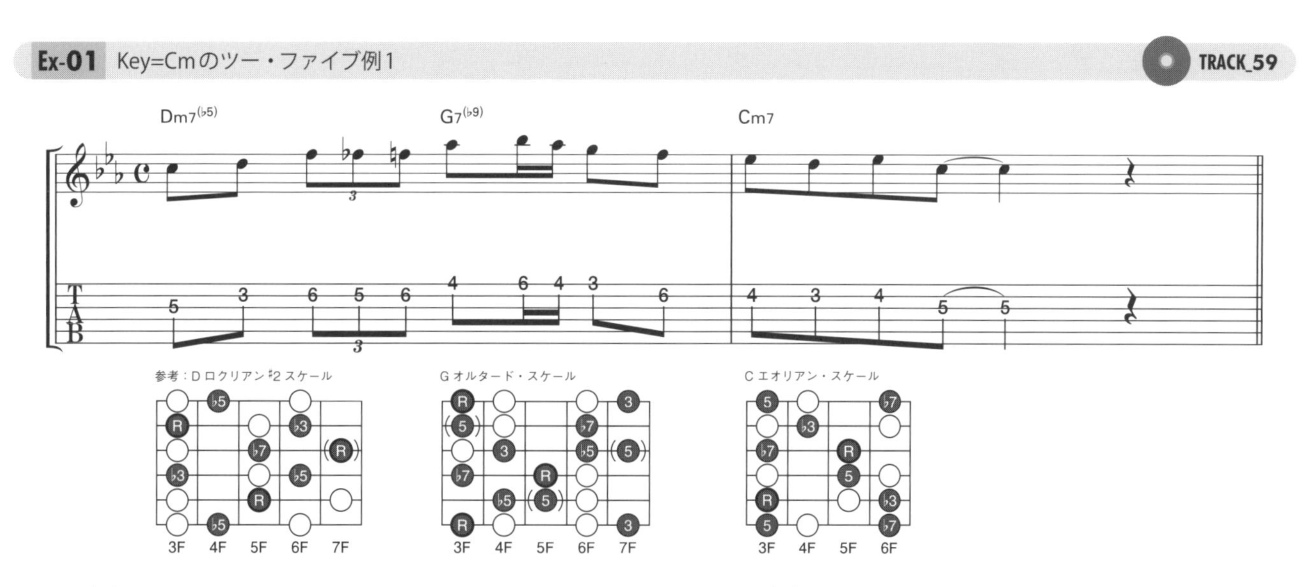


Dm7(♭5)の2拍目、♭3rdへのアプローチと捉えることも可能です。Dm7(♭5)のコード・スケールは元々はロクリアンですが、最近ではアボイド・ノートのないロクリアン♯2スケールを意識して演奏することも一般的です。

## Ex-02 Key=Cmのツー・ファイブ例2 TRACK_60

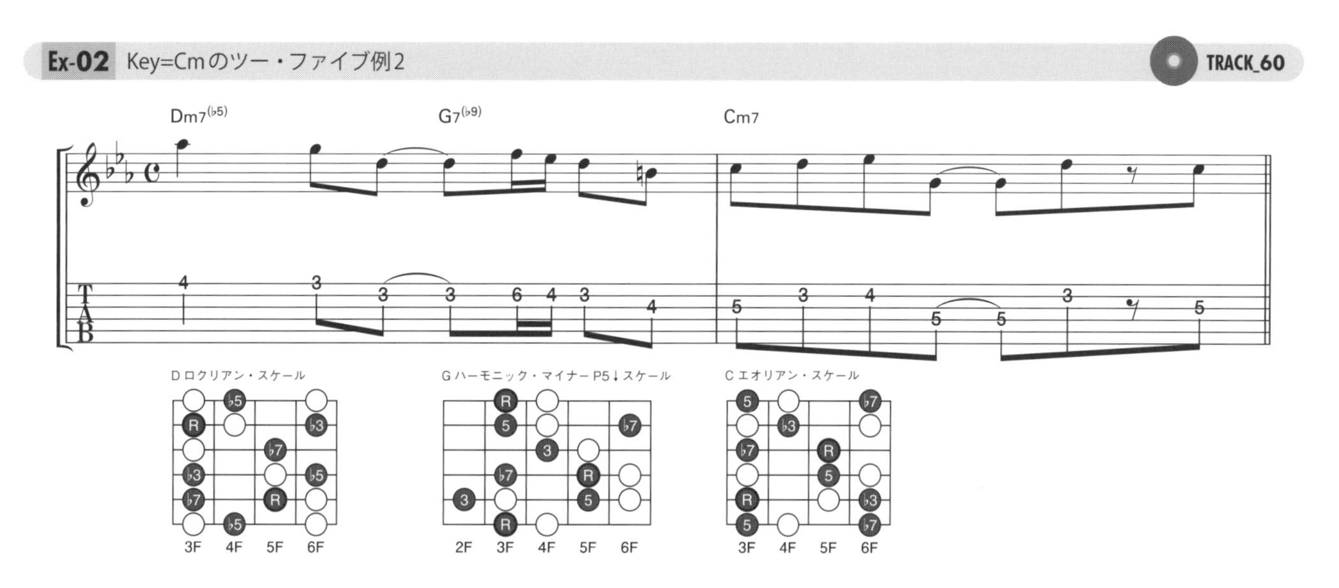


3拍目G7(♭9)では、ハーモニック・マイナーP5↓スケールを弾いています。ハーモニック・マイナーP5↓は、ハーモニック・マイナー・スケールと混同しやすいですが、ハーモニック・マイナー・スケールを「**5度からスタートしたスケール**（※）」で、マイナーの「Ⅱm7(♭5)→Ⅴ7」では第一候補のスケールとなります。実際の演奏上では、「Ⅱm7(♭5)→Ⅴ7」は単にⅤ7とみなして、全てハーモニック・マイナーP5↓を弾いていることがよくあります。

※Gハーモニック・マイナーP5↓スケールは、Cハーモニック・マイナー・スケールを5度からスタートしたスケールです。

## Ex-03 Key=Cmのツー・ファイブ例3

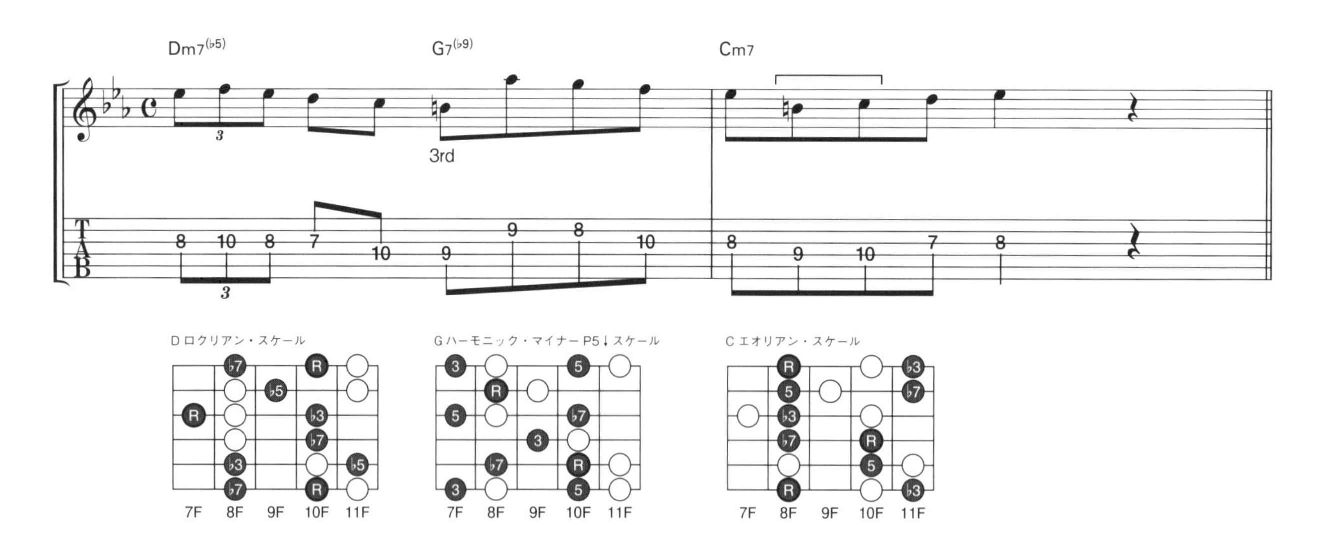


Dm7(♭5)の♭3rdからルートまで下降して、G7の3rdに自然につながっています。1小節をG7とみなして、Gハーモニック・マイナーP5↓一発で弾いていると解釈することもできます。

## Ex-04 Key=Cmのツー・ファイブ例4

TRACK_62

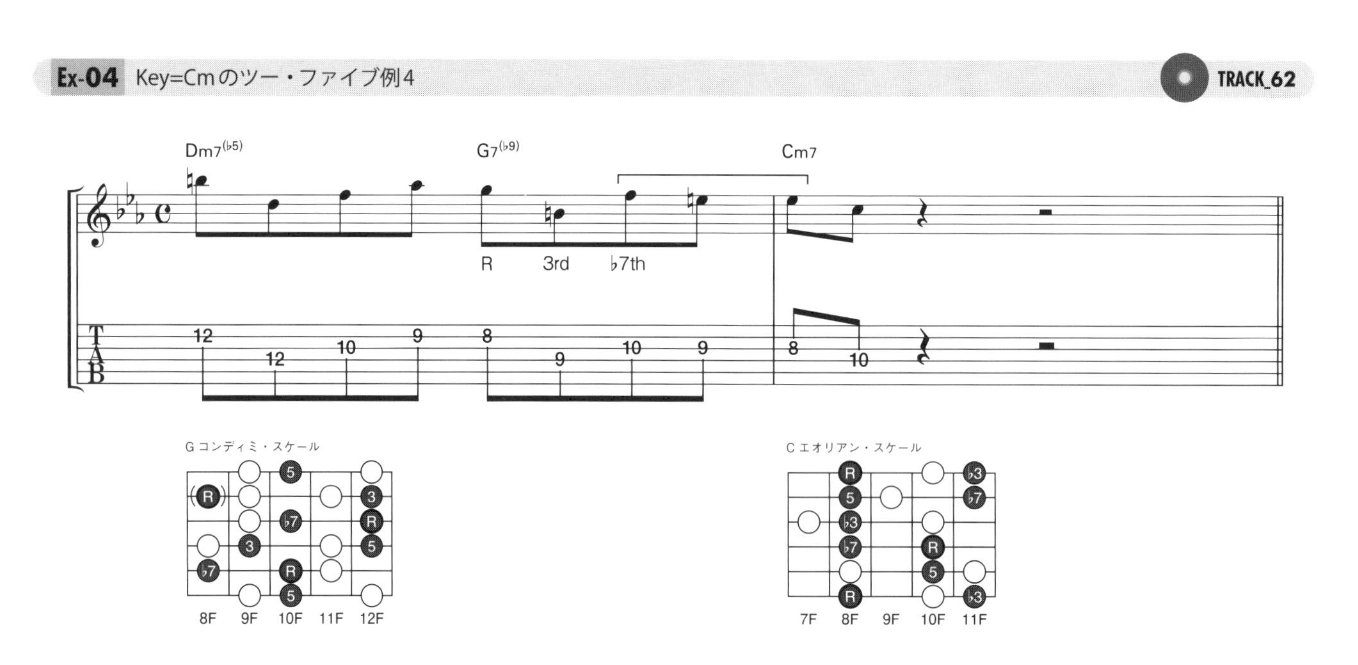


「Dm7(♭5)→G7(♭9)」をG7とみなして半音上のディミニッシュ(G♯dim)で代理(Gのコード・スケールとしては、Gコンディミ)、3～4拍目はG7の「R→3rd→♭7th」を経てCm7の♭3rdへアプローチしています。これらの構成音は、Gハーモニック・マイナーP5↓にも含まれていますので、そちらでも解釈できます。

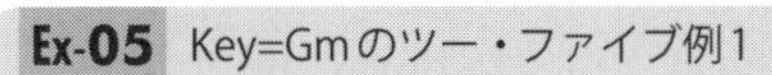

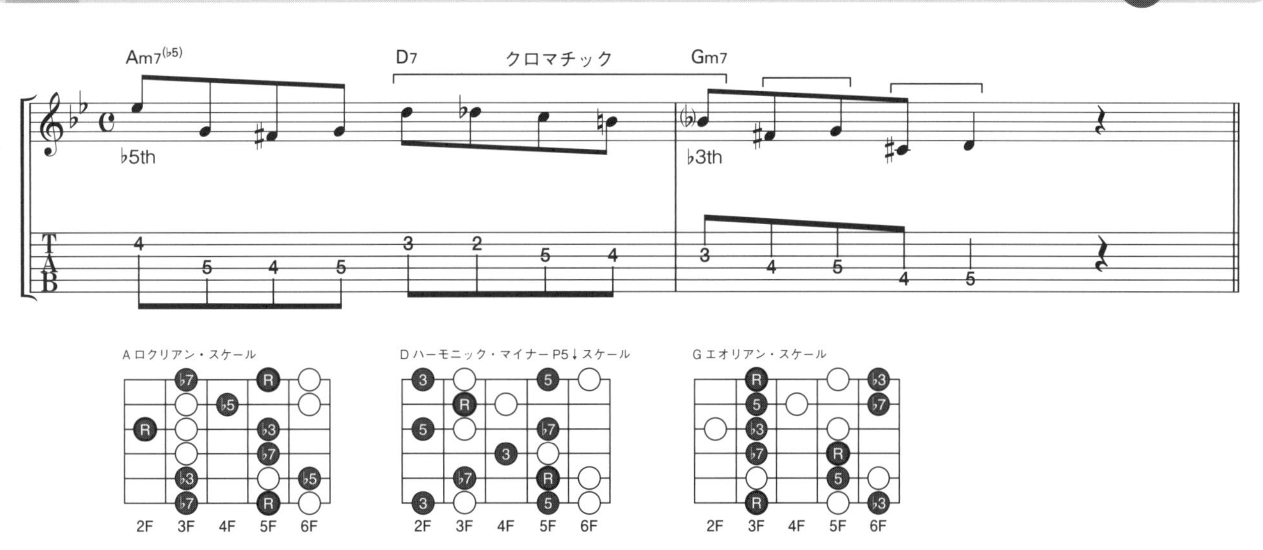


Am7(♭5)でもっとも特徴的な♭5thの音からスタートし、3拍目表のD7のルートから2小節目Gm7の♭3rdまでクロマチックでアプローチしています。2小節目は、それぞれGm7のルートと5thへのアプローチになっています。

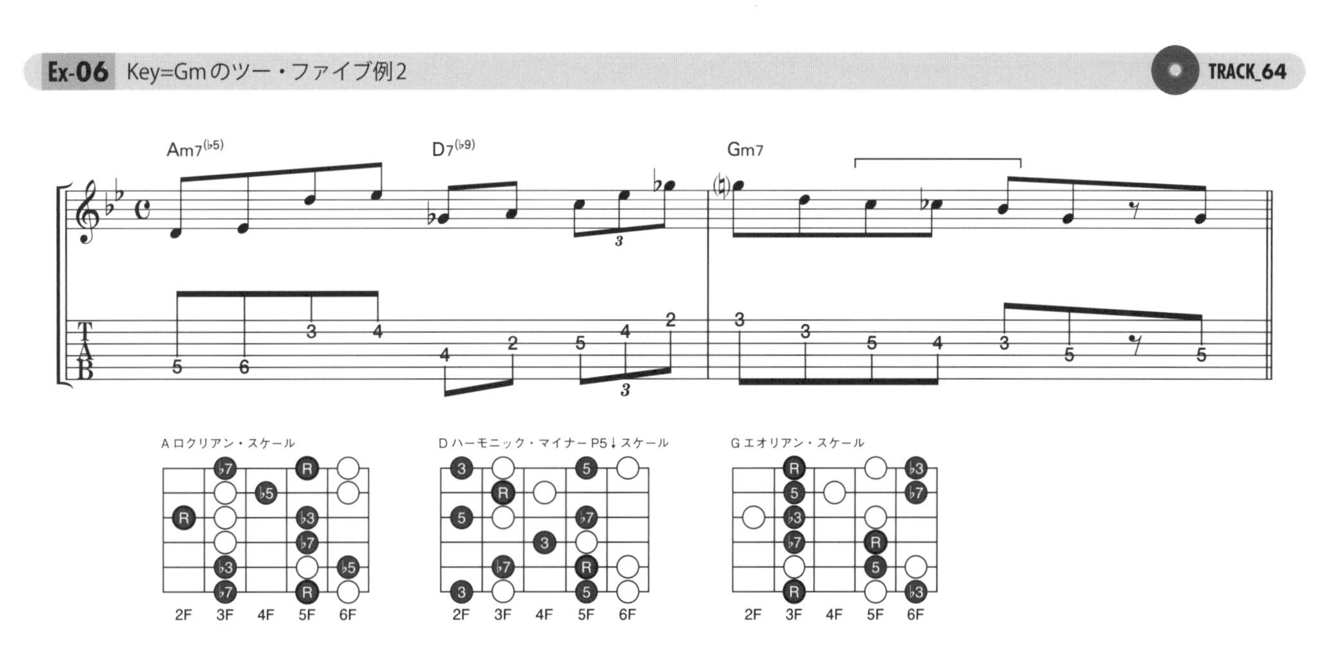


こちらもAm7(♭5)でもっとも特徴的な♭5thの音へのアプローチをオクターブを変えて連続した後、D7の半音上のディミニッシュ（D♯dim）を上昇しています。Dハーモニック・マイナー P5↓または、Dコンビネーション・オブ・ディミニッシュと解釈できます。

## Ex-07 Key=Gmのツー・ファイブ例3

TRACK_65

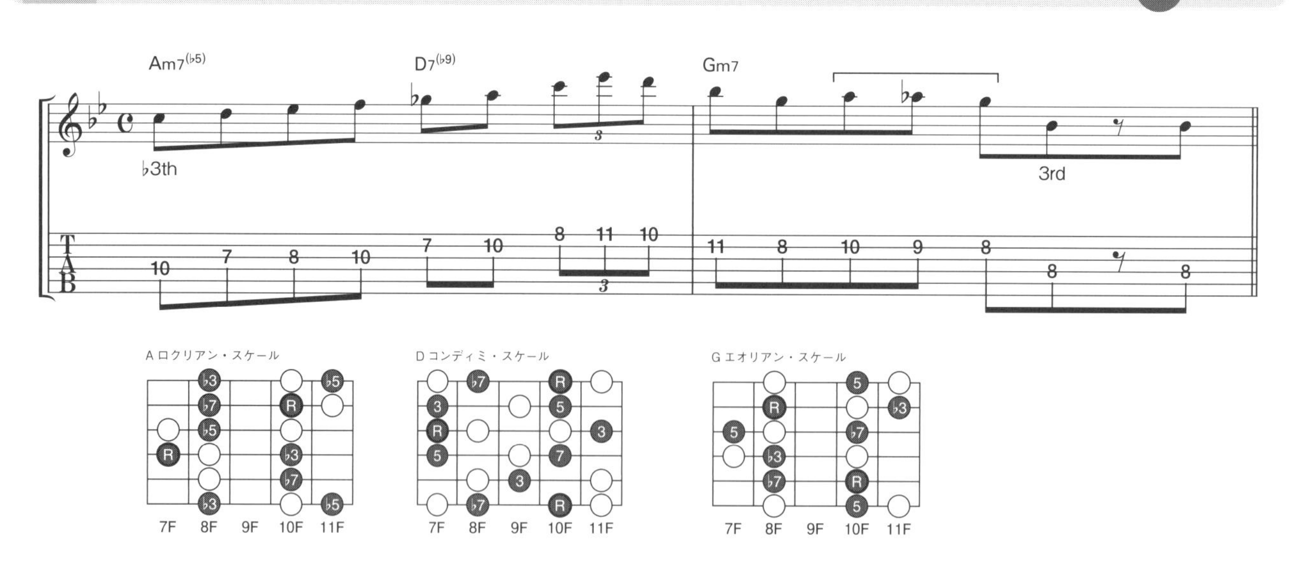


♭3rdの音からスタートして2拍目までロクリアン・スケールを上昇し、Dの半音上のディミニッシュ・フレーズへ自然につながっています。2小節目Gm7は、3拍目Gm7のルートへのアプローチから♭3rdへの跳躍フレーズになっています。

## Ex-08 Key=Dmのツー・ファイブ例1

TRACK_66

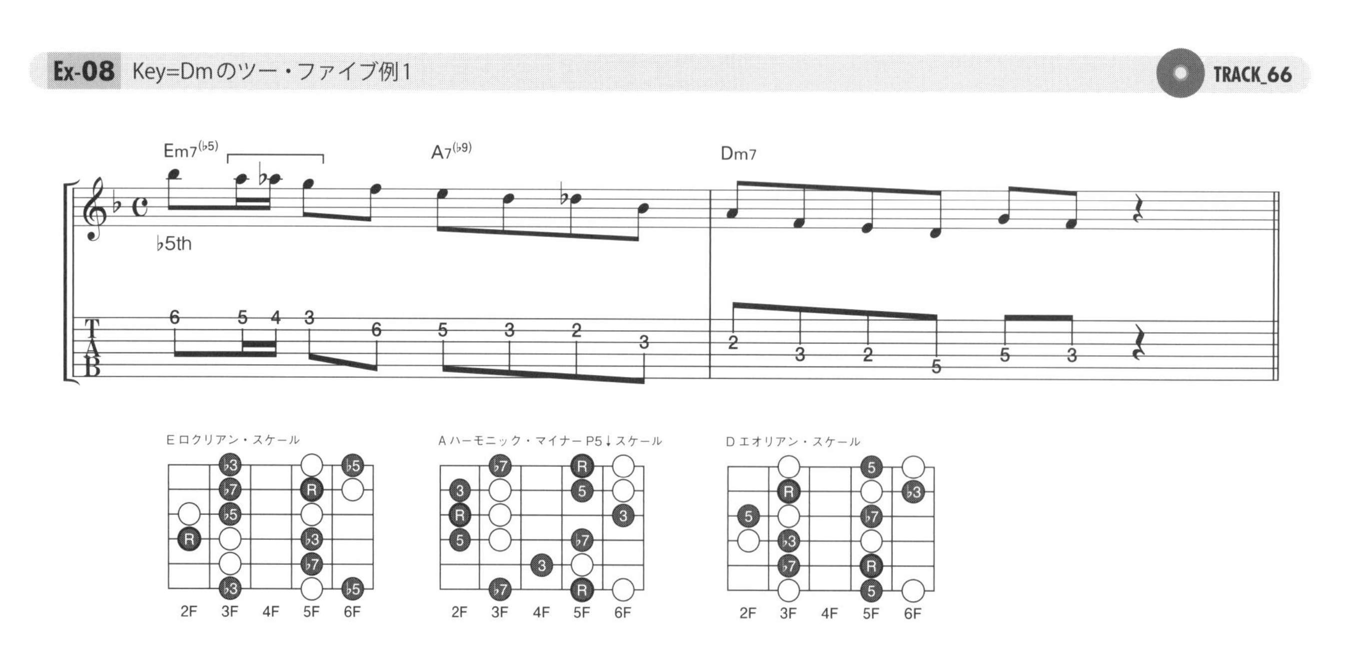


やはり♭5thからスタートするフレーズです。♭3rdへのアプローチを経て、後はAハーモニック・マイナーP5↓をそのまま下降するようなフレーズになっています。これも「Em7(♭5)→A7(♭9)」をA7一発と捉えても良いでしょう。

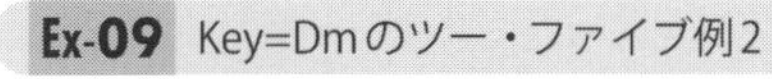

## Ex-09 Key=Dmのツー・ファイブ例2

TRACK_67

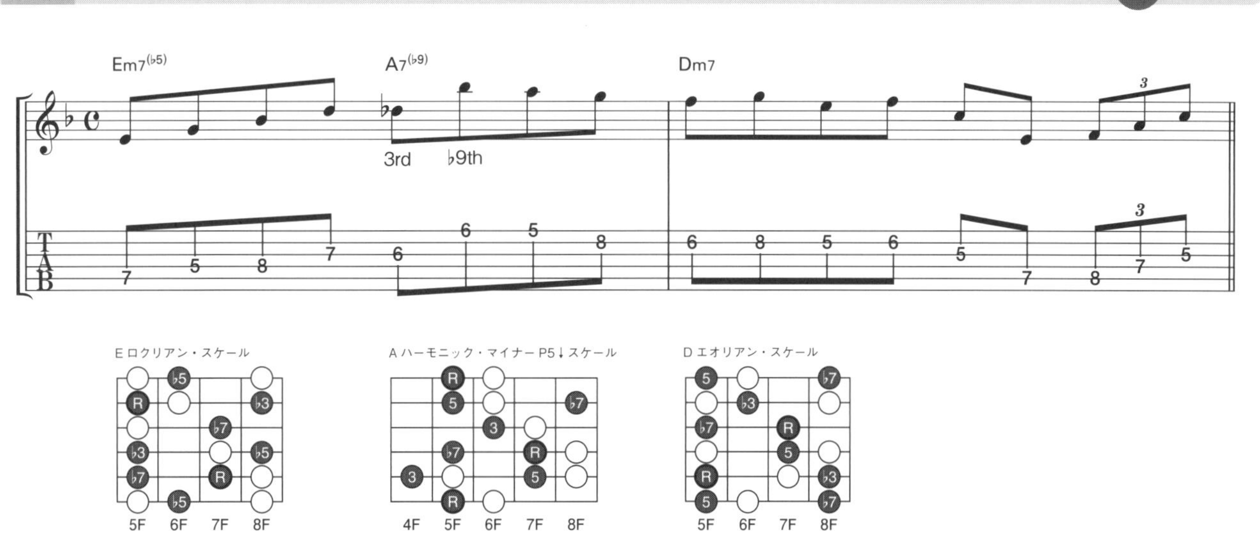


Em7(♭5)のアルペジオを「R→♭3rd→♭5th→♭7th」と上昇した後、A7の3rdから♭9thへ跳躍する典型的なフレーズになっています。2小節目の3～4拍目は、Dm7の代理コードFM7のアルペジオになっています。

## Ex-10 Key=Dmのツー・ファイブ例3

TRACK_68

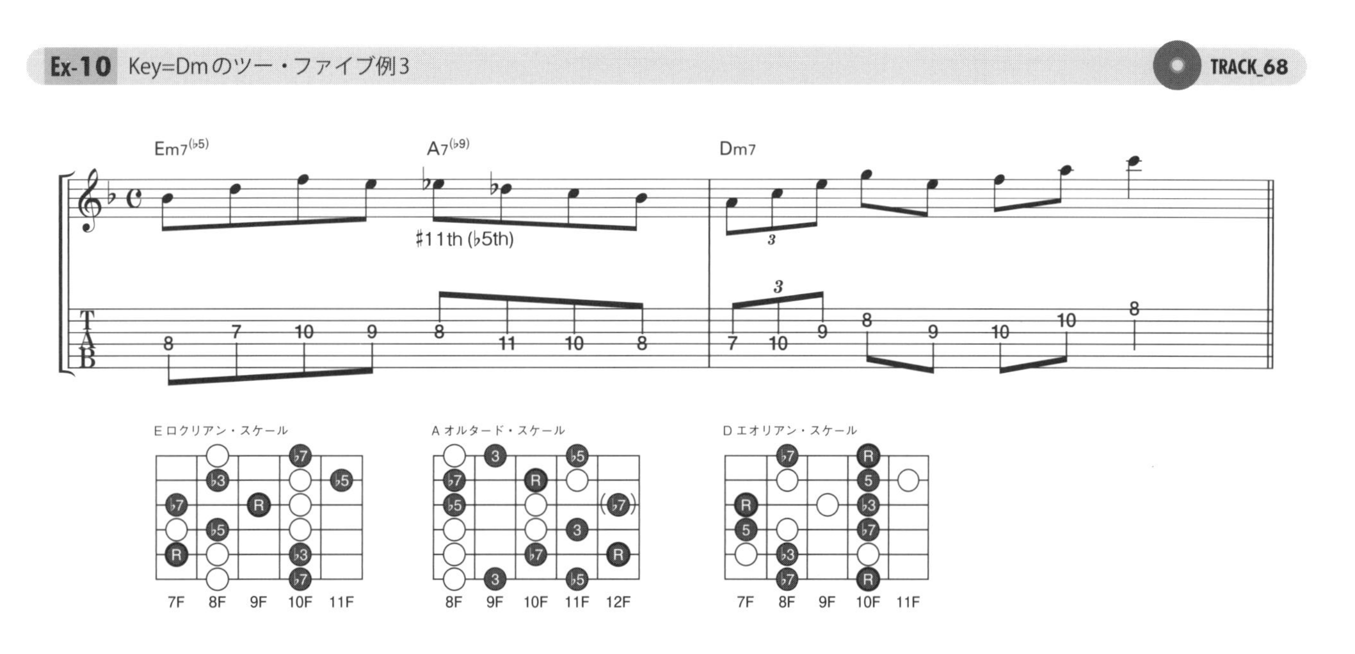


1小節目、3拍目表のE♭の音はA7から見ると♯11th(♭5th)で、これはAハーモニック・マイナーP5↓には含まれていない音のため、ここではAオルタード・スケールと解釈しています。

## Ex-11 Key=Dmのツー・ファイブ例4

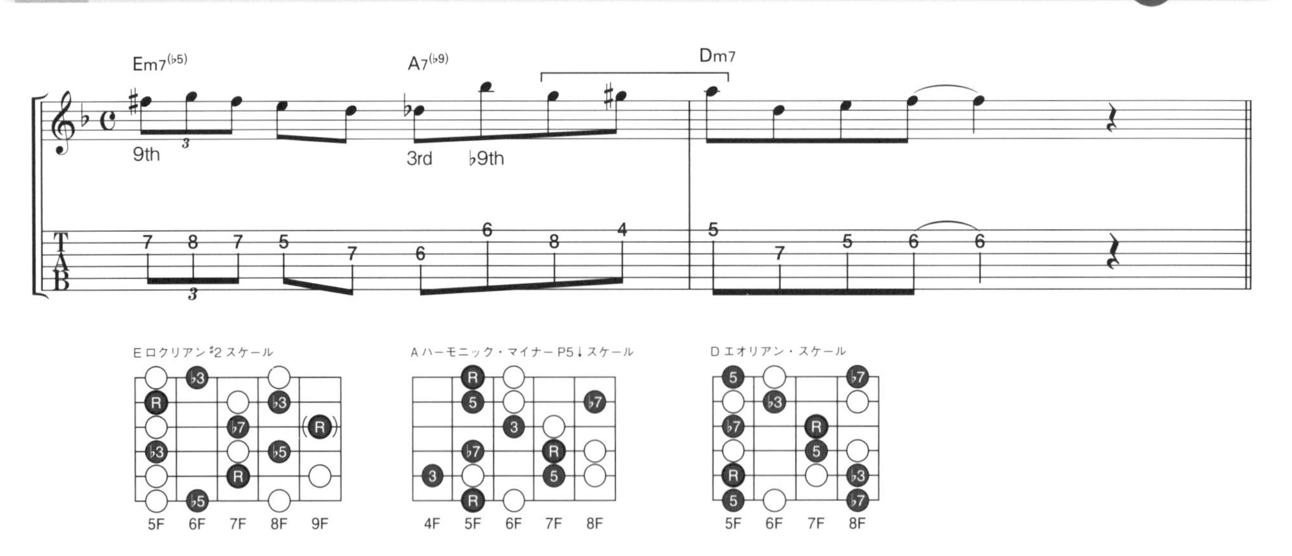


最初のEm7(♭5)ではF♯の音からスタートしており、この9thの音はロクリアン・スケールに含まれていないためロクリアン♯2として記載しています。アボイド・ノートがなく、使いやすいスケールです。3拍目からは、A7の「3rd→♭9th」という典型的な動きです。また、1小節目は「Em7→A7(♭9)」と解釈していると見ることもできます。

## Ex-12 Key=Amのツー・ファイブ例1

TRACK_70

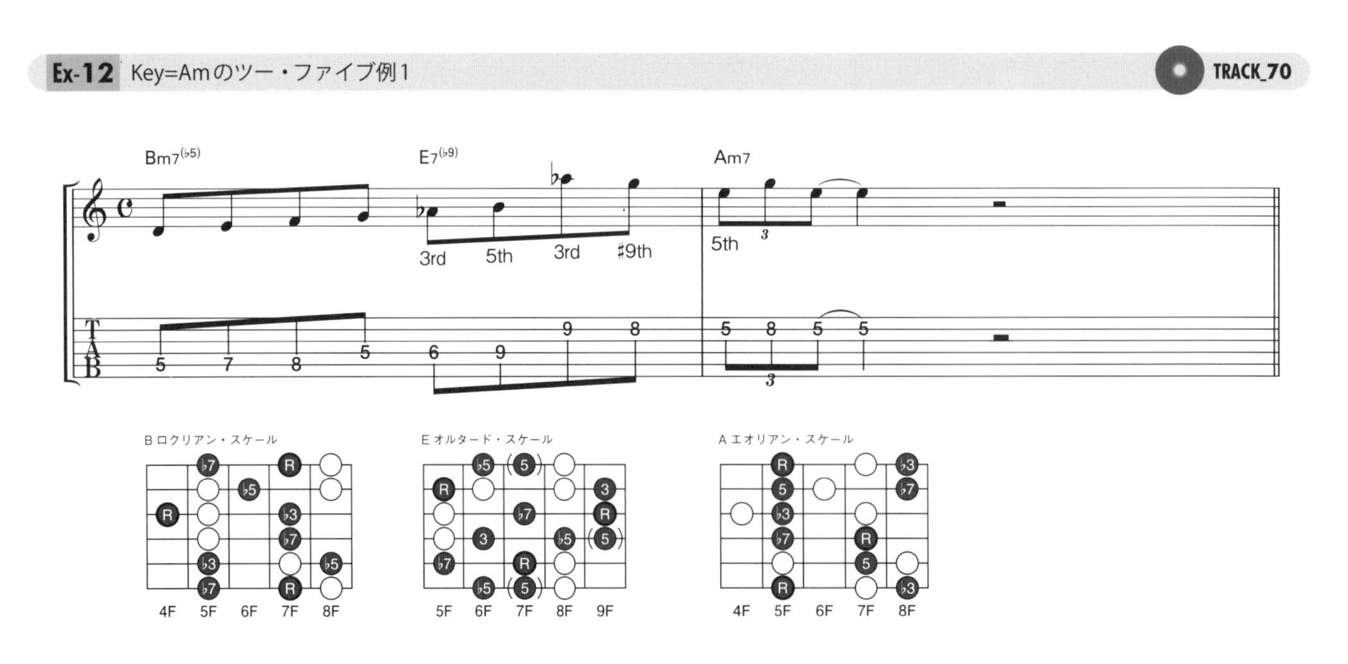


Bm7(♭5)の♭3rdからスケールを上昇した後、E7の「3rd→5th→3rd→♯9th」を経てAm7の5thに解決しています。非常によく使うポジションですので、指に覚えさせましょう。

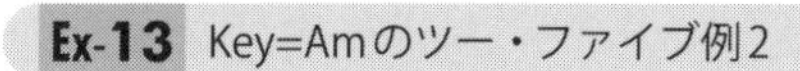

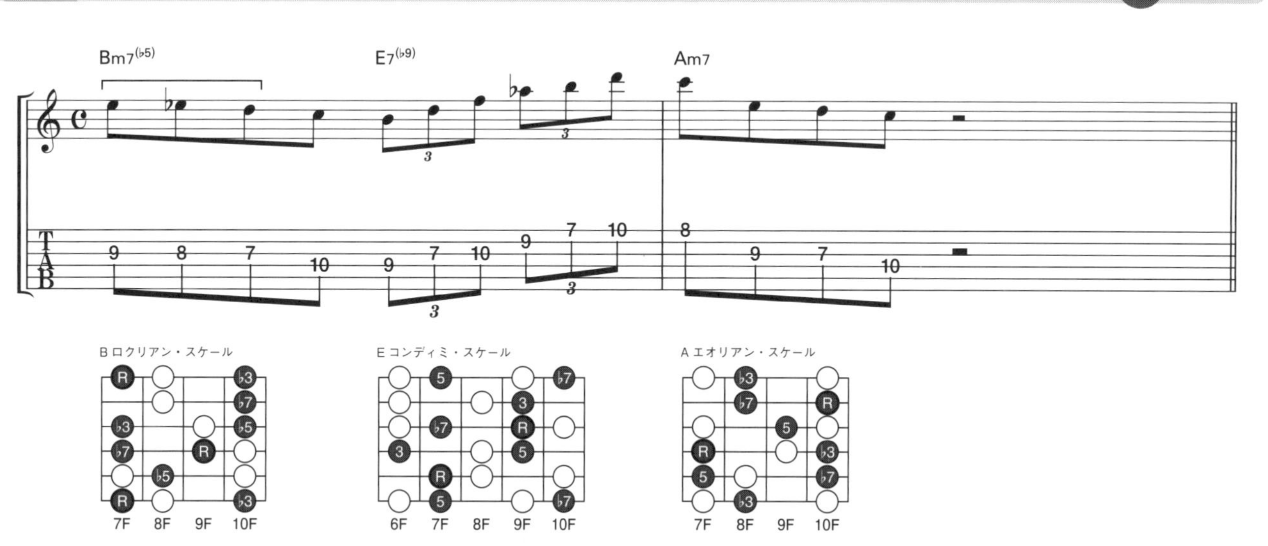


Bm7(♭5)の♭3rdへのアプローチからスタートして、3～4拍目は3連でE7の半音上、Fのディミニッシュ・アルペジオになっています。Eコンビネーション・オブ・ディミニッシュ・スケールの他、Eハーモニック・マイナーP5↓でもOKです。

## Ex-14 Key=Amのツー・ファイブ例3

TRACK_72

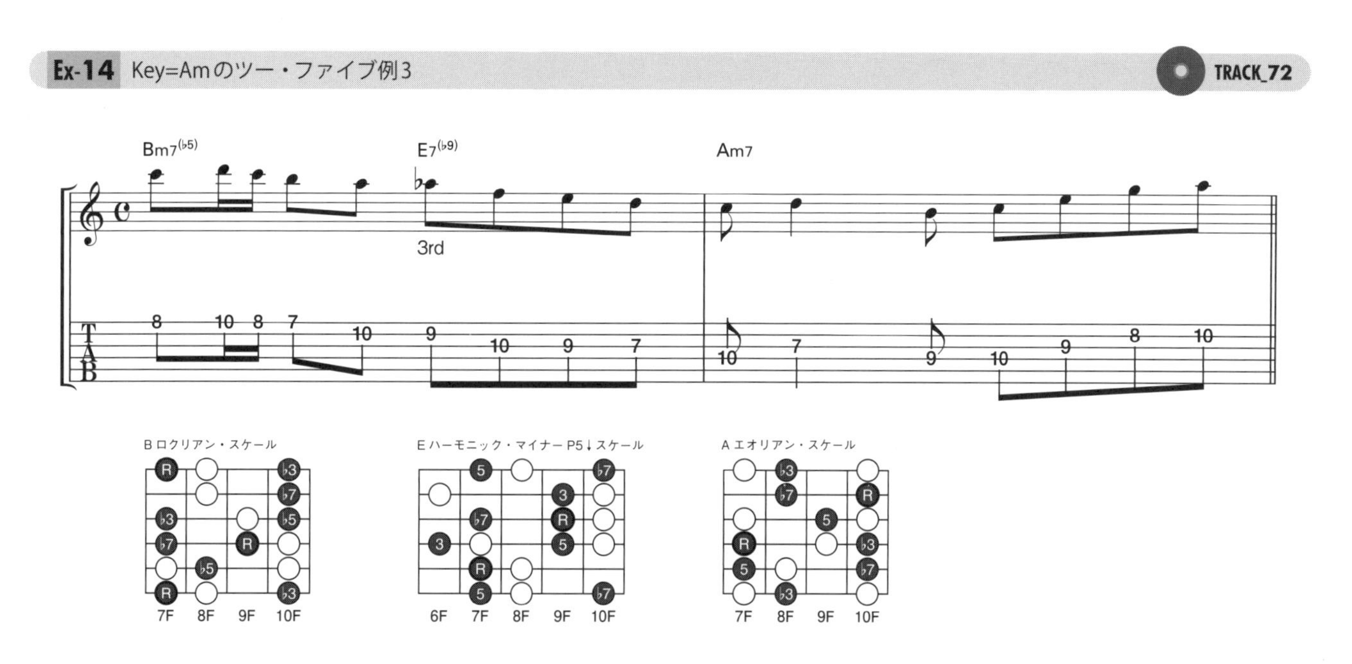


「Bm7(♭5)の♭7th→E7の3rd」へキレイにつながる典型フレーズです。ポジション的にもよく使うので、動きを指に覚えさせてください。

## Ex-15 Key=Emのツー・ファイブ例

TRACK_73

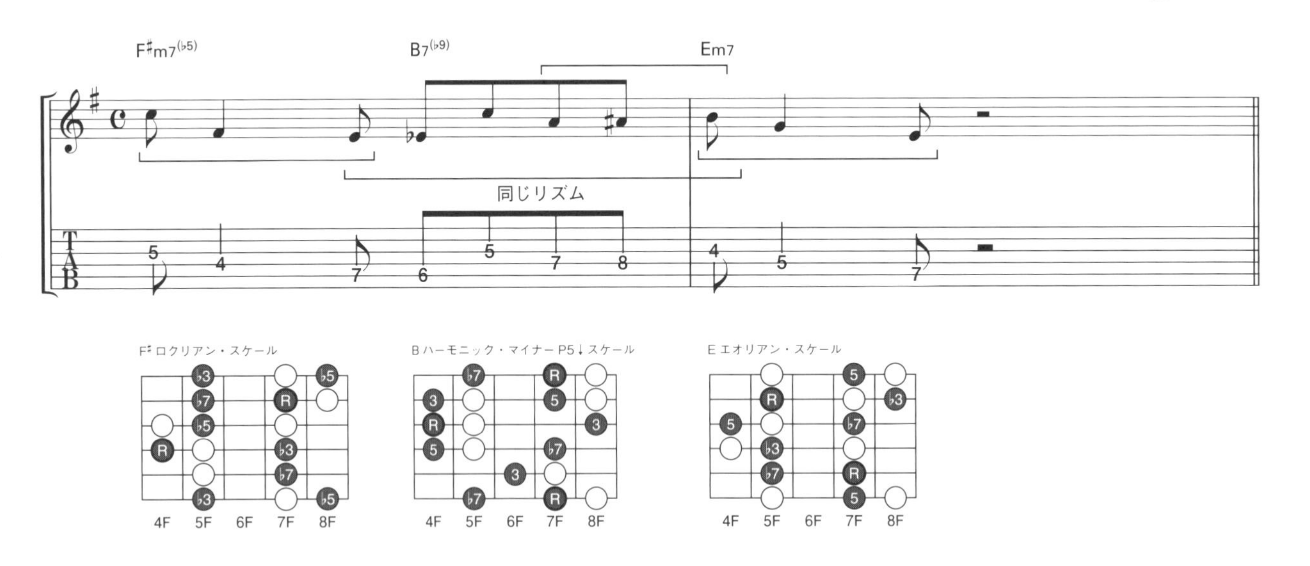


最後はKey＝Emの「Ⅱm7(♭5)→Ⅴ7」です。Key＝Gの曲等で途中平行調として出てくることが多い進行です。1小節目1～2拍目と解決後の2小節目1～2拍目で、同じリズムのモチーフを使っています。

### COLUMN アルペジオとスケール、コードを関連させながら覚えよう

本書で取り上げている譜面例では、原則としてコードに対応したアルペジオとスケール例をダイアグラムで示していますが、これらのスケールやアルペジオはコード・フォームとも関連させながら覚えていくことが重要です。下図では、2F～6Fのポジションで一般的に使用されるCM7コードの複数の押さえ方とアルペジオの関連について示しています（アルペジオのうち、任意の「R、3rd、5th、7th」を押さえることのできるポジションは他にもありますので、探してみてください）。これらのコード、スケール、アルペジオは全て密接に関連しており、それらを互いに関連付けながら整理して理解することで、より理解が深まるでしょう。

●アルペジオとコード・フォームを関連させて覚える

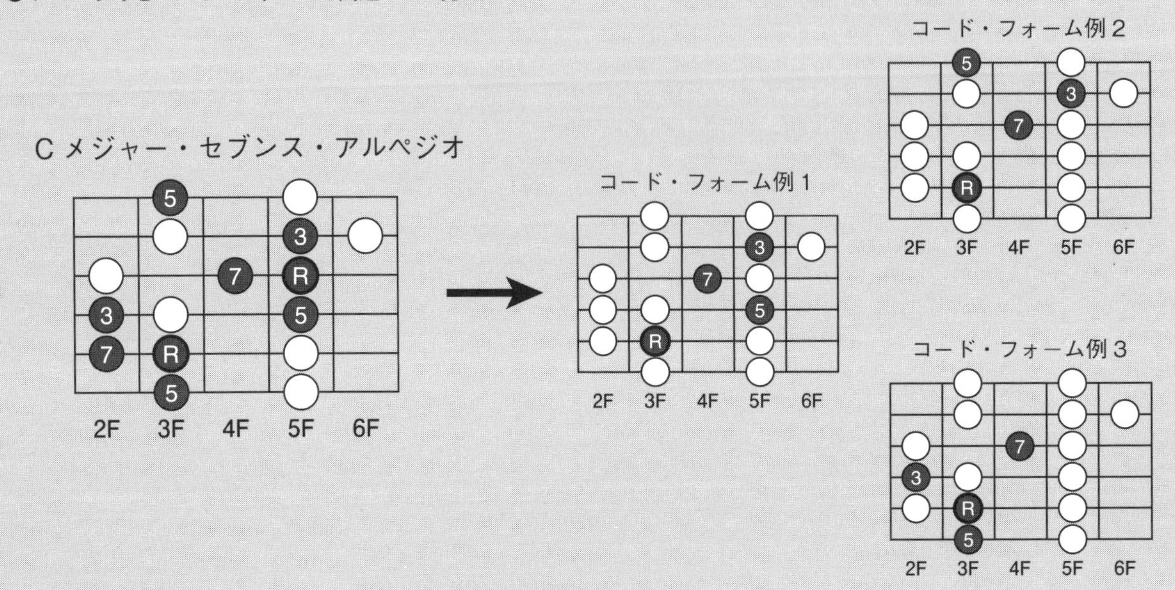


このような整理をしていくことで、単音のフレーズの途中でコードを織り交ぜたり、コード・ソロをとったりすることが容易になります。巻末の資料編P.108～に、コードの機能別に代表的なコード・フォームが示してありますので、参考にしてください。

第2章 STEP 7

# ターン・アラウンド・フレーズ

ターン・アラウンドとは、トニックに戻る前のセクション、または曲の最後の通常2小節で使われる「**トニックへの強い進行感を持つコード進行**」です。

ビバップ期におけるターン・アラウンドとしては、マイナーの「Ⅱm7(♭5)→Ⅴ7」を経てメジャーの「Ⅱm7→Ⅴ7」と進むものが多くみられます。この他、「Ⅲm7→Ⅵ7→Ⅱm7→Ⅴ7」といった動きや、現在でもよく使われる「ⅠM7（ブルースにおいてⅠ7）→Ⅵ7→Ⅱm7→Ⅴ7」といったものがよく知られています。こういった2拍単位でコードが変わるような進行は、それぞれコードのアルペジオやスケールといったものを考えていては演奏にならないので、事前に指に覚えさせて一種の慣用句にしておくことが必要です。

ここでは10個ほど例を挙げますが、2拍単位でコード・チェンジするメジャーの「Ⅱm7→Ⅴ7」とマイナーの「Ⅱm7(♭5)→Ⅴ7」についてはすでに練習していますから、これらを組み合わせていくことで様々なバリエーションが得られます。

## Ex-01 Key=B♭「Ⅲm7(♭5)→Ⅵ7→Ⅱm7→Ⅴ7」例1

TRACK_74

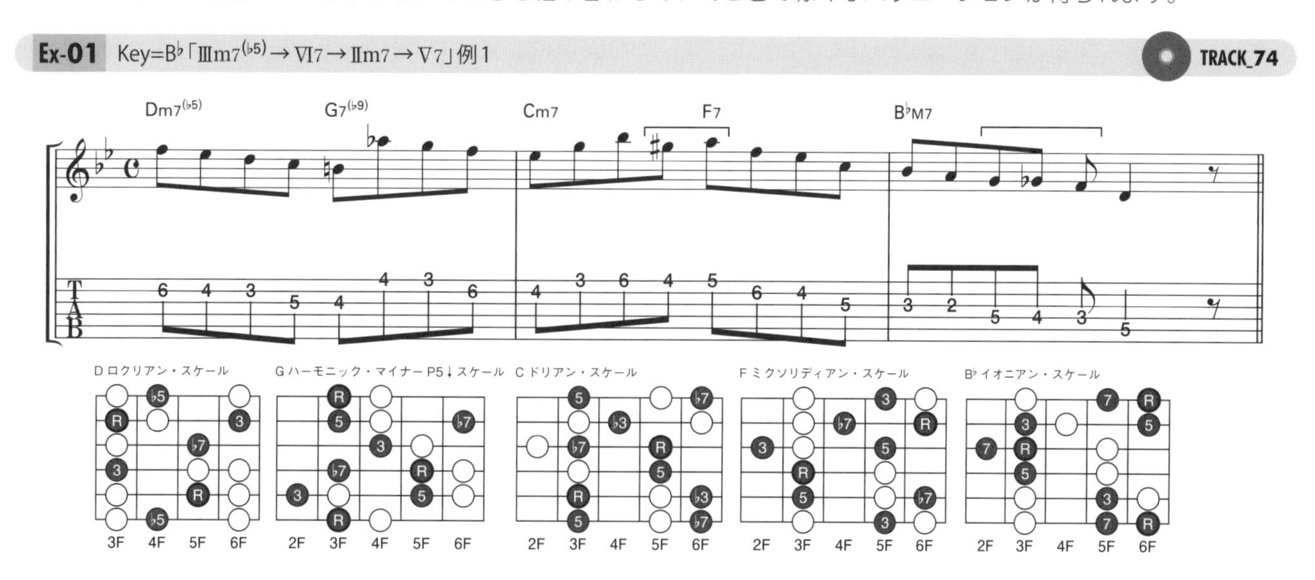


誰でも聴いたことがあるであろう、もっとも典型的なターン・アラウンドのフレーズです。1小節目は、Dロクリアンから Gハーモニック・マイナー P5↓スケールとして書いてありますが、単にマイナーへ進行するⅤ7と捉えて、Gハーモニック・マイナー P5↓スケールのみと解釈することもできます。

## Ex-02 Key=B♭「Ⅲm7(♭5)→Ⅵ7→Ⅱm7→Ⅴ7」例2

TRACK_75

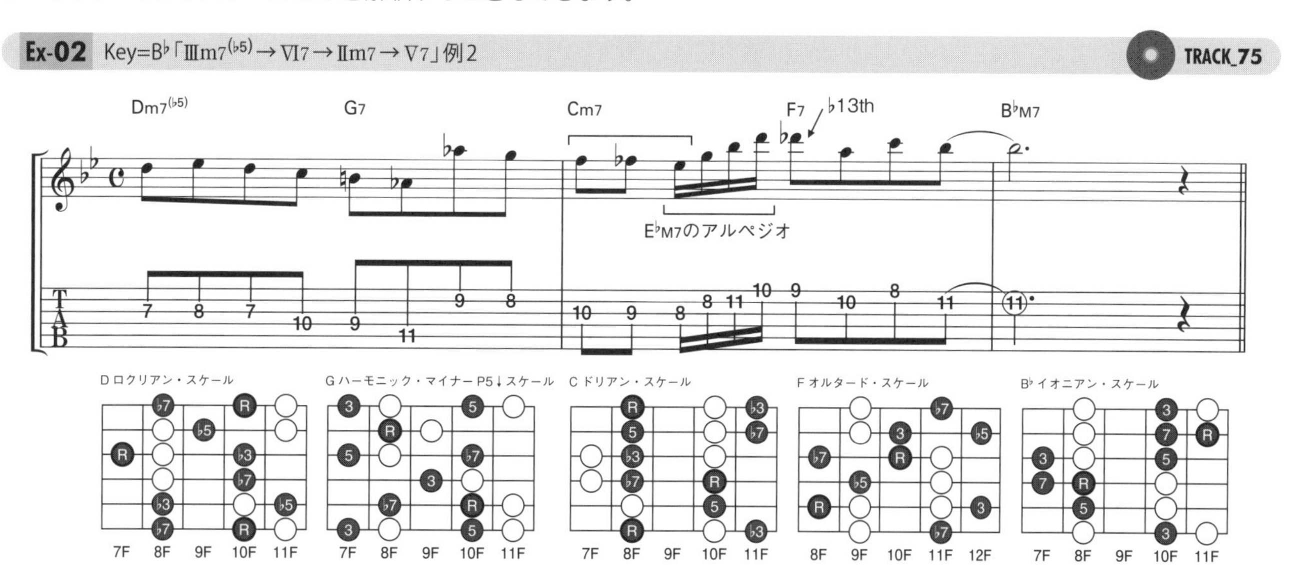


よく使われるポジションです。1小節目は他と同様にⅤ7と捉えて、Gハーモニック・マイナー P5↓スケールで考えることができます。2小節2拍目では、速い16分音符での**E♭M7**（**Cm7**の代理コード）アルペジオから**F7**の♭13thへ自然につながって、進行感が出ています。

## Ex-03 Key=B♭「Ⅲm7(♭5)→Ⅵ7→Ⅱm7→Ⅴ7」例3

TRACK_76

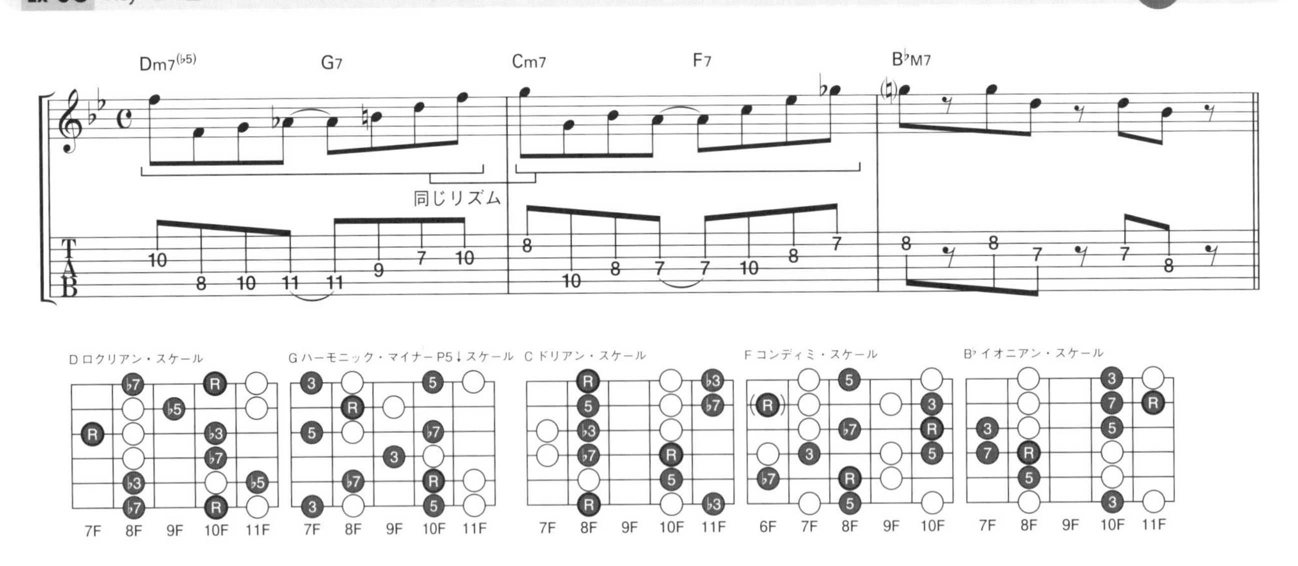


♭3rdのオクターブの跳躍からスタートするフレーズです。1小節目と2小節目で「**同じリズム形**」を用いることで、フレーズが明確になっています。このような手法は「**モチーフの活用**」ともいい、単にストックしたフレーズの切り貼りにならないコツともいえます。

## Ex-04 Key=C「Ⅲm7(♭5)→Ⅵ7→Ⅱm7→Ⅴ7」例1

TRACK_77

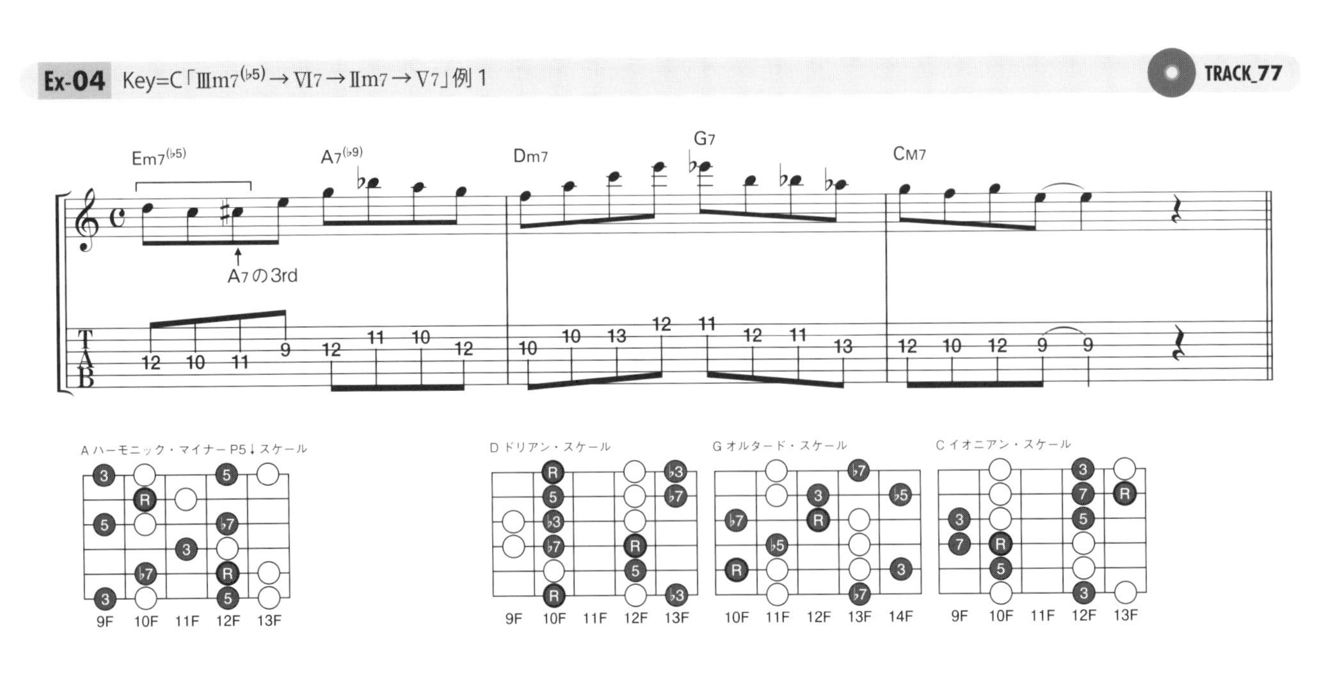


2拍目表で、A7の3rdへアプローチしています。これも「Em7(♭5)→A7」の動きを単にA7と捉えて演奏していると考えることができます。2小節目は、Dm7の代理コードであるFM7のアルペジオからGオルタードへスムーズに進行しています。

## Ex-05 Key=C「Ⅲm7(♭5)→Ⅵ7→Ⅱm7→Ⅴ7」例2

TRACK_78

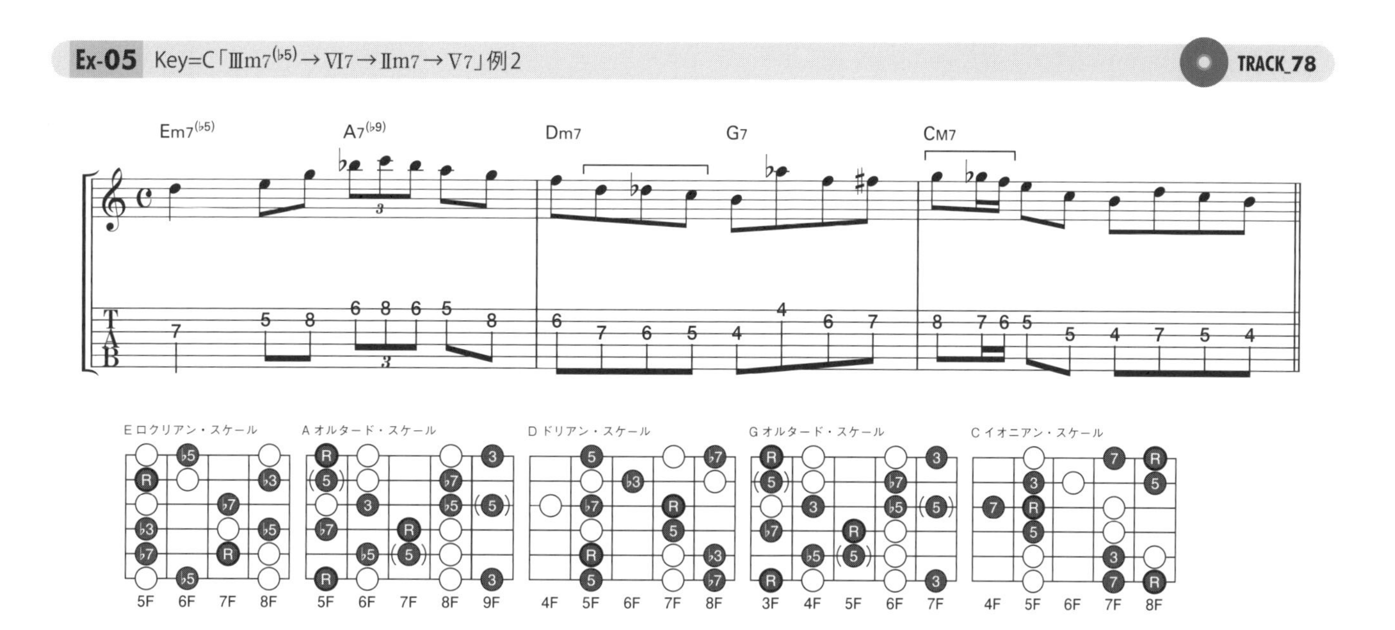


Em7(♭5)の「♭7th→R→♭3rd」とアルペジオを上昇した後、Aオルタード・スケールのフレーズになっています。2小節目はG7の3rd、B音までなだらかにアプローチした後、♭9thへ跳躍するオーソドックスなフレーズです。

## Ex-06 Key=C「Ⅲm7(♭5)→Ⅵ7→Ⅱm7→Ⅴ7」例3

TRACK_79

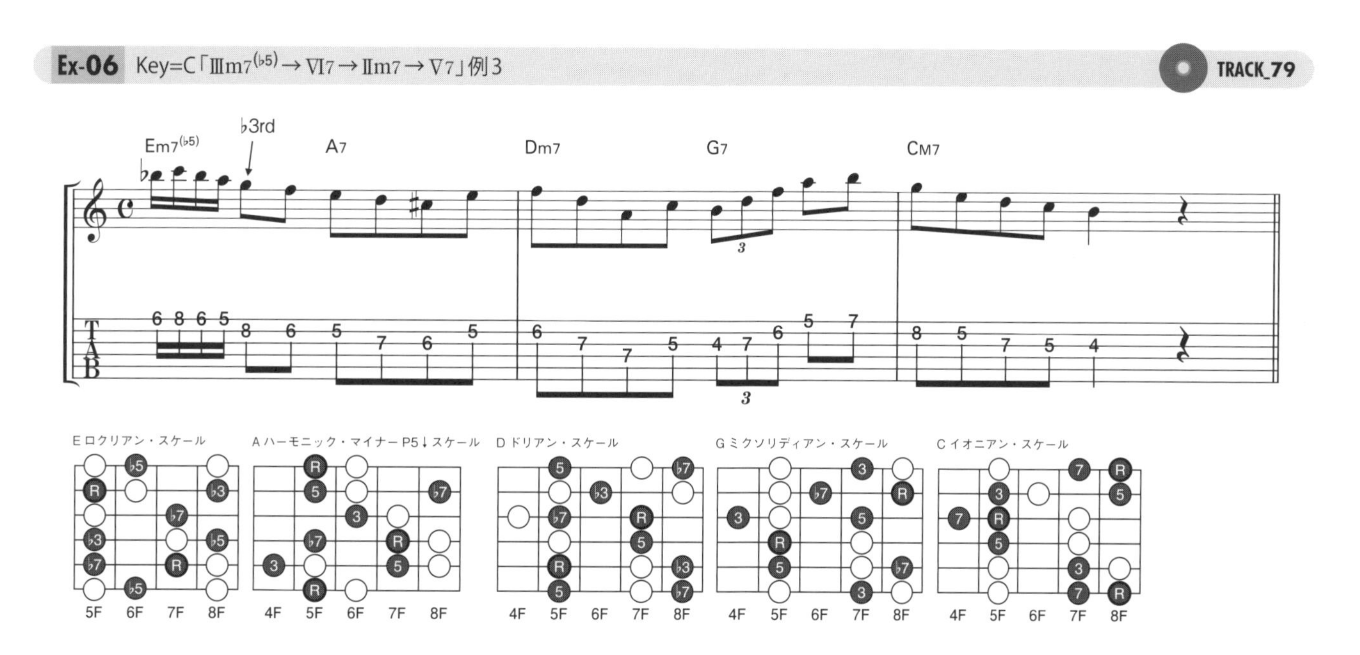


1～2拍目は、Em7(♭5)の♭5thの音からスタートし、16分のフレーズから♭3rdへと着地して、コードの特徴がよく表現されています。2小節目は、CM7へ向かう「Ⅱm7→Ⅴ7フレーズ」で、それぞれ「Dドリアン、Gミクソリディアン」ですが、これも「Ⅱm7→Ⅴ7」をⅤ7または、Ⅱm7一発と捉えても自然にフレージングできます。

## Ex-07 Key=C「Ⅲm7(♭5)→Ⅵ7→Ⅱm7→Ⅴ7」例4

TRACK_80

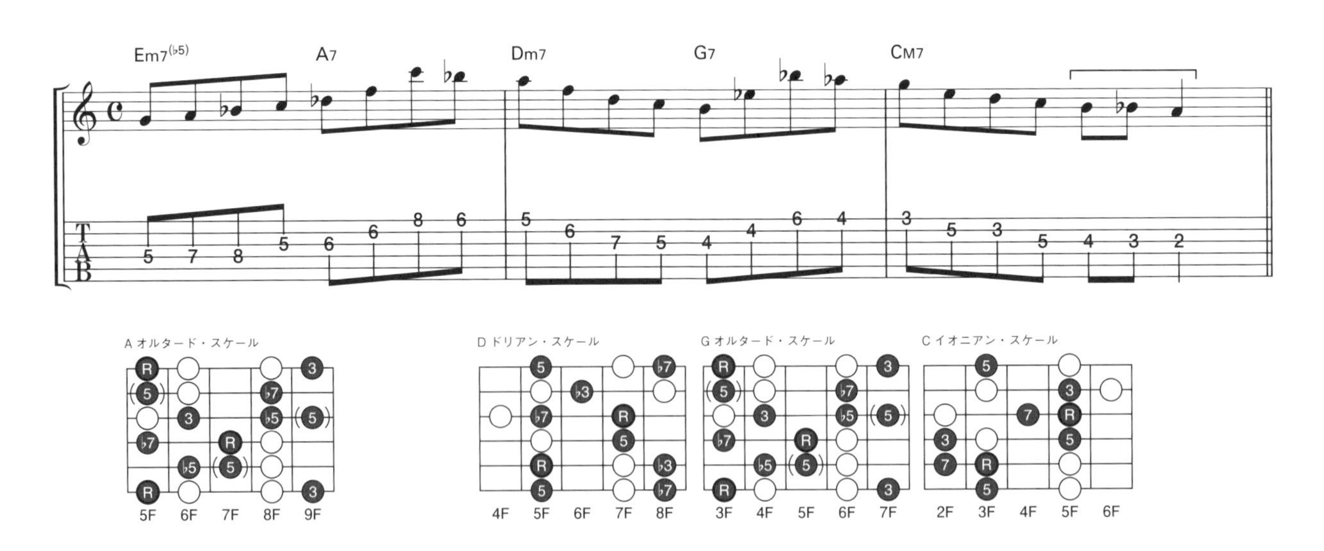


最初の「E♭m7(♭5)→A7」をA7とみなして、Aオルタードのフレージングになっています。2小節目はDm7のアルペジオ下降から、これまたGオルタードの典型的なフレーズです。

## Ex-08 Key=G「Ⅲm7→Ⅵ7→Ⅱm7→Ⅴ7」例

TRACK_81

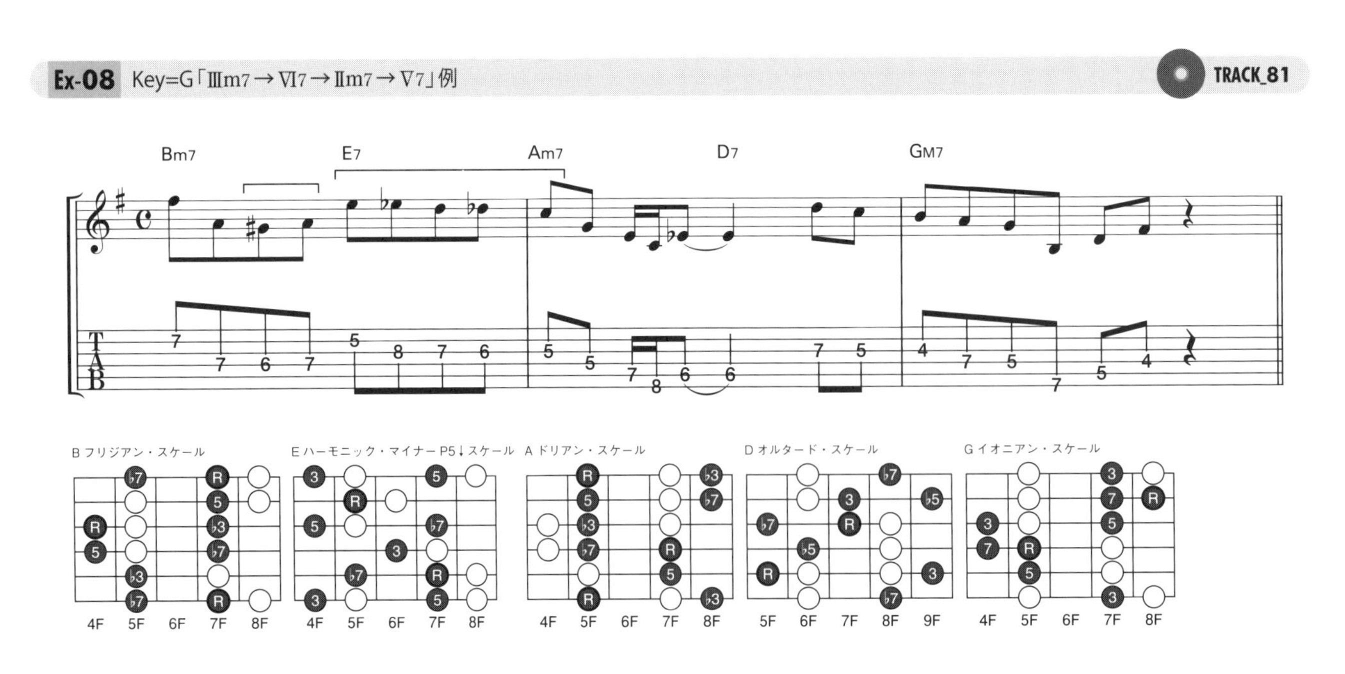


「Ⅲm7→Ⅵ7→Ⅱm7→Ⅴ7」のターン・アラウンドです。Ⅲm7はフリジアン・スケールを用いるのが一般的ですが、プレイヤーの頭の中では単に「トニック」と考えてIM7のGイオニアンという感覚で演奏するという人も多いでしょう。このように、機能的に代理可能なフレーズは練習を重ねるうちに、ほとんど同じものとして捉えることができるようになります。2小節目1～2拍目のフレーズは、チャーリー・パーカーの手癖（?）とも思えるもので、よく出てきます。

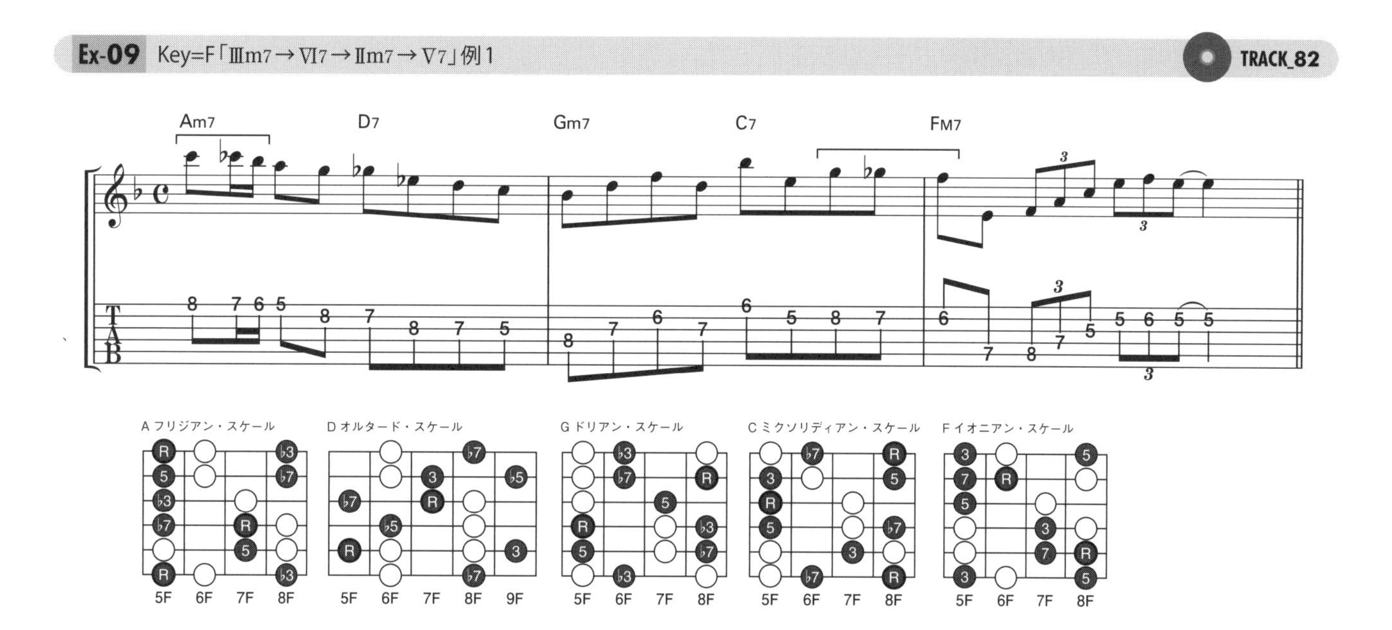


Key＝Fでの「Ⅲm7→Ⅵ7→Ⅱm7→Ⅴ7」のターン・アラウンドです。1小節目、Dオルタードのポジションは見えにくいですが、ここはよく使います。2小節目は、メジャー「Ⅱm7→Ⅴ7」のオーソドックスなフレーズで、それぞれ「Gドリアン→Cミクソリディアン」を使っています。3小節目FM7は、オーソドックスなアルペジオ・フレーズですが、1拍目のルートから7thへの跳躍が特徴的です。

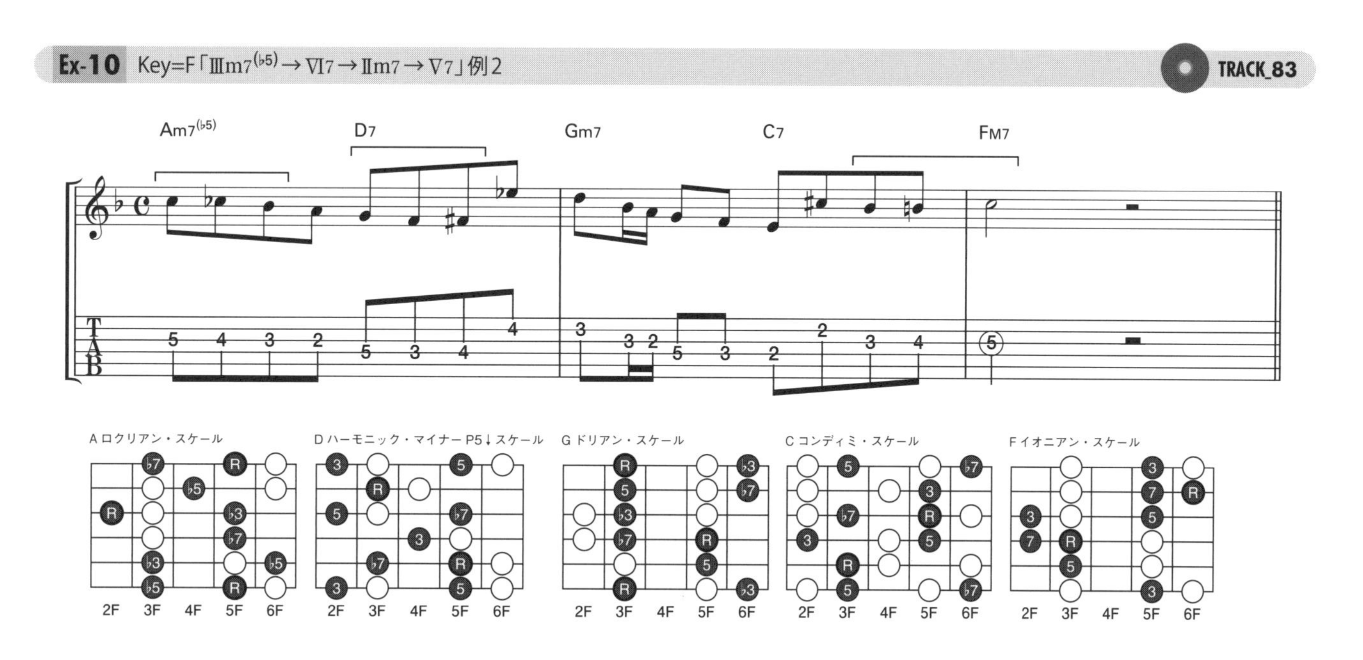


3拍目、4拍目のD7は挟み込みで、3rdへアプローチした後の♭9thへの定番の動きです。2小節目3～4拍目のC7でも同様の動きが見られます。

## COLUMN ビバップ期の重要ミュージシャン

**●バド・パウエル(Bud Powell)1924～1966**

アメリカ合衆国ニューヨーク生まれのピアニスト。祖父の代から続く音楽一家で生まれ育ち、ビバップ期以降につながる「モダン・ジャズピアノの祖」とも称されました。チャーリー・パーカーらが確立したビバップのスタイルを、ピアノで演奏する方法を確立したといわれています。

1940年代半ば以降活躍しましたが、後年は麻薬中毒におかされ統合失調症をわずらう等、体調の不良に苦しみ、結核、アルコール中毒等の合併症により1966年に亡くなりました。

・代表作

「バド・パウエルの芸術」

「アメイジング・バド・パウエル」等

**●セロニアス・モンク(Thelonious Monk)1927～1982**

アメリカ合衆国ノースカロライナ州生まれのピアニスト。キャリアの初期は、当時のニューヨークでビバップ発祥の舞台となったクラブ「ミントンズ(Minton's)」のピアニストであったことでも知られています。

1940年代初め以降、ジャズ・ピアニストとして頭角を現し、マイルス・デイヴィスをはじめ数多くのジャズ・ミュージシャンと競演を果たしました。また、作曲家としても評価されており、「ラウンド・ミッドナイト」をはじめ現在でも好んで演奏されるジャズ・ナンバーを多数作曲しています。晩年は双極性障害に苦しみ、1970年代以降は表舞台から姿を消しました。1982年に亡くなっています。

・代表作

「ブリリアント・コーナーズ」

「ジーニアス・オブ・モダンミュージック」

「モンク」ほか

**●チャーリー・パーカー (Charles Parker Jr.) 1920～1955**

アメリカ合衆国カンザス州生まれのサックス奏者。1940年代初頭からモダン・ジャズの原型となったいわゆる「ビバップ」の誕生に携わり、「モダンジャズの父」とも呼ばれています。わずか35歳でその生涯を終えるまでの間、天才的ともいえる閃きを備えたアドリブ・フレーズの数々を残し、現在でもジャズの語法の基本となっています。作曲でも「Confirmation」、「Donna Lee」等をはじめ、現在でも好んで演奏される曲を多数残しました。

若くから麻薬とアルコールに耽溺し、1955年に衰弱と心不全によって亡くなりました。

・代表作

「ナウズ・ザ・タイム」

「バード・アンド・ディズ」ほか

**●ディジー・ガレスピー (Dizzy Gillespie) 1917～1993**

アメリカ合衆国、サウスカロライナ州生まれのトランペット奏者。チャーリー・パーカーとともに、「ビバップ」の誕生に携わったビバップ期の代表ミュージシャンの一人です。頬を風船のように膨らませ、非常にテクニックを要するフレーズで人気を博しました。

1940年頃からチャーリー・クリスチャンらとともに、ビバップ誕生へと連なる音楽的実験ともいえるジャム・セッションを繰り返す中で頭角を現し、1945年以降はチャーリー・パーカーとともに当時としては前衛的ともいえるスタイルを確立していきました。「チュニジアの夜」をはじめ、現在ではスタンダードとしてジャムセッション等で演奏されるナンバーも多数作曲しています。1993年膵臓がんで亡くなりました。

・代表作

「グルーヴィン・ハイ」

「バード・アンド・ディズ」

「マンテカ」…ほか多数

# 第3章 実際の曲で覚える ビバップ・スタイル

さて、ここからは実際にビバップ期の代表的な曲を取り上げながら、これまで説明したような手法が実際にアドリブでどのように用いられているかを見ていくことにしましょう。

第3章 Music 1

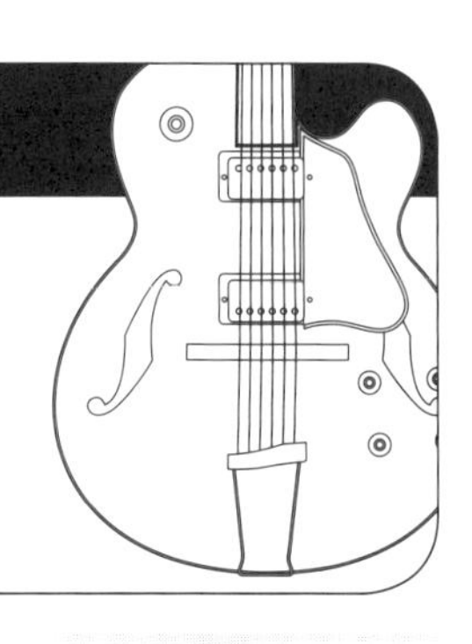

# ビリーズ・バウンス

## Billie's Bounce

作曲：チャーリー・パーカー（Charlie Parker）

「コンプリート・スタジオ・レコーディングス・オン・サヴォイ・イヤーズ VOL.1」
チャーリー・パーカー
日本コロムビア株式会社

最初に取り上げる曲は、チャーリー・パーカーの代表的なジャズ・ブルースである「Billie's Bounce」です。ジャムセッション等で演奏される機会のもっとも多い曲の一つでもあり、コード進行だけでなく、ぜひテーマも暗譜しておきたいところです。

まずはテーマを見ていきましょう。一般的な12小節のジャズ・ブルースで、セッション等ではベースも含め他の楽器も「**皆でユニゾン**」して演奏することが多い曲です。現在、ジャズのセッション等で演奏されるジャズ・ブルースでは、トニックをI7として演奏しますが、チャーリー・パーカー存命のころの演奏では、時期によってトニックをIM7やI6等として演奏している録音も多くみられます。

TRACK_84

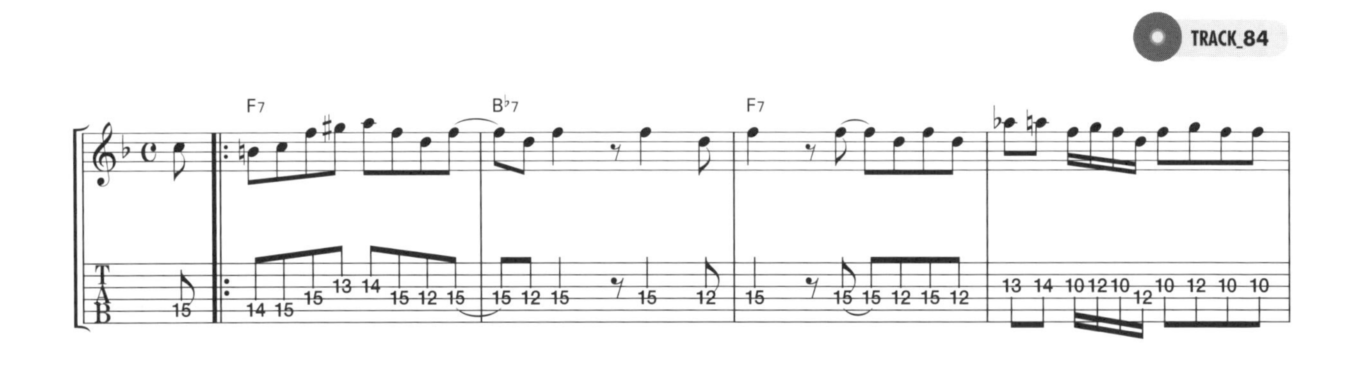


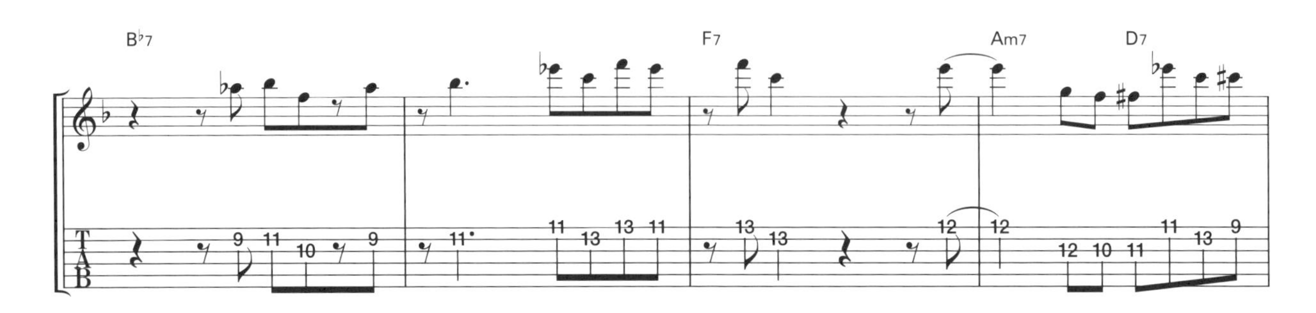


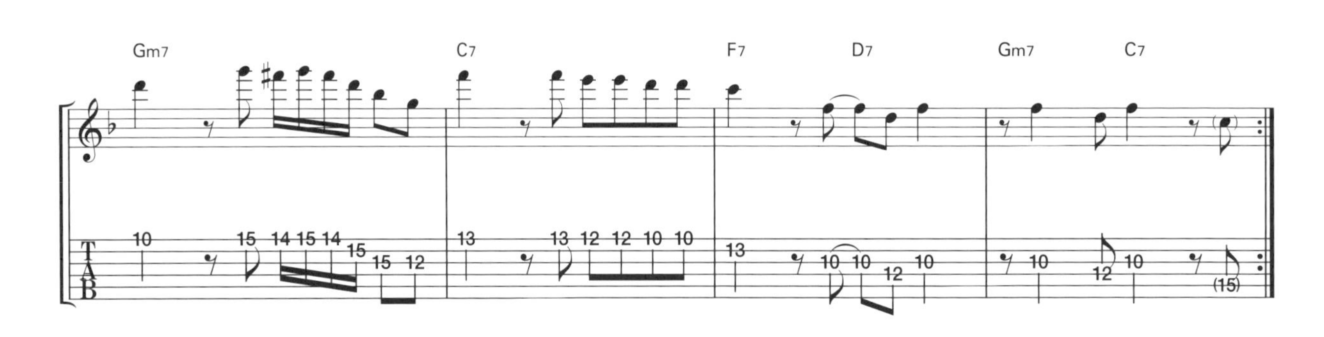

ビバップ期の曲は、テーマ自体もアドリブ・フレーズから発展したといわれており、ビバップ特有のリズムやフレーズが非常に典型的な形で盛り込まれているので、歌いまわしの参考になるでしょう。さて、以下アドリブ・フレーズ例を見ていくことにします。

## ●ビリーズ・バウンス　アドリブ・フレーズ例

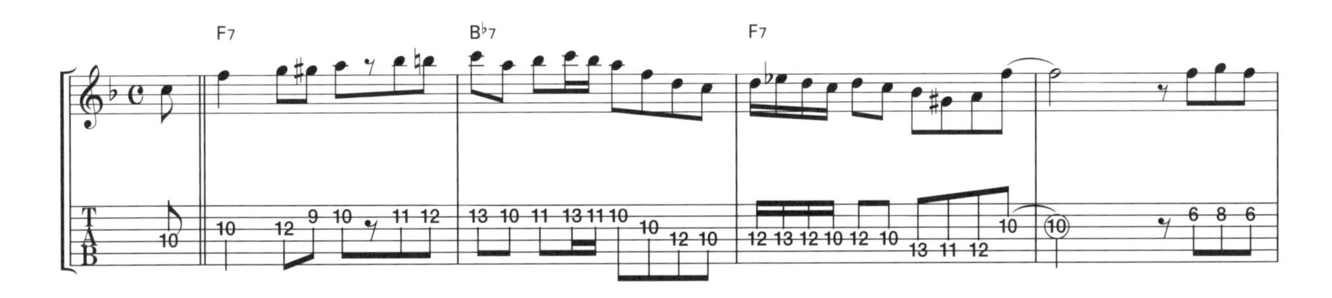


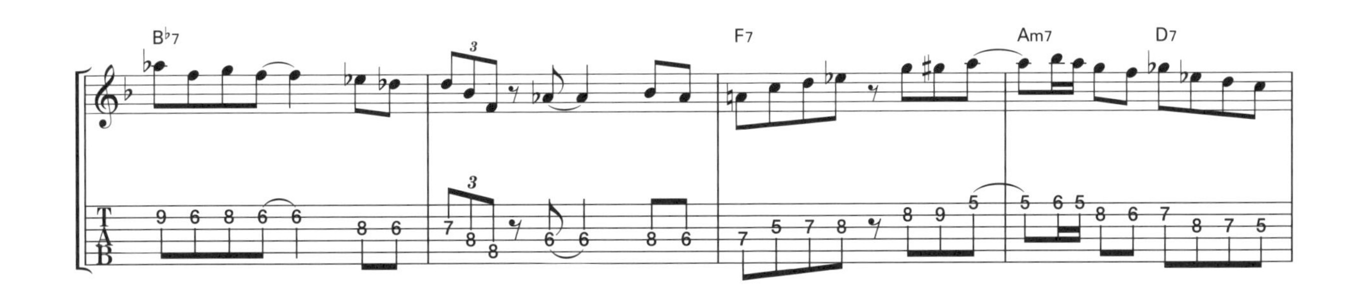


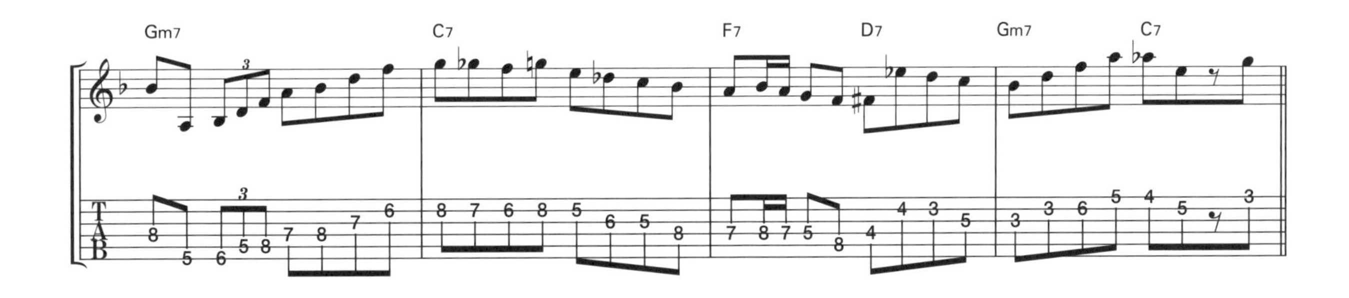

## ●ビリーズ・バウンス　アドリブ・フレーズ例　解説

### Ex-01 1～4小節目

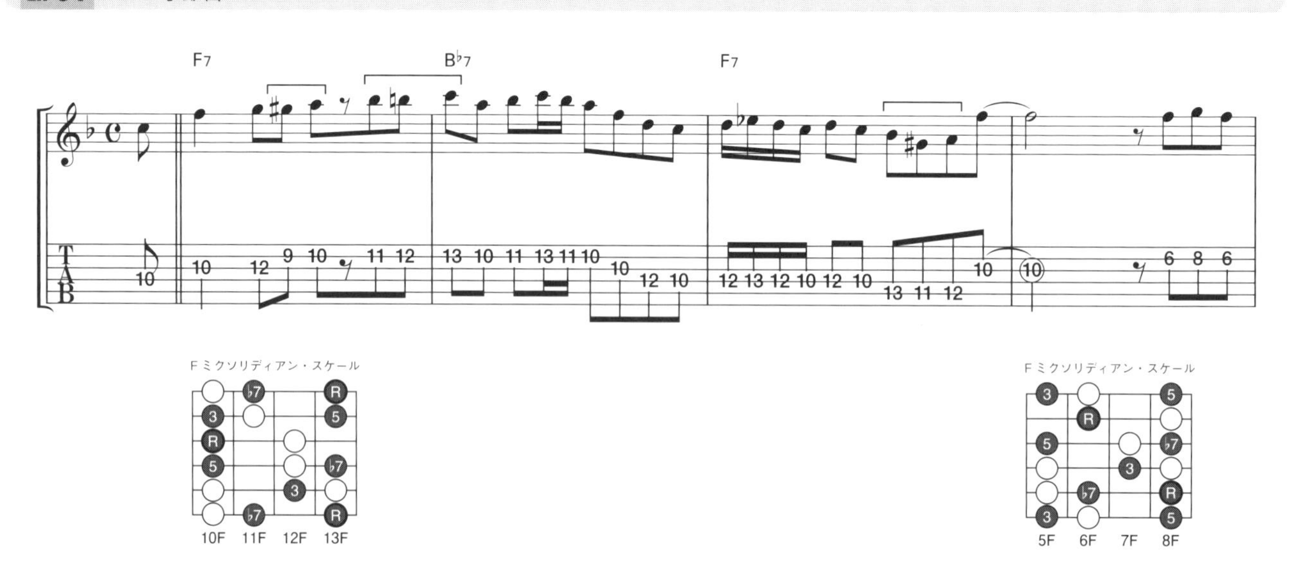


最初のF7では、Fミクソリディアン・スケールが用いられています。2小節目のB♭7は無視され、そのまま4小節全てF7として演奏されています。ブルースの原型のコード進行としては、4小節ともF7（またはF6）であり、2小節目のB♭7はコードの細分化の結果であることから、このようにB♭7を無視して演奏されることがよくあります。

4小節目では、次のB♭7に備えポジションをチェンジしています。4小節目から次のB♭7のフレーズが始まっていると解釈することもできますが、ここではFミクソリディアンと解釈してダイアグラムを載せています。

### Ex-02 5～8小節目

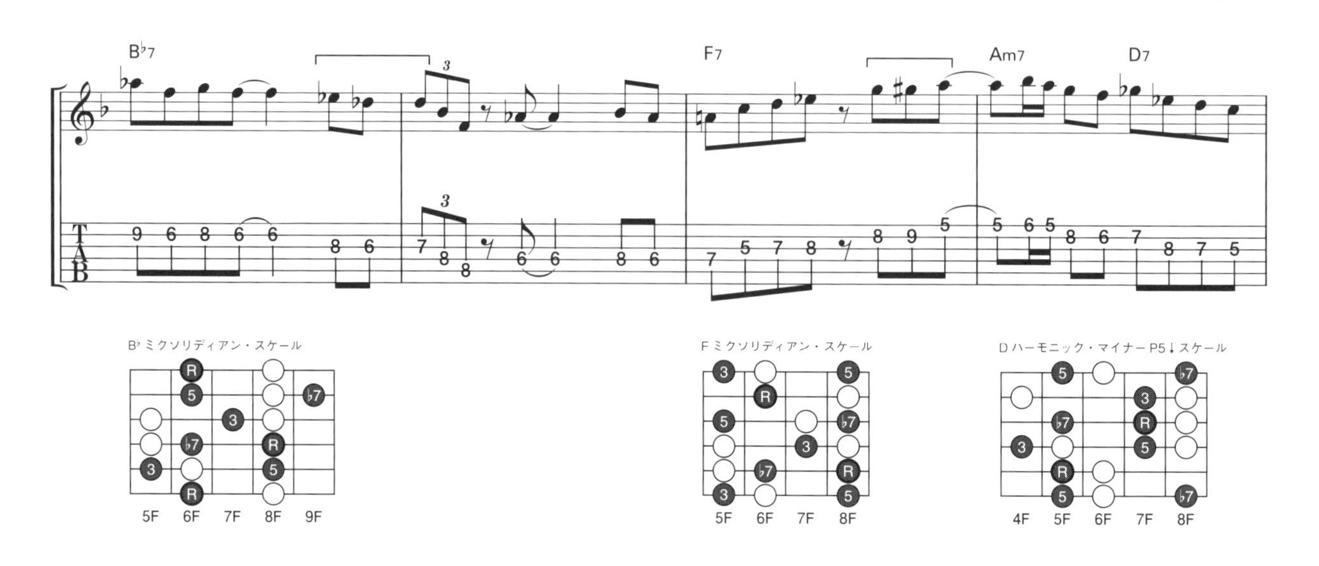


6小節目、7小節目はそれぞれ1拍目表でコードの3rdの音へアプローチされており、コード・サウンドを強調しています。8小節目の「Am7→D7」は、次のGm7へ向かうドミナントになっています（セカンダリー・ドミナント）。「Am7→D7」をマイナー・コードへ向かうD7とみなして、Dハーモニック・マイナーP5↓スケールが使用されています。典型的なフレーズといってよいものなので、指癖にしておきましょう。

## Ex-03 9〜12小節目

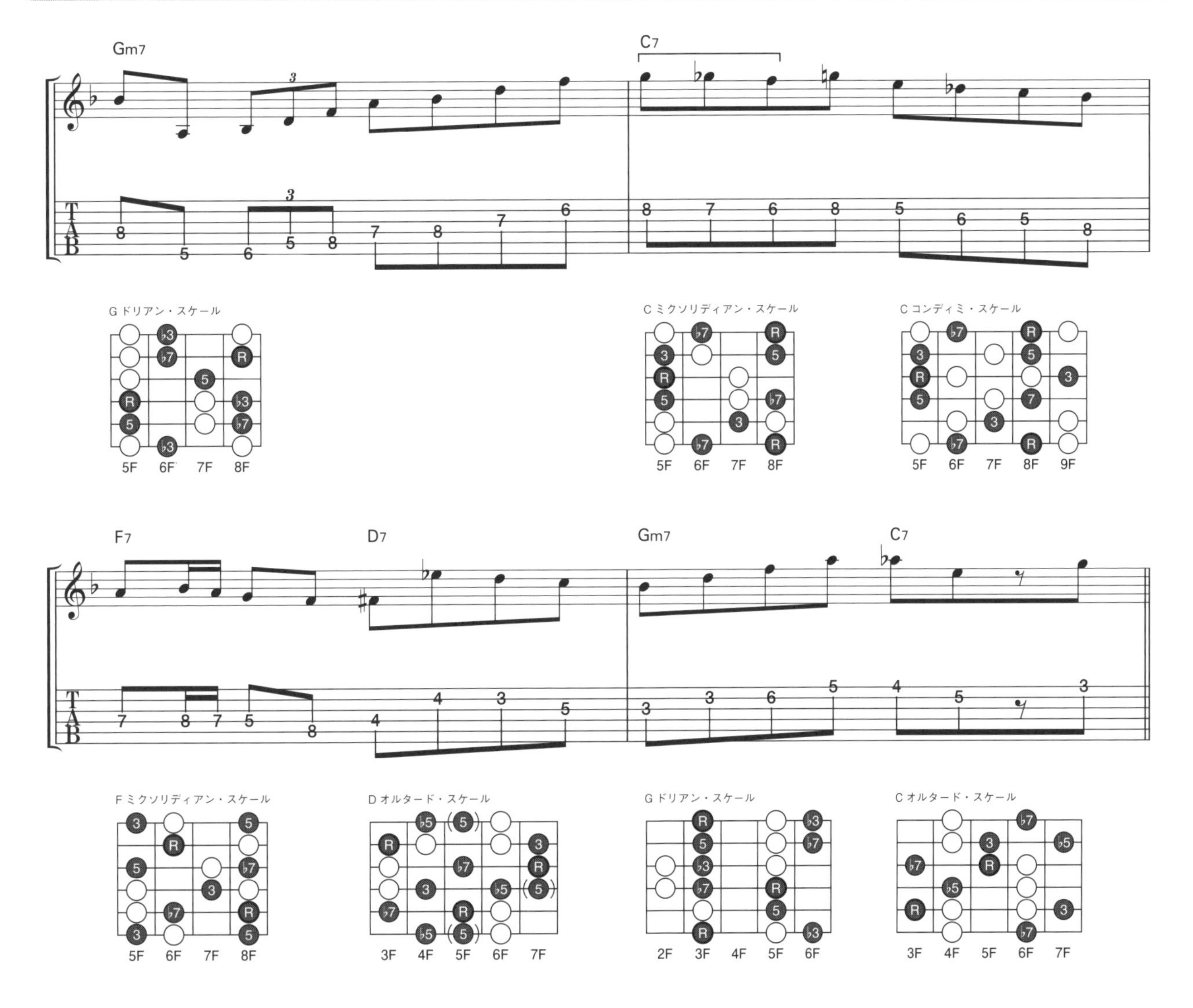


9小節目のGm7のコード・スケールはGドリアンとなりますが、ここでは代理コードであるB♭M7のアルペジオ・フレーズになっています。10小節目のC7については、前半2拍はCミクソリディアンのフレーズ、後半2拍は♭9thのテンションが用いられ、次のF7への進行感を出しています。スケールとしてはCコンディミ、またはCオルタードということになりますが、一固(ひとかた)まりのフレーズとして覚えておくとよいでしょう。

最後の11小節、12小節目はターン・アラウンドであり、次のコーラスの頭へ戻る「I7→VI7→IIm7→V7」になっています。ダイアグラムが多くややこしく見えますが、このようにそれぞれのスケールやコード・トーンを意識し、ゆっくり練習した上でストックを増やしておくと他に応用がききます。

# 第3章 Music 2

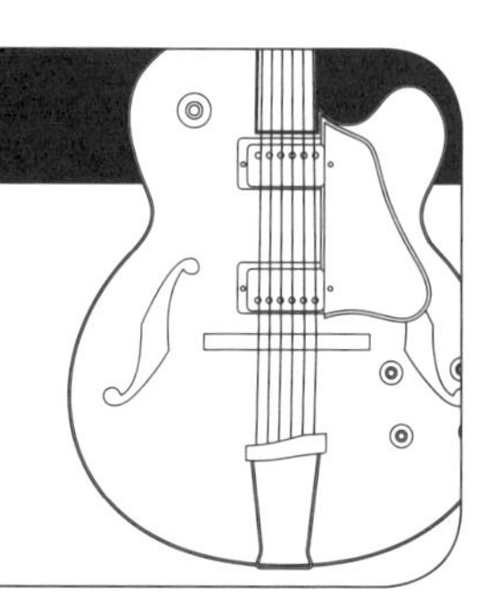

# オーニソロジー
## Ornithology
### 作曲：チャーリー・パーカー（Charlie Parker）

さて、次はスタンダード・ナンバーの「How High The Moon」のコード進行を用いて作られた「Ornithology」です。チャーリー・パーカーはこの曲を好んで演奏していたようで、「Confirmation」等とならび多くのライブ録音が残されています。

まずはテーマからです。この曲のテーマも、元々はチャーリー・パーカーのアドリブが元になっているといわれるだけあり、テーマを弾ききるだけでも中々大変ですが、頑張りましょう。

TRACK_85

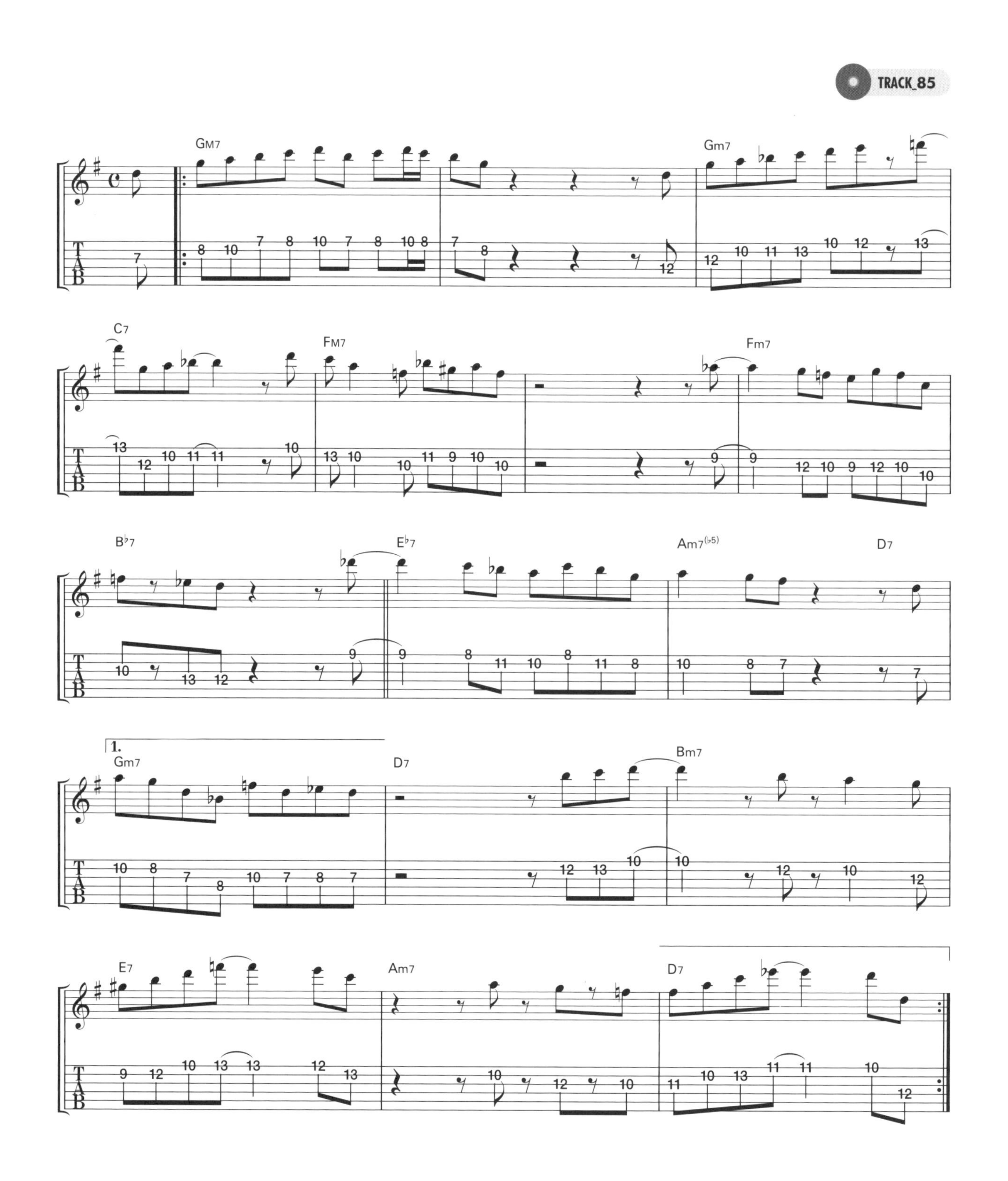

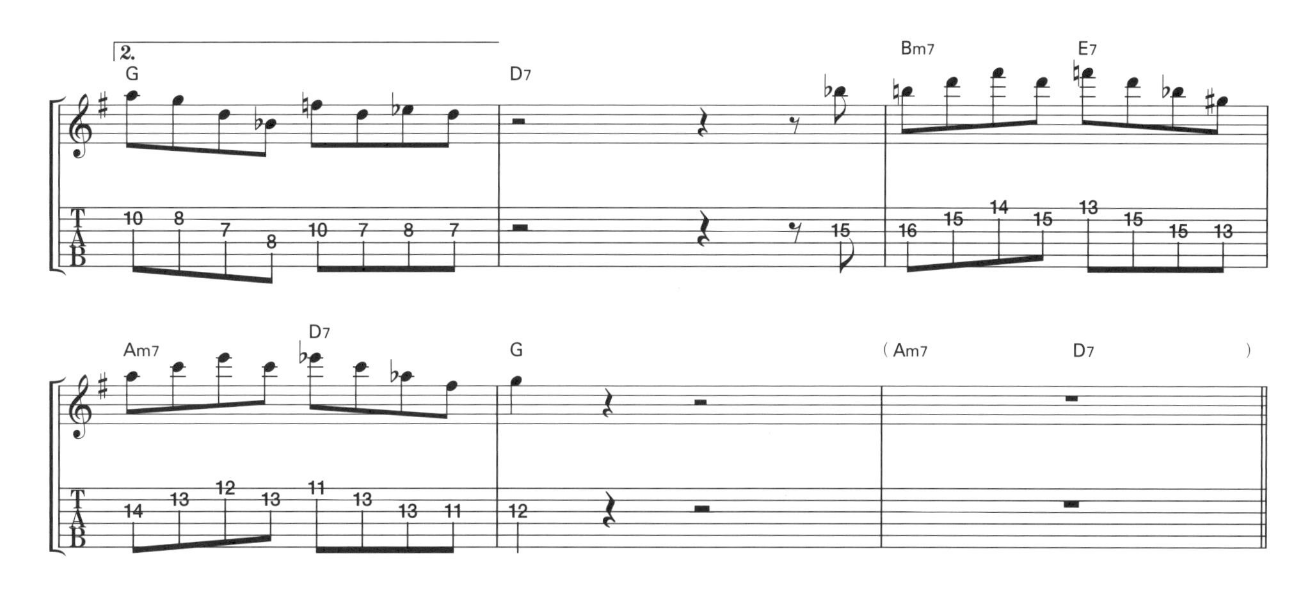


さて、テーマを覚えたら次にアドリブ・フレーズを見ていきましょう。

## ●オーニソロジー　アドリブ・フレーズ例

→ 次ページへ

GM7
Gm7
C7
FM7
Fm7
B♭7
E♭7
Am7(♭5)
D7
Gm7
C7
Bm7
E7
Am7
D7
G
E7
Am7
D7

## ●オーニソロジー　アドリブ・フレーズ例　解説

### Ex-01　1～4小節目

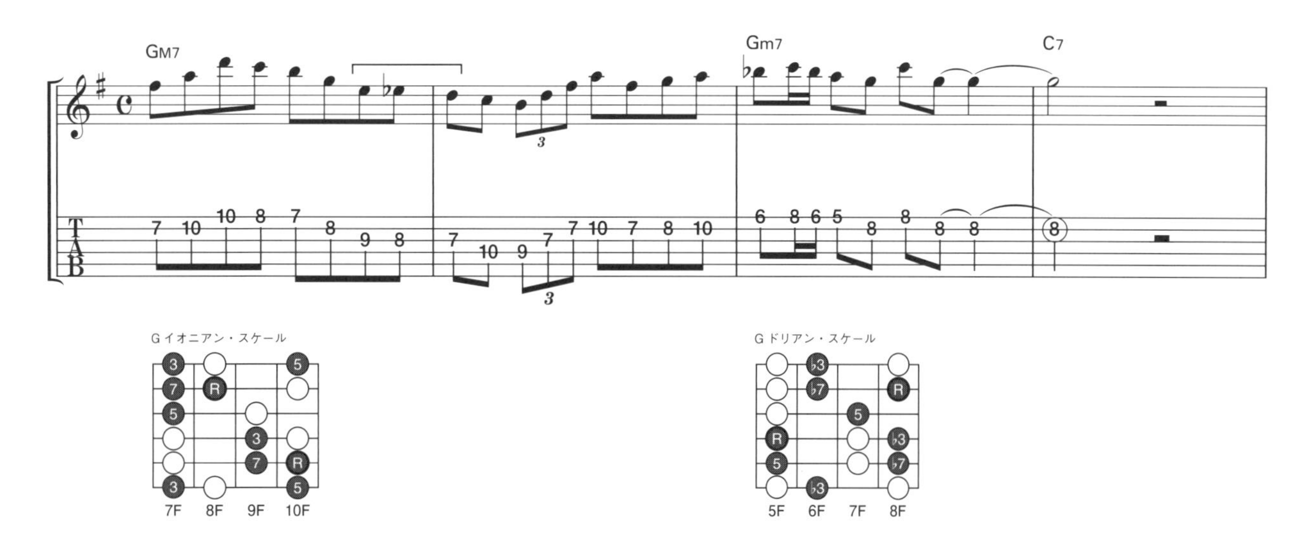


GM7では、Gイオニアン・スケールが使われています。2小節目頭のD音（GM7の5th）へアプローチする下降フレーズは、いわゆるビバップ・メジャー・スケールのラインになっています。3～4小節目の「Gm7→C7」は、次の5小節目FM7へ向かう「Ⅱm7→Ⅴ7」で、Gドリアン・スケールが使われています。

### Ex-02　5～8小節目

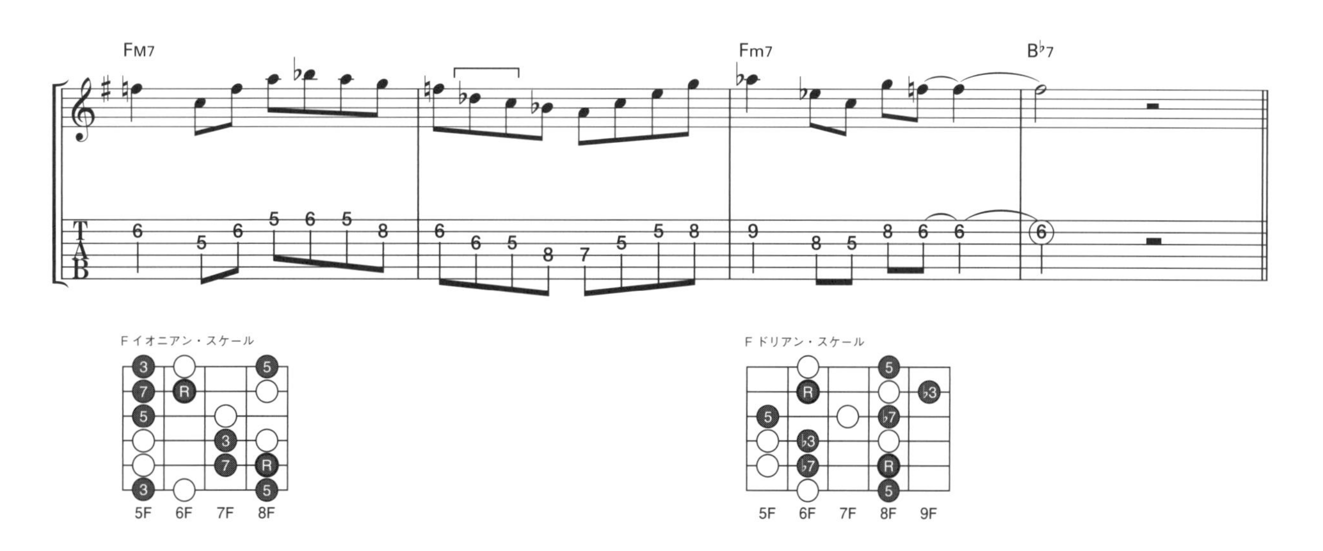


5～8小節目までは、1～4小節目までのコードをそれぞれ全音下げた進行になっています。

5～6小節目では、Fイオニアン・スケールが使用されています。6小節1拍目裏のD♭音は、FM7の5thへ向かうアプローチ・ノートと捉える他、一瞬FM7へ向かうC7の♭9thが挿入されていると解釈することもできます（P.45コラム参照）。

## Ex-03 9～12小節目

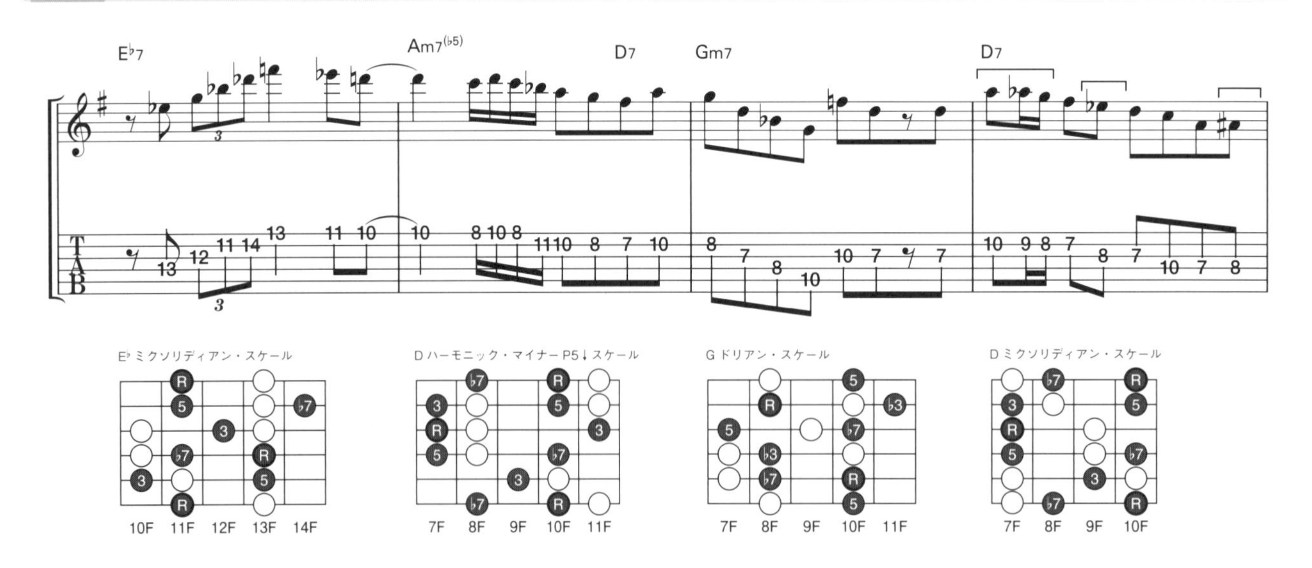


最初のE♭7は、次の小節「Am7(♭5)→D7」を大きく捉えたD7へ向かうセカンダリー・ドミナント（A7の代理コード）で、E♭ミクソリディアン・スケールまたは、リディアン♭7スケールを使用するのが一般的です。

10小節目「Am7(♭5)→D7」はマイナーの「Ⅱm7(♭5)→Ⅴ7」で、Dハーモニック・マイナーP5↓スケールと解釈できます。11小節目Gm7は、GエオリアンまたはGドリアンが一般的ですが、ここでは13thの音が用いられているためドリアンとしてあります。

## Ex-04 13～16小節目

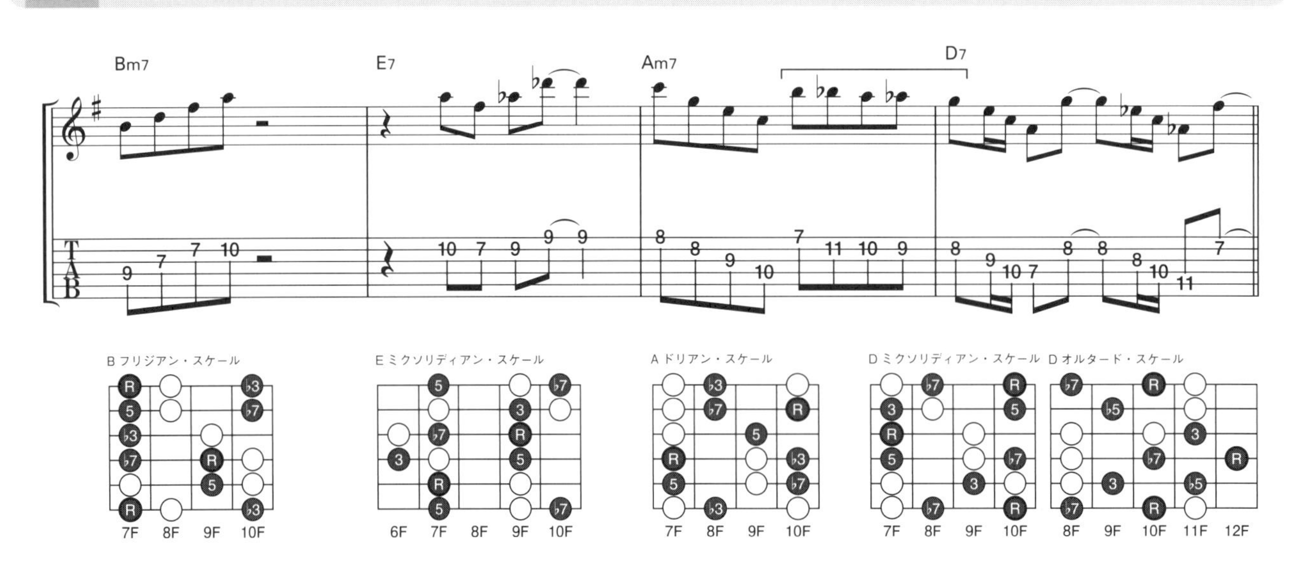


13～16小節目までは、17小節目のGM7へ向かう「Ⅲm7→Ⅵ7→Ⅱm7→Ⅴ7」という進行になっています。

13小節目はBフリジアンとしてありますが、次のE7では次のコードがマイナー（Ⅱm7）のため、ハーモニック・マイナーやオルタードが用いられることが一般的なところです。しかし、ここではEミクソリディアン的なフレーズが使われており、メジャー・ツー・ファイブ・フレーズと区別せずに演奏していると思われます。

16小節目D7では、3拍目裏からA♭のトライアドを弾いていますが、これはD7を裏コードA♭7で代理していると解釈できます（コード・スケールとしてはDオルタードとなります）。

**Ex-05** 17～20小節目

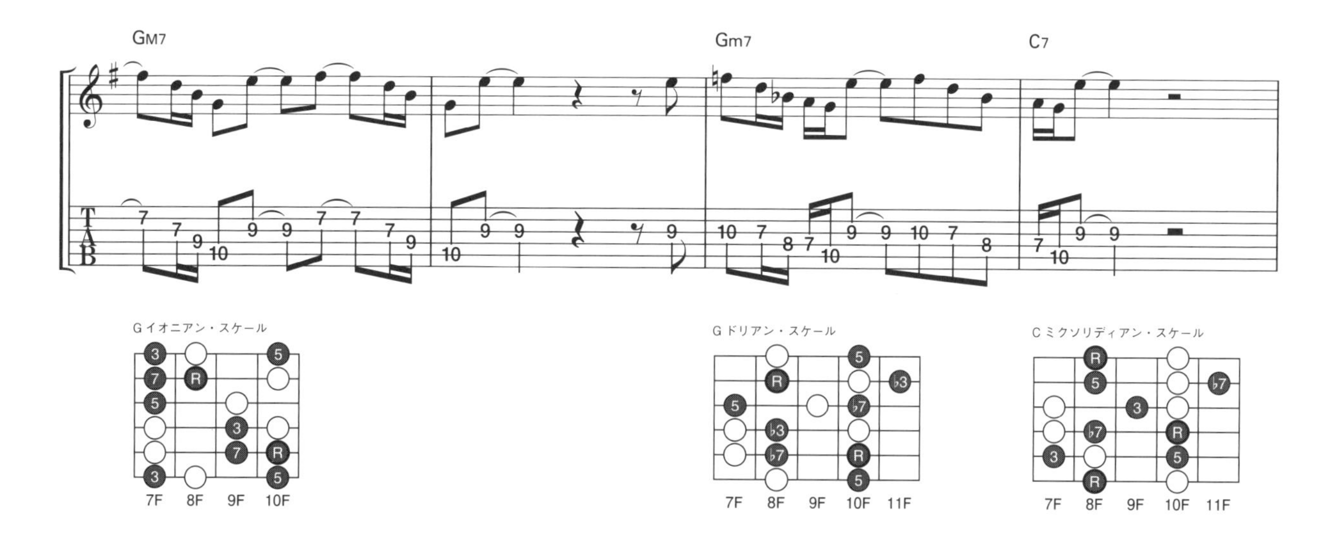


17～20小節は再びAセクションに戻ります。GM7では、オーソドックスなGM7のアルペジオが使われています。19～20小節目の「Gm7→C7」は、FM7へ向かう「Ⅱm7→Ⅴ7」で、それぞれGドリアン・スケール、Cミクソリディアン・スケールとして記載しています。

**Ex-06** 21～24小節目

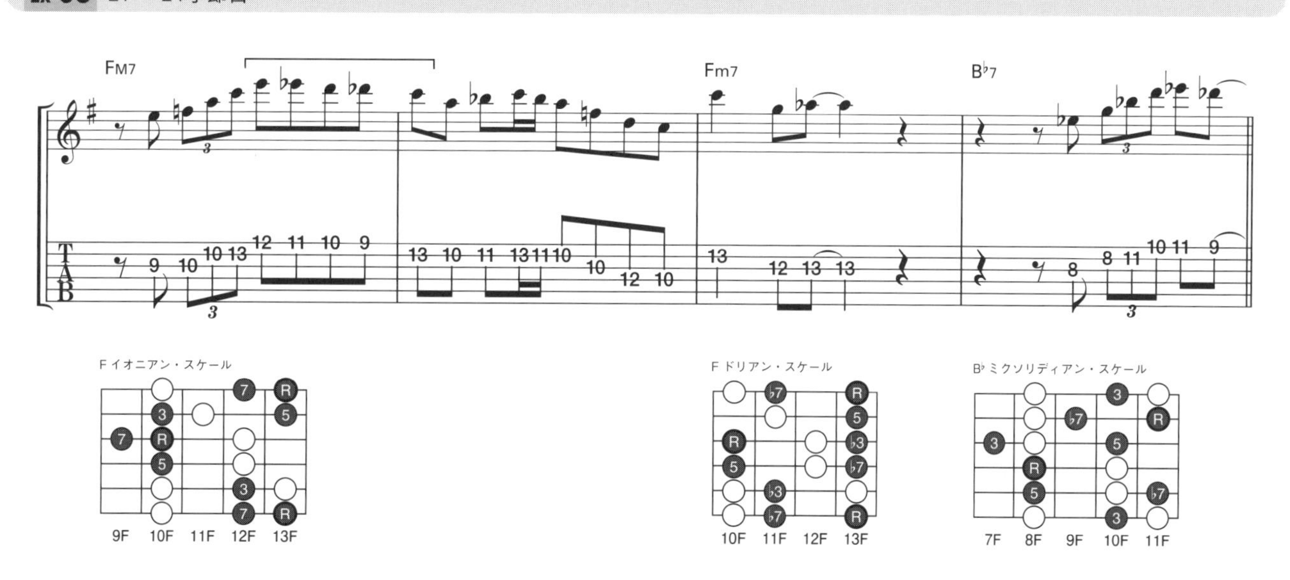


FM7ではFイオニアン・スケールが使われており、22小節1拍目表のC音（FM7の5th）へ向かう長いアプローチが特徴的です。23～24小節目の「Fm7→B♭7」では、それぞれFドリアン・スケール、B♭ミクソリディアン・スケールが用いられ、24小節目最後の4拍目裏D♭音で、次のE♭7の♭7thを先取りしています（アンティシペーション）。

## Ex-07 25～28小節目

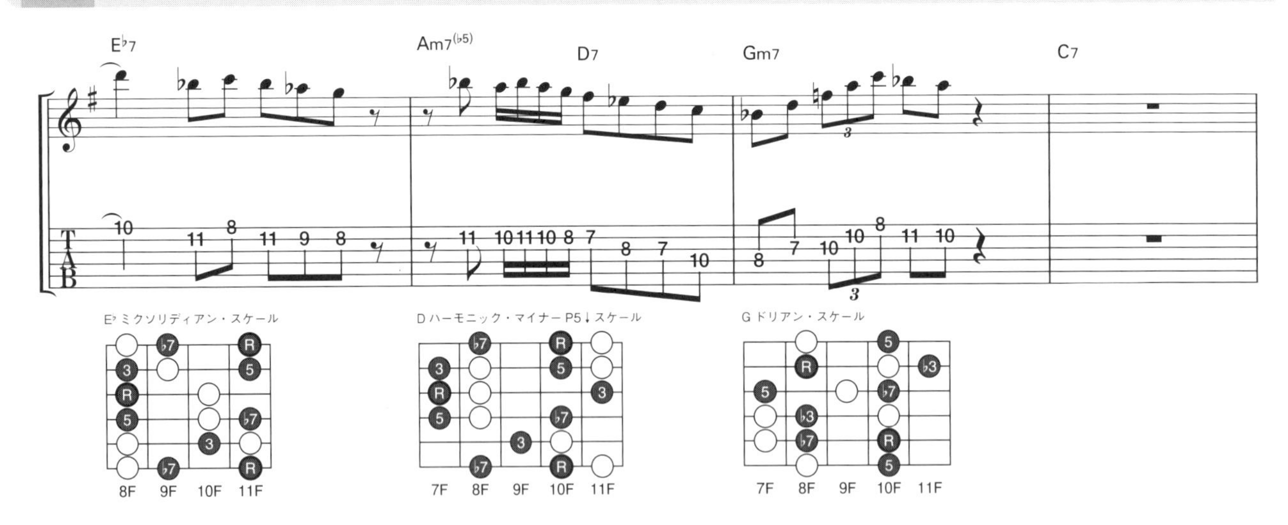


E♭7ではE♭ミクソリディアン・スケール、次のマイナー「Am7(♭5)→D7」では、Dハーモニック・マイナーP5↓スケールの下降フレーズが使用されています。Gm7では、代理コードのB♭M7のアルペジオ・フレーズになっています。

## Ex-08 29～32小節目

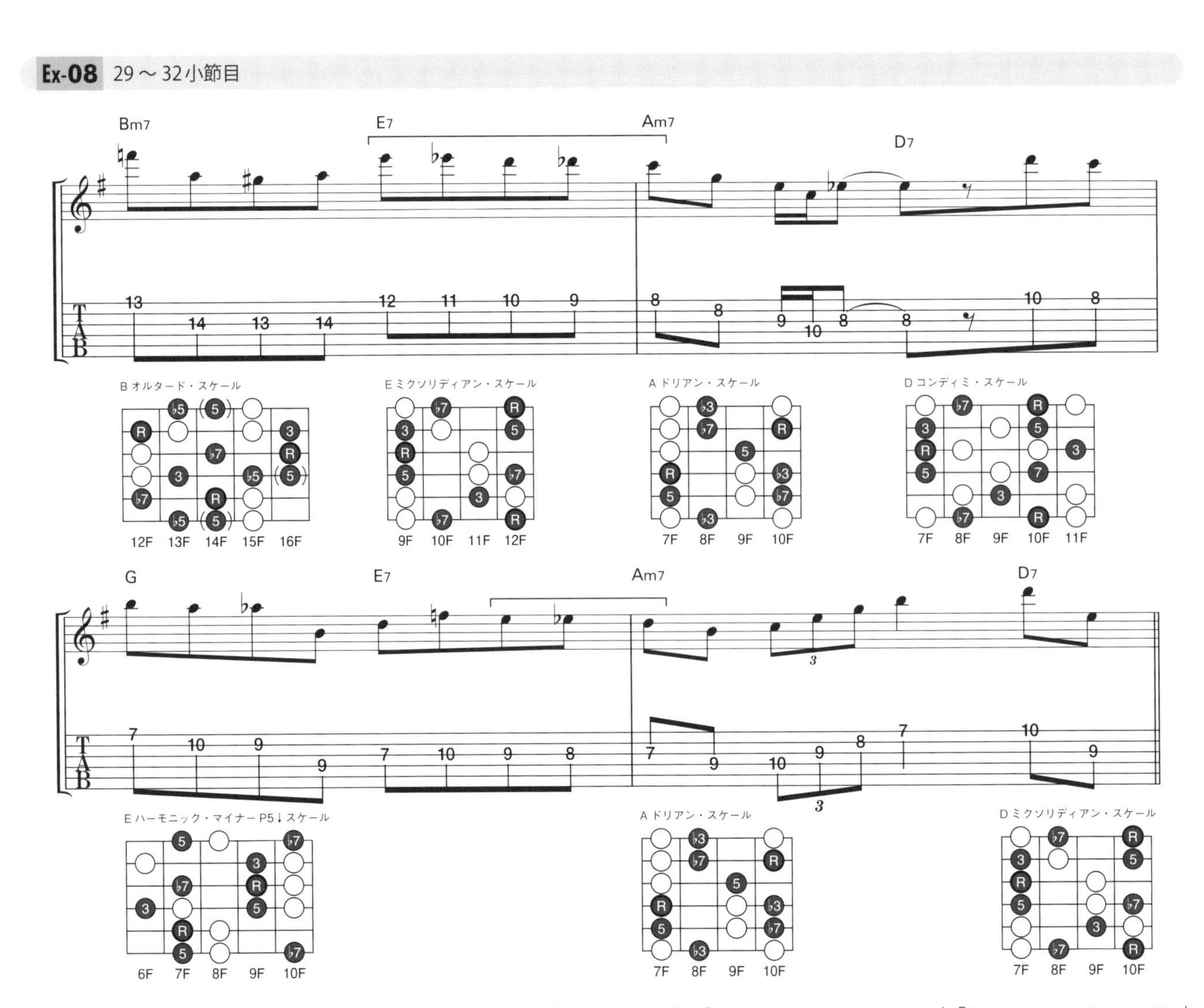


最後の29小節目から32小節はターン・アラウンドの連続で、それぞれ「Ⅲm7→Ⅵ7→Ⅱm7→Ⅴ7」、「ⅠM7→Ⅵ7→Ⅱm7→Ⅴ7」になっています。最初のBm7はE7へ向かうB7で代理され、さらにその裏コードであるF7のコード・トーンで演奏されています（※）。31小節目の「G→E7」は、次のAm7へ向かうE7と捉えてEハーモニック・マイナーP5↓スケールが用いられています。最後の小節のAm7は、代理コードであるCM7アルペジオの上昇フレーズになっています。

※ダイアグラムは、Bから見たコード・スケールであるBオルタード・スケールとしてあります。

## COLUMN ビバップ以外のジャズ

ひとくちにジャズといっても、本書で取り上げているビバップ以外にもクール・ジャズ、フリージャズなど、いろいろな使い分けがされているのを目にした方も多いかもしれません。wikipediaなどを見てみると、ジャズだけで22種類ものジャンルの記載がありますが、歴史的に重要と思われるものをいくつか紹介してみましょう。

### ●スウィング・ジャズ

1930年台から40年台初頭において流行したダンス音楽の一種。ブラスバンドから発展したとも言われ、比較的大人数で演奏することが多かったものです。ジャズの系譜の中では初期のもので、アドリブなどは無いか、またはあってもごく短いものが多かったといわれます。フレーズ的には、本書でも紹介しているようなコード・トーンを中心としたものでした。

### ●クール・ジャズ

1940年台後半頃には、ビバップによるコード進行やフレーズの複雑化も行きつくところまで行き停滞感が漂う中、その反動としてビバップにない理知的で、ある種抑制の効いたスタイルとして誕生したのがクール・ジャズでした。創始者はマイルス・ディビスで、アルバム「クールの誕生（birth of cool）」になぞらえてクール・ジャズと呼ぶようになったともいわれています。

### ●モード・ジャズ

コード進行とそのアルペジオを中心としたフレーズが複雑化を極め、最終的には多くのプレイヤーのアドリブがコードアルペジオのパズルであるかのような様相を呈するなか、その反動としてコード進行ではなくモードを用いて演奏しようとする試みの中から1950年台後半に成立したのが「モード・ジャズ」です。これまたマイルス・ディビスの「カインド・オブ・ブルー」で完成されたといわれています。

モードとはドリアン、リディアンといったある一定の音を中心にした音階の集合で、コードが単純で進行に和声機能がないためコードの機能に縛られることなく演奏の自由度が増したといわれます。なおビバップ以降このモード・ジャズを含め1960年台後半頃までのジャズを総称して「モダン・ジャズ」と呼びます。

### ●フリー・ジャズ

ビバップやモード・ジャズまでの理知的な音楽追及のもう一つの反動として、それらビバップ等で用いられている形式や、メロディ、コード進行、リズムといった概念をすべて否定し純粋な即興演奏を目指そうとするスタイルが、オーネットコールマンやチャーリーヘイデンらにより演奏されるようになり、ジャズ界に一大センセーションを巻き起こしました。

既存の音楽理論等にしたがうものではないため、鍵盤を拳で叩いてノイズのような音を出したり、音程もなく絶叫するような「フリーキー・トーン」といった奏法も使用されます。

第3章 Music 3

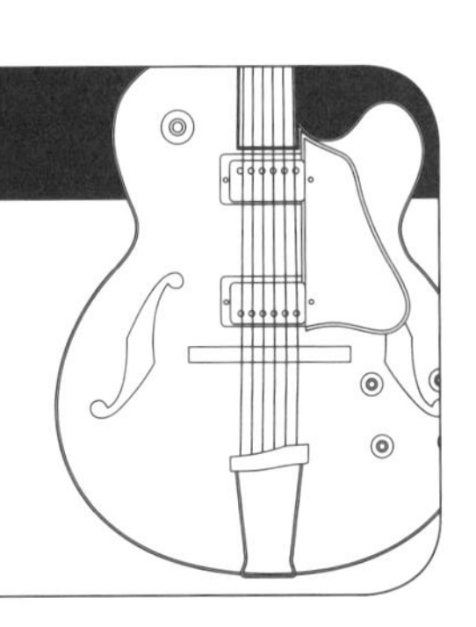

# コンファメーション
## Confirmation

作曲：チャーリー・パーカー（Charlie Parker）

これもチャーリー・パーカーの、というよりもビバップを代表するナンバーと言える「Confirmation」です。テーマを弾くだけでも一苦労ではありますが、セッション等でも頻繁に演奏され、ぜひ弾けるようにしておきたい曲です。

「ナウズ・ザ・タイム +1」
チャーリー・パーカー

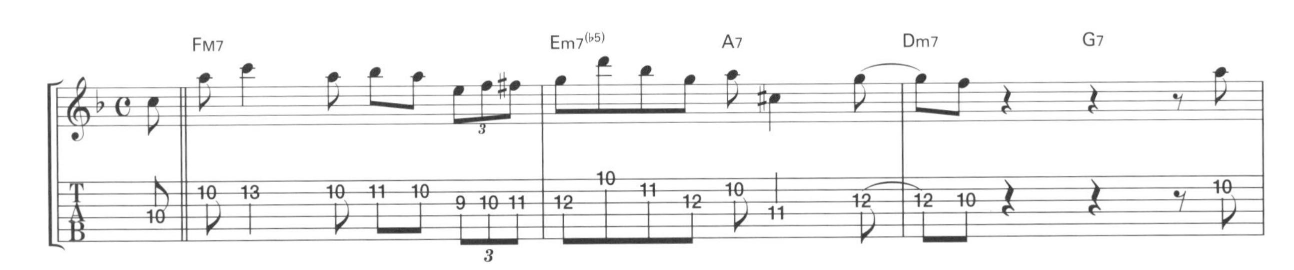


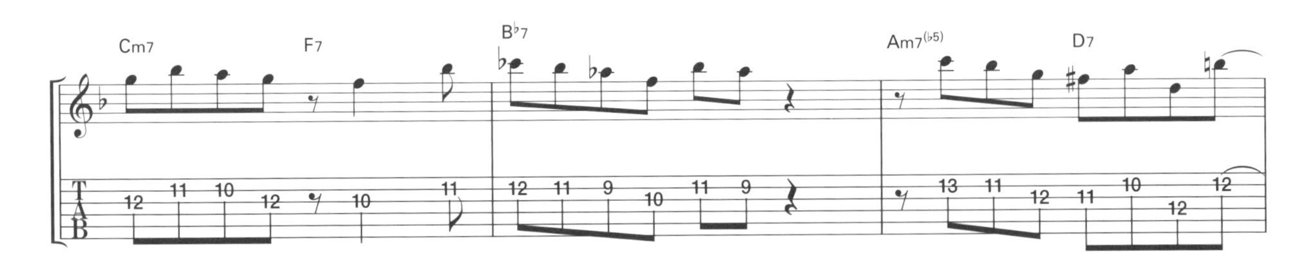


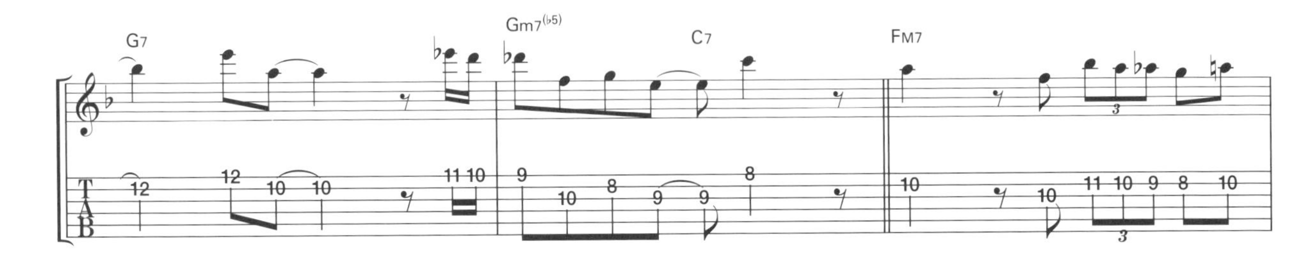


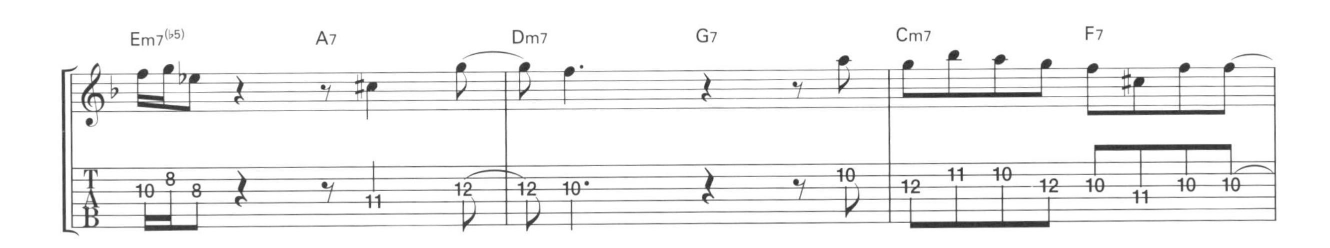

B♭7 Am7(♭5) D7 Gm7 C7
FM7 Cm7 G7 Cm7 F7
B♭M7 Cm7 C♯dim B♭/D E♭m7
A♭7 D♭M7 Gm7 C7
FM7 Em7(♭5) A7 Dm7 G7 Cm7 F7
B♭7 Am7(♭5) D7 Gm7 C7 F

## ●コンファメーション　アドリブ・フレーズ例

曲としては、いわゆる「A→A'→B→A'」の一般的な32小節になっています。チャーリー・パーカー本人のアドリブ演奏では、手癖と思われるようなこぶし回しが多く、ギターですべてを再現することは難しいところですが、適宜変更しつつできる限り本人のアドリブを再現してあります。

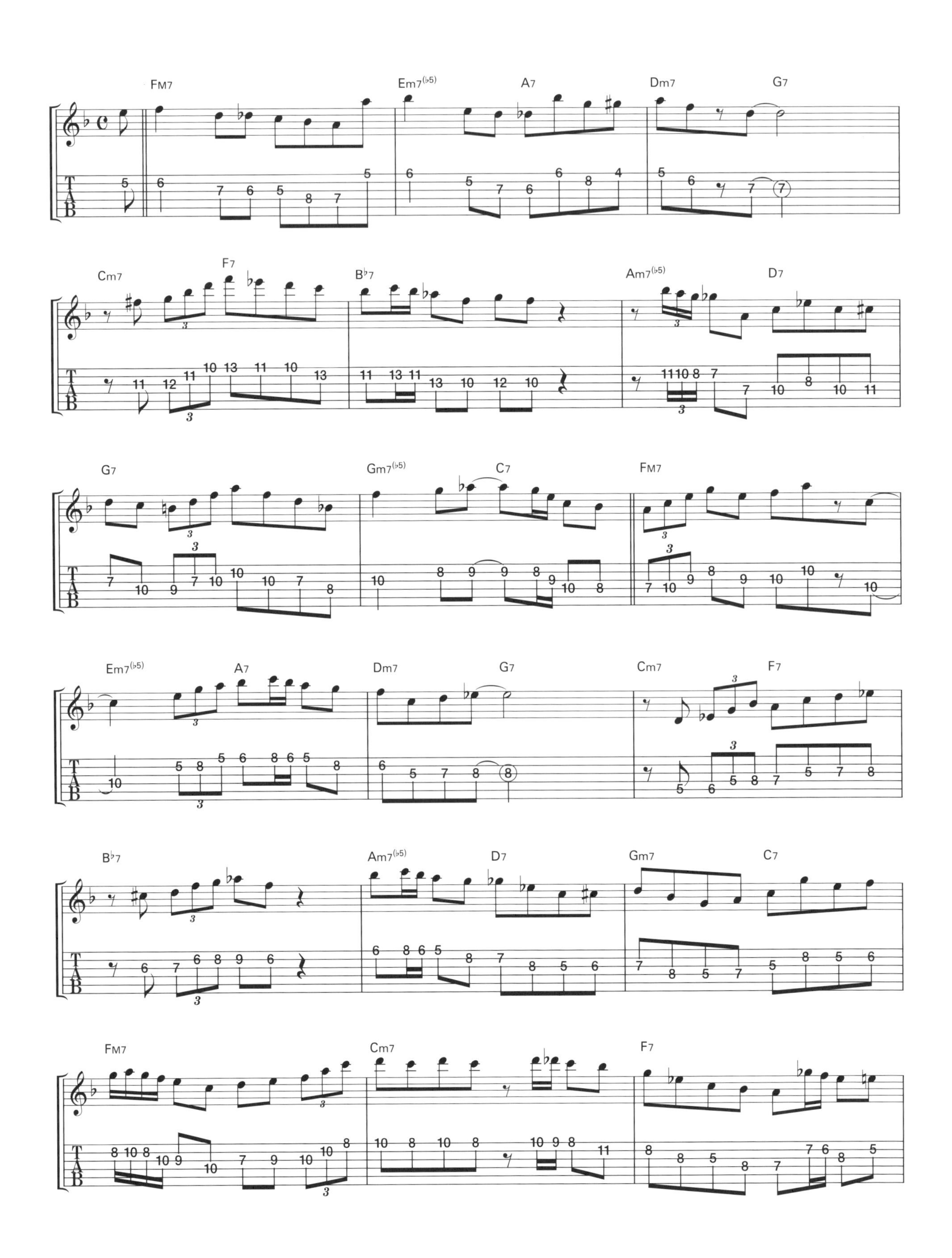

全体的に「Ⅱm7→Ⅴ7」やドミナント・モーションが連続し、これを表現できるかどうかがアドリブの肝といえそうです。

## ●コンファメーション　アドリブ・フレーズ例　解説

**Ex-01** 1～4小節目

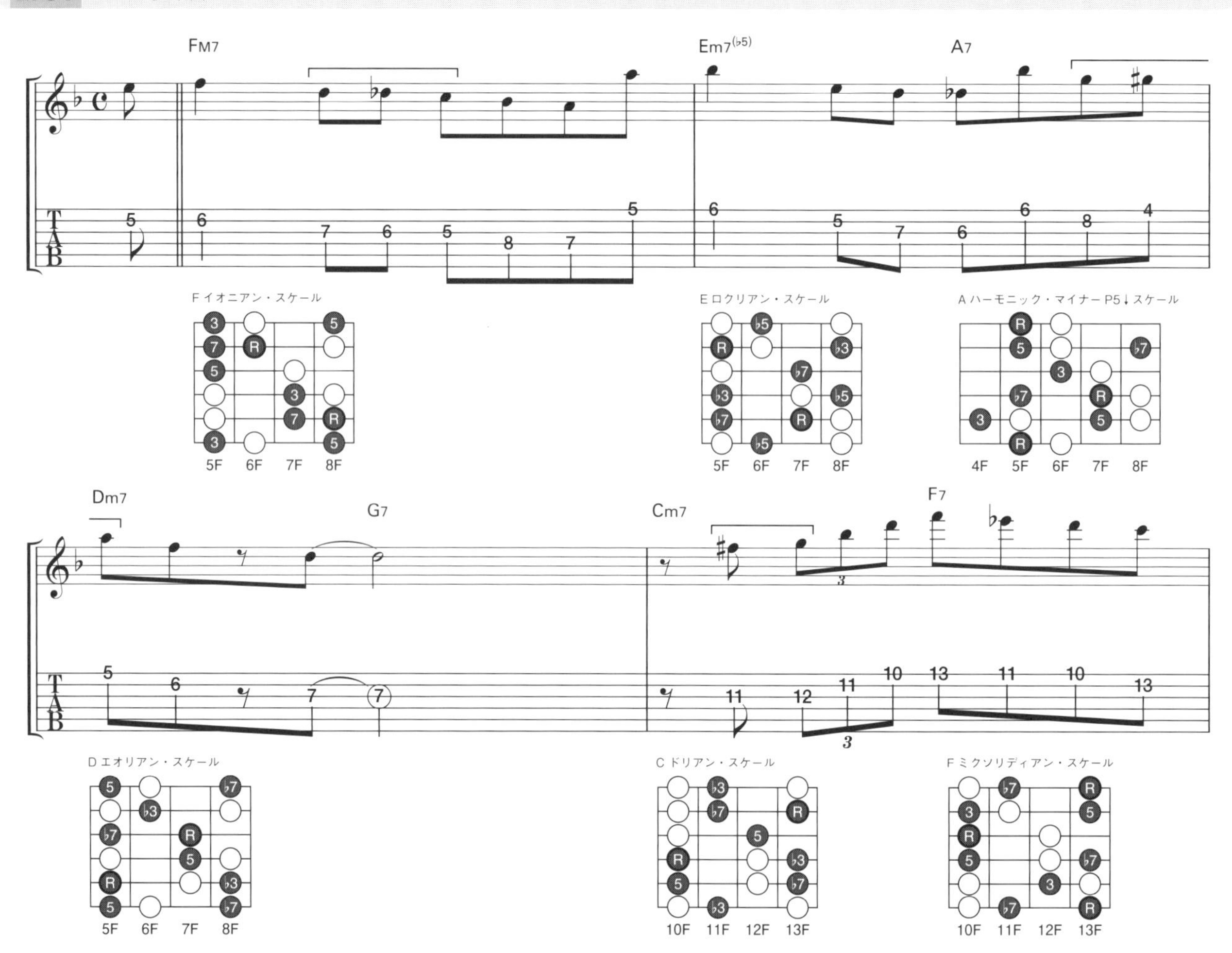


2小節目は最初の3音が明確にEm7(♭5)の構成音になっているため、Eロクリアンのダイアグラムを示してありますが、Aハーモニック・マイナーP5↓スケールのみで解釈することもできます。

また、3小節目はマイナー「Ⅱm7(♭5)→Ⅴ7」の解決先としてFの平行調Dマイナーと解釈し、Dエオリアンとしてありますが、大きく5小節目のB♭7へ向かう「Ⅲm7→Ⅵ7→Ⅱm7→Ⅴ7」のⅢm7と解釈したり、また、単にメジャー・ツー・ファイブの連続として「Dドリアン→Gミクソリディアン→Cドリアン→Fミクソリディアン」といった解釈でも演奏可能です。

**Ex-02** 5～8小節目

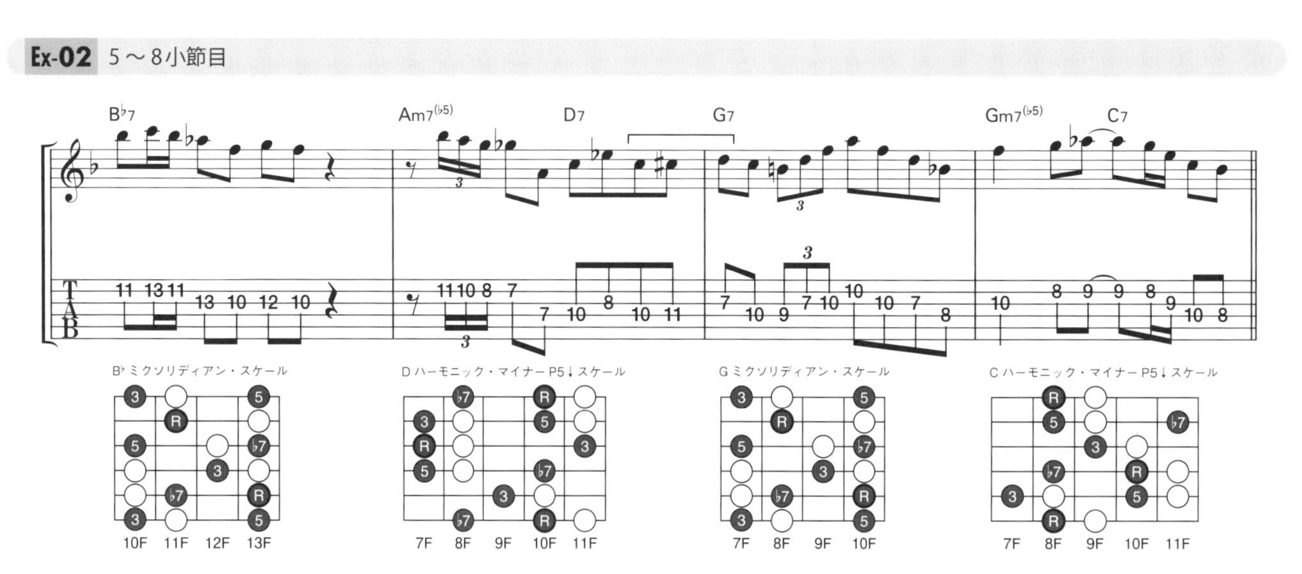


6小節目「Am7(♭5)→D7」では、Dハーモニック・マイナーP5↓から次の小節のG7の5thへアプローチしています。8小節目の「Gm7(♭5)→C7」は、アドリブ時には9小節目のⅠM7(F)へ向かうメジャー「Ⅱm7→Ⅴ7」として、「Gm7→C7」と考えて演奏することが多くあります。ここでは、Cハーモニック・マイナーP5↓スケールとして記載しています。

## Ex-03 9～12小節目

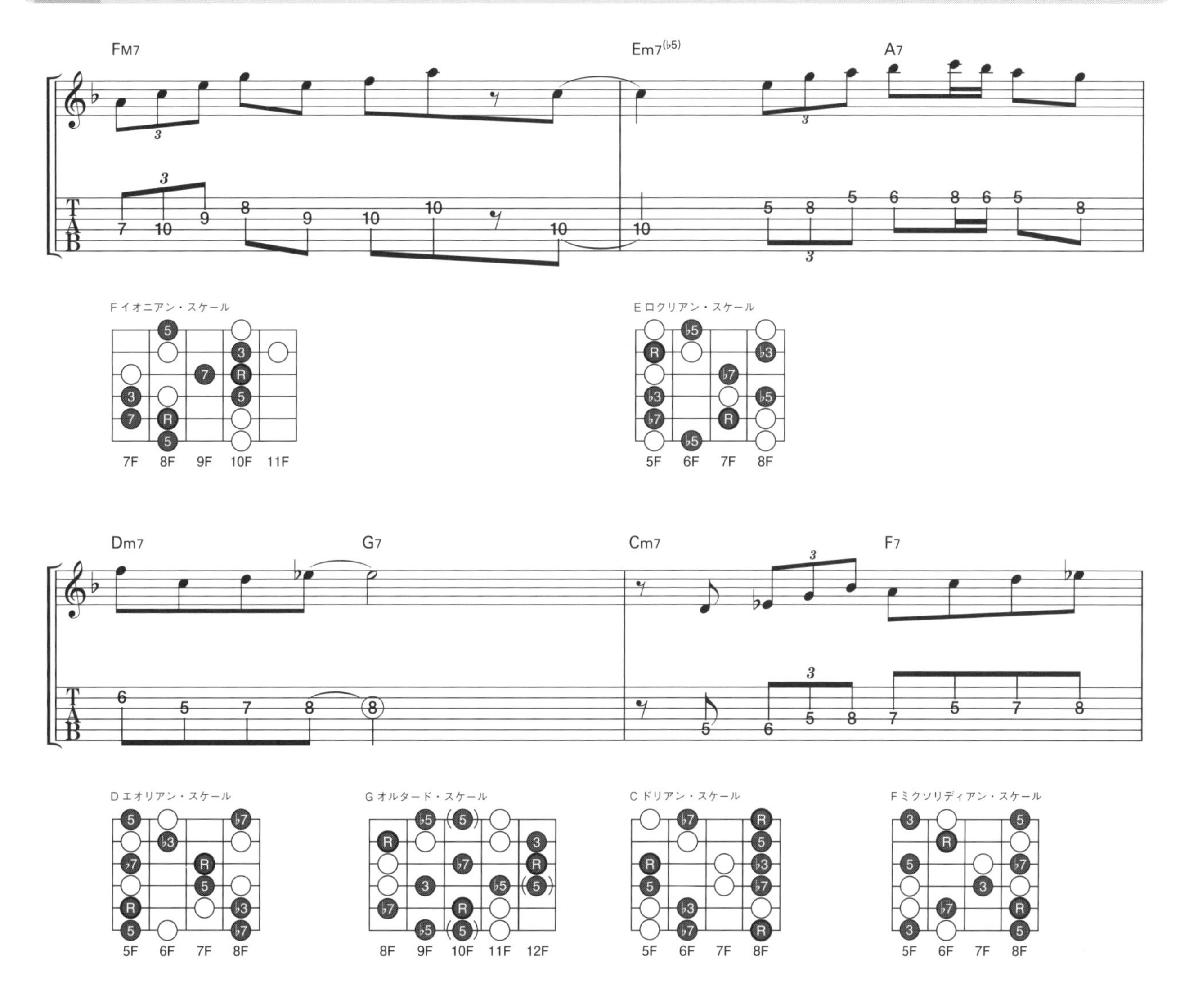


9～12小節目までは、1～4小節目までと同じコード進行です。2小節目ではA7を無視して、Eロクリアン・スケールのみでも演奏できます。11小節目、12小節目は、Ex-01（P.88）と同様に様々な解釈が可能で、B♭7へ向かうターン・アラウンドと解釈することも、メジャー「Ⅱm7→Ⅴ7」の連続と捉えることもできます。

## Ex-04 13～16小節目

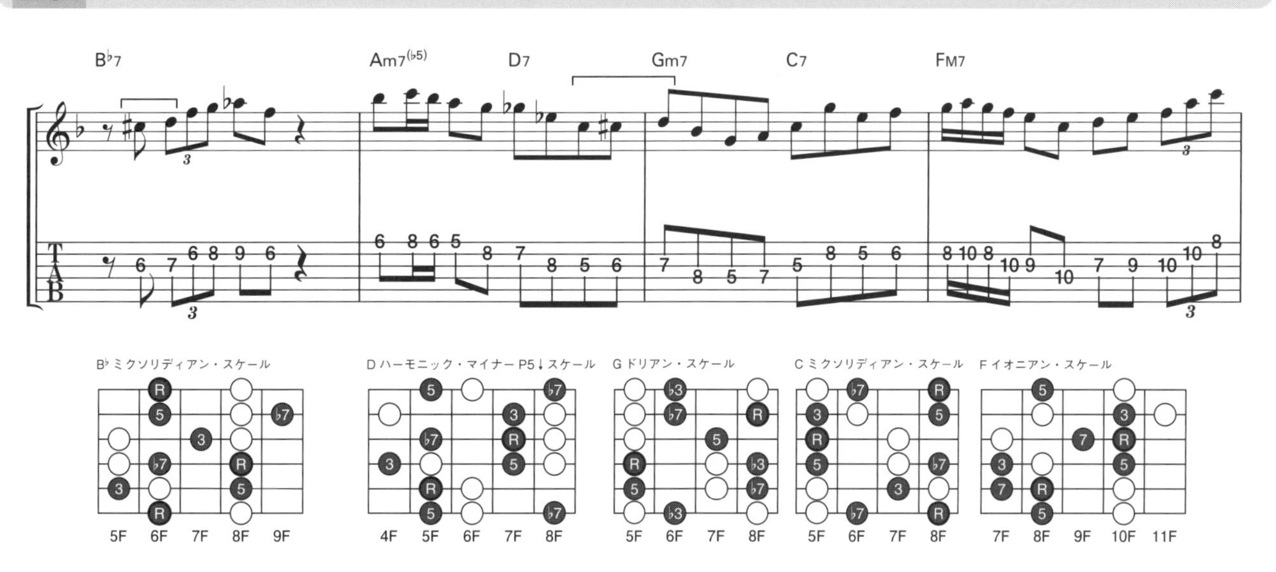


14小節目は、Dハーモニック・マイナーP5↓スケールを降下するフレーズから次のGm7の5thにアプローチしています。

## Ex-05 17～20小節目

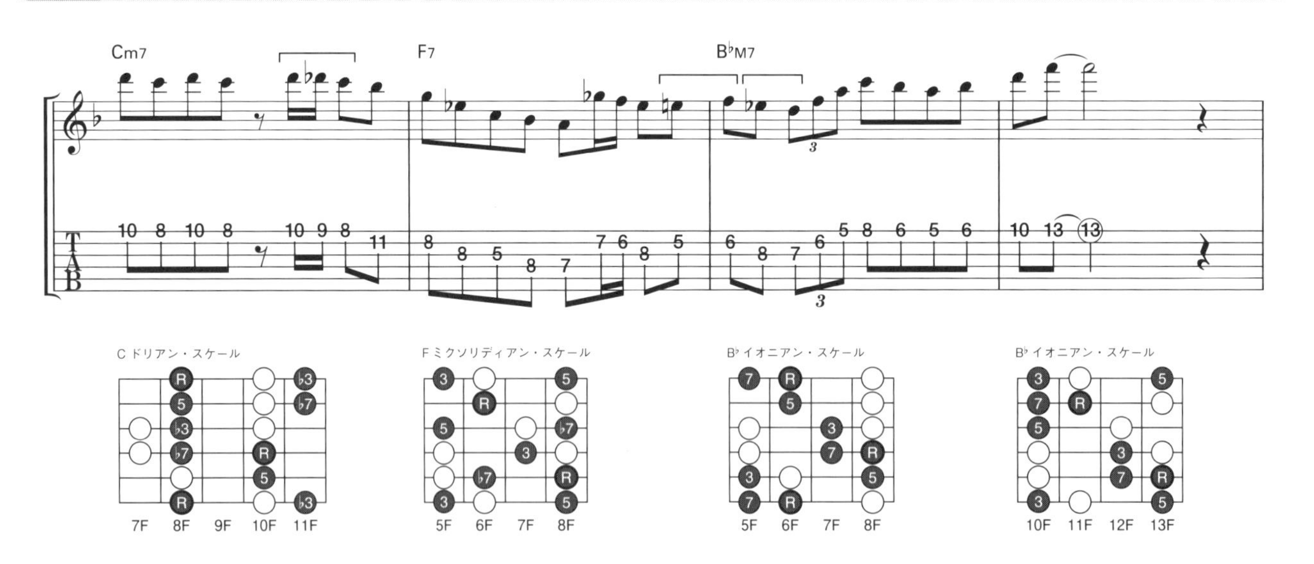


17～20小節目は、オーソドックスなB♭M7へ向かう「IIm7→V7」になっており、F7では典型的な「3rd→♭9th」という動きになっています。20小節目は、やや跳躍の大きいポジション移動が必要なフレーズになっていますが、よくある動きなので指に覚えさせておきたいところです。

## Ex-06 21～24小節目

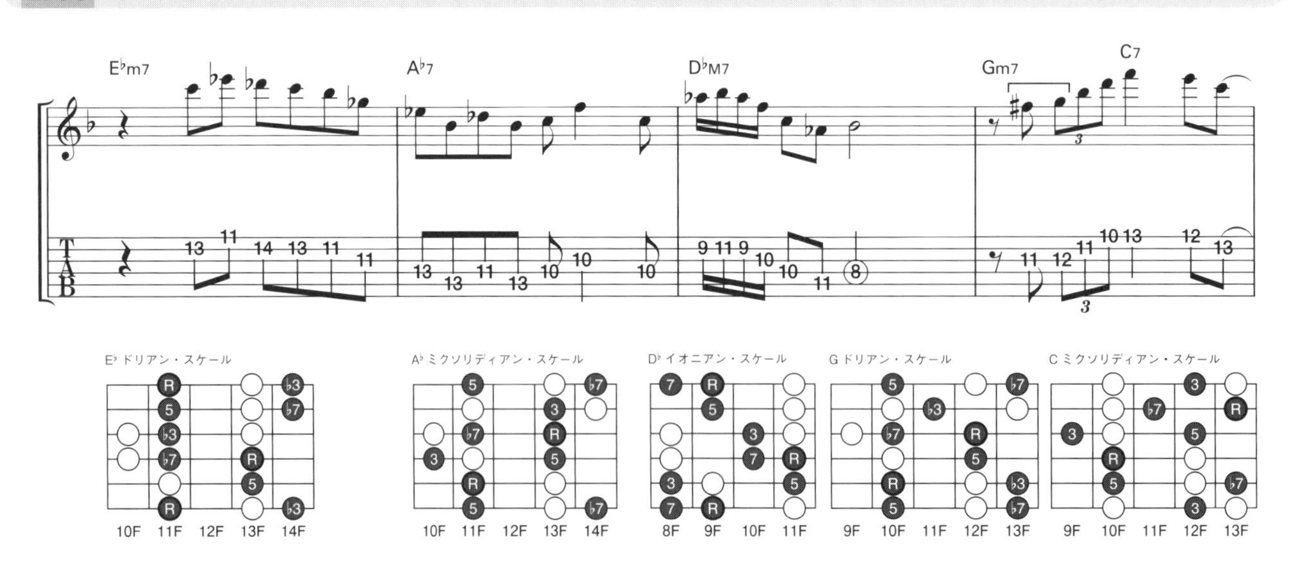


こちらはD♭M7へ向かう「IIm7→V7」になっています。24小節目の「Gm7→C7」は、最後のA'セクションのFM7コードへ向かう「IIm7→V7」です。

## Ex-07 25～28小節目

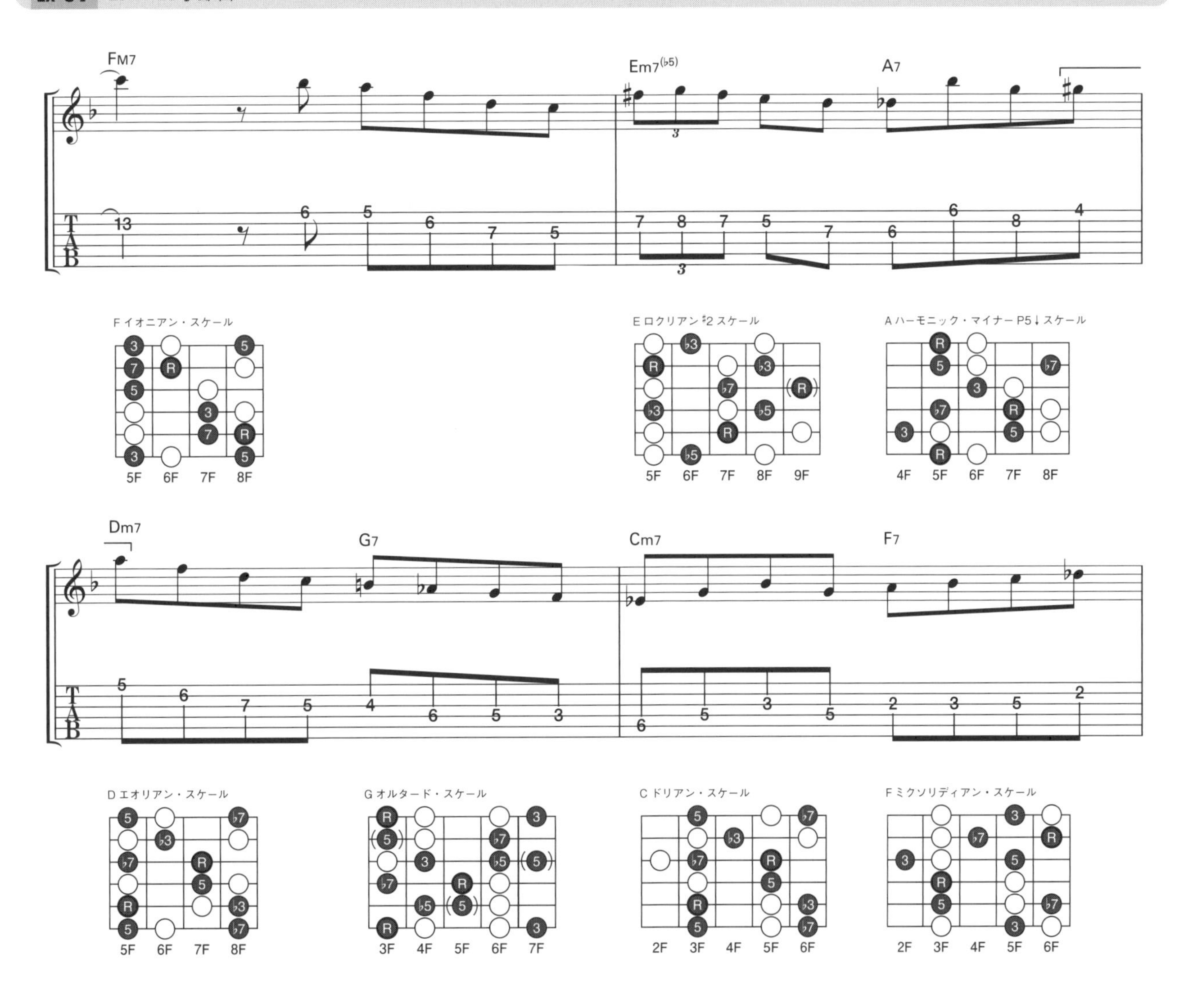


2小節目のEm7(♭5)ではF♯音が使われており、Em7(♭5)のコード・スケールとしてはEロクリアン♯2が当てはまりますが、Em7(♭5)を単にEm7とみなして通常のメジャー「Ⅱm7→Ⅴ7」のフレーズとして弾いている可能性もあります。このあたりは、解釈次第といったところでしょう。

## Ex-08 29～32小節目

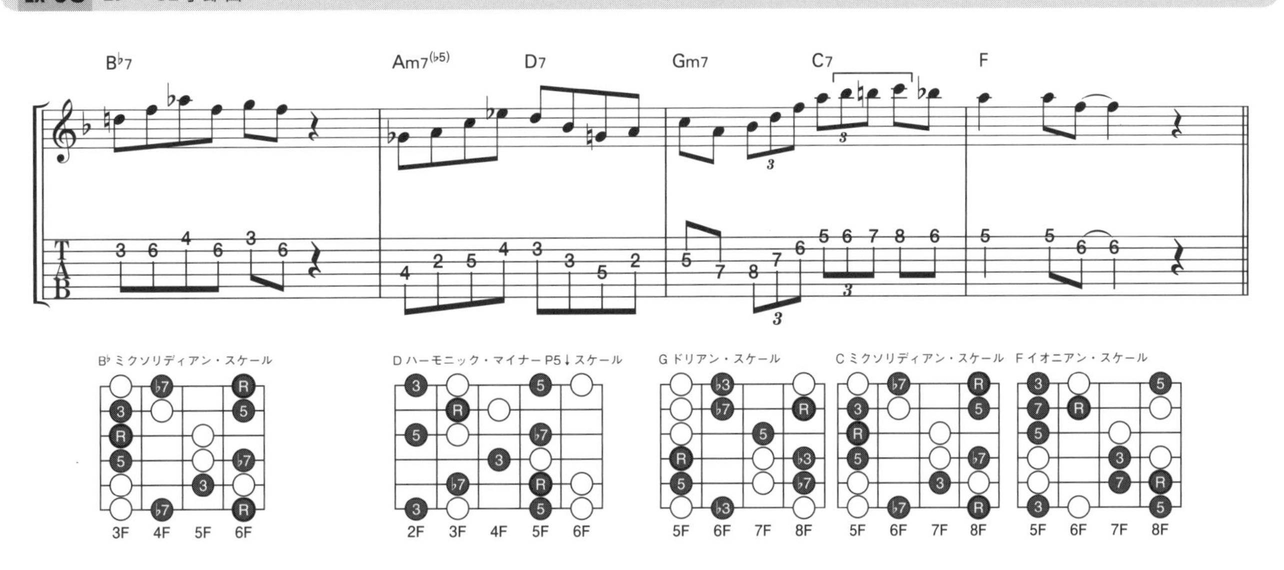


30小節目と31小節目（Am7(♭5)～C7）は、最後のFへ向かうターン・アラウンドで、それぞれDハーモニック・マイナーP5↓スケール、Gドリアン・スケール、Cミクソリディアン・スケールが使われています。

第3章 Music 4

# スクラップル・フロム・ジ・アップル

## Scrapple from the apple

作曲：チャーリー・パーカー（Charlie Parker）

チャーリー・パーカーによって作曲され、1947年に初めて吹込みされて以降、数多くの録音が残されています。これもセッションではよく演奏される曲の一つといってよいでしょう。

曲は典型的な「A→A→B→A」形式の32小節になっています。サビであるBセクションは、「I Got Rhythm」のコード進行を引用する形になっていますが、明確なテーマはなく、その都度アドリブで演奏されることが一般的です。ブルース的な発想でも演奏することのできる懐の深い曲だといえるでしょう。

「コンプリート・ロイヤル・ルースト・ライブ・レコーディングス・オン・サヴォイ・イヤーズ VOL.4」
チャーリー・パーカー
日本コロムビア株式会社

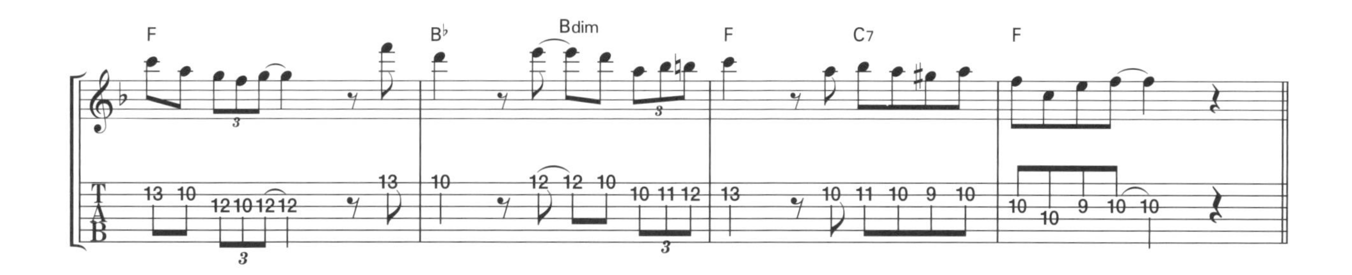


## ●スクラップル・フロム・ジ・アップル　アドリブ・フレーズ例

次ページへ

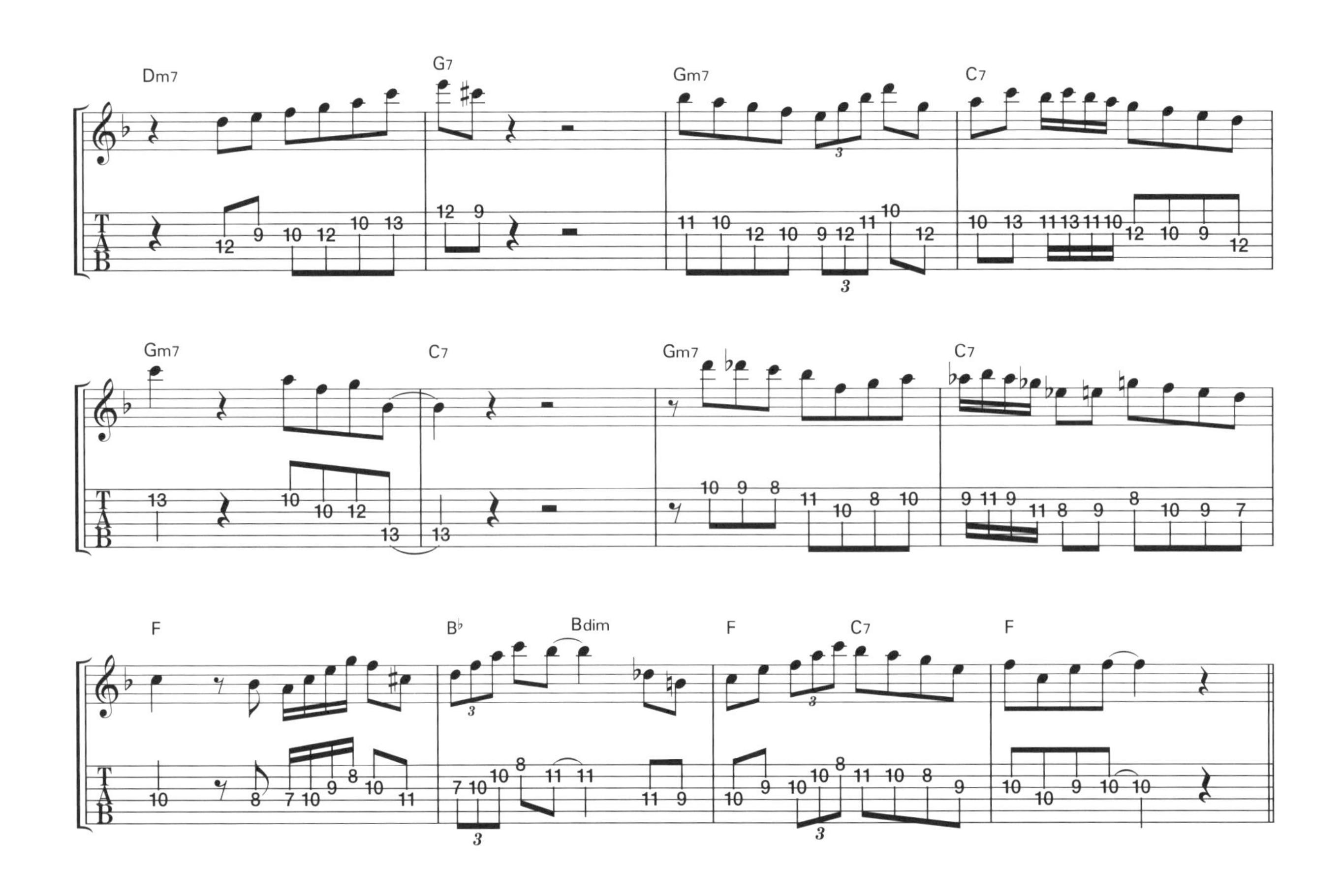


## COLUMN フレージングの緩急

チャーリー・パーカーをはじめとするトップ・ミュージシャンのアドリブ・フレーズは、ほとんど自由自在といえるもので、最終的にはこんな風に理屈等を考えなくとも、心の赴くまま自由にフレージングできるようになりたいものですが、そこへたどり着くまでの過程として、おさまりのよいアドリブ・フレーズにするための具体的な方法論をいくつか紹介したいと思います。

**・フレーズは4小節単位で（バラード等では2小節）**

多くのジャズ・スタンダードといわれる楽曲のコード進行を良く見てみると、おおまかに「**4小節ひとかたまり**」になっていることが多いことが分かります。アドリブ・ソロもコードのハーモニーをベースにして演奏するわけですから、当然同じ単位でのフレージングが自然なものになりやすいといえます。最初の4小節ではアルペジオ中心、次の4小節ではリズムを変化させたり、経過音を多用したフレーズに変えてみる等、4小節を一区切りにしてリズムやモチーフを変えていくことで緩急のあるソロに聞こえやすいと思われます。本書で取り上げられているチャーリー・パーカーのアドリブ・フレーズも、よく聴いてみると大まかに4小節単位にモチーフ等を変化させているものが多いことがわかります。ぜひコピーして確認してみてください

**・歌って弾く**

フレーズを弾く際は、やはりなんだかんだと「歌って弾く」と自然なフレーズになります。フレーズの緩急をつけるには、ただ音を羅列するだけでなく「**適当な空間（休符）**」が重要ですが、息継ぎ不要のギターという楽器においては、意識して息継ぎの場所を作らないと往々にして緩急のない音の羅列になりやすいものです。アドリブの際、一緒にフレーズを口に出して「**歌う**」ことによって、自然な位置で「**息継ぎ**」が発生し、スペースのある緩急のついた演奏になりやすいでしょう。

## ●スクラップル・フロム・ジ・アップル　アドリブ・フレーズ例　解説

**Ex-01** 1小節目～4小節目

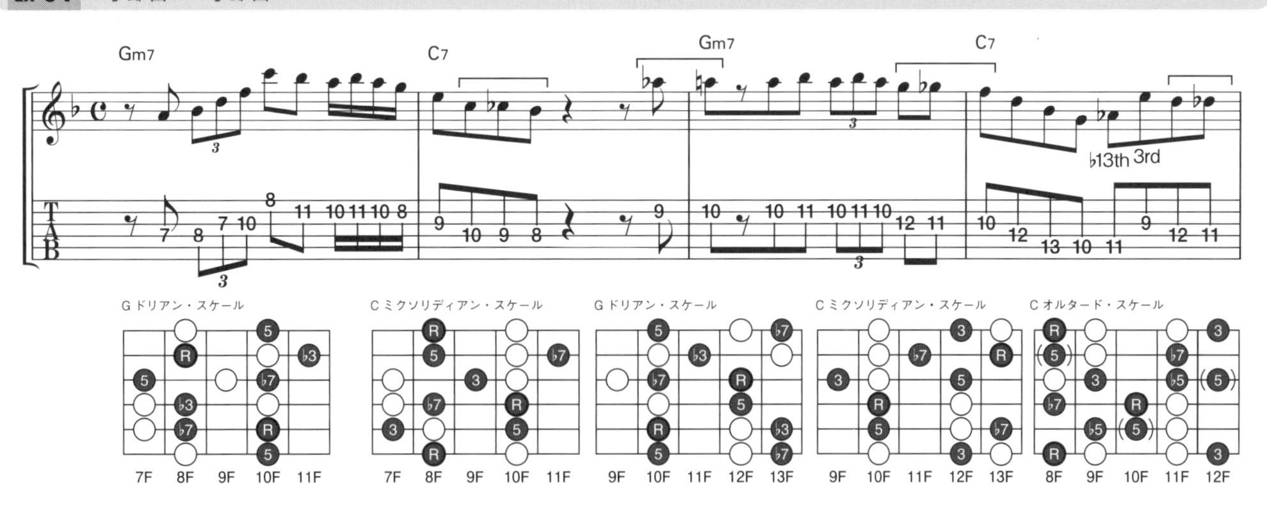


単純なコード進行ですが、2小節目のC7はミクソリディアン・スケール、4小節目3拍目からのC7はFへ5度進行するドミナント7thで、オルタード・スケールと解釈しています。ここでは、♭13thから3rdへの跳躍が効果的に使われています。

**Ex-02** 5小節目～8小節目

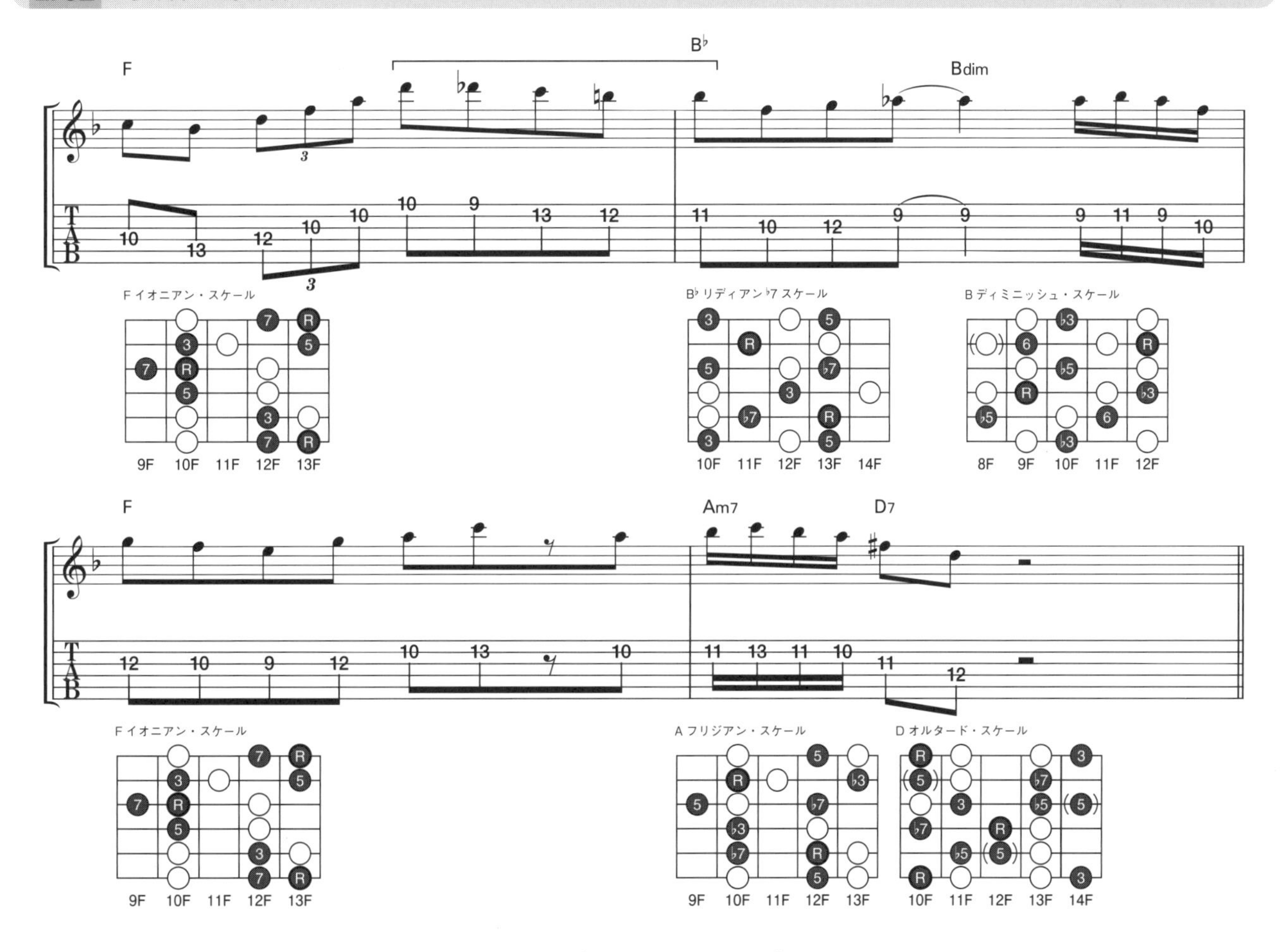


5小節目のFでは、2拍目表のD音から次の小節のB♭の1小節目頭のB♭音までロングアプローチになっています。6小節目B♭はブルース的なコード進行の発想から、サブドミナントであるB♭7とみなして、B♭リディアン♭7スケールで演奏するのが一般的です。または、Key＝FのダイアトニックコードⅣM7とみなして、B♭リディアンで演奏することもできるでしょう。

続くBdimは、経過コード的なディミニッシュ・コードで、Bディミニッシュ・スケールが使用できます。8小節目は9小節目のGm7へ戻るためのセカンダリー・ドミナント「Ⅲm7→Ⅵ7」で、それぞれAフリジアン・スケール、Dオルタード・スケールが使われています。

## Ex-03 9小節目～12小節目

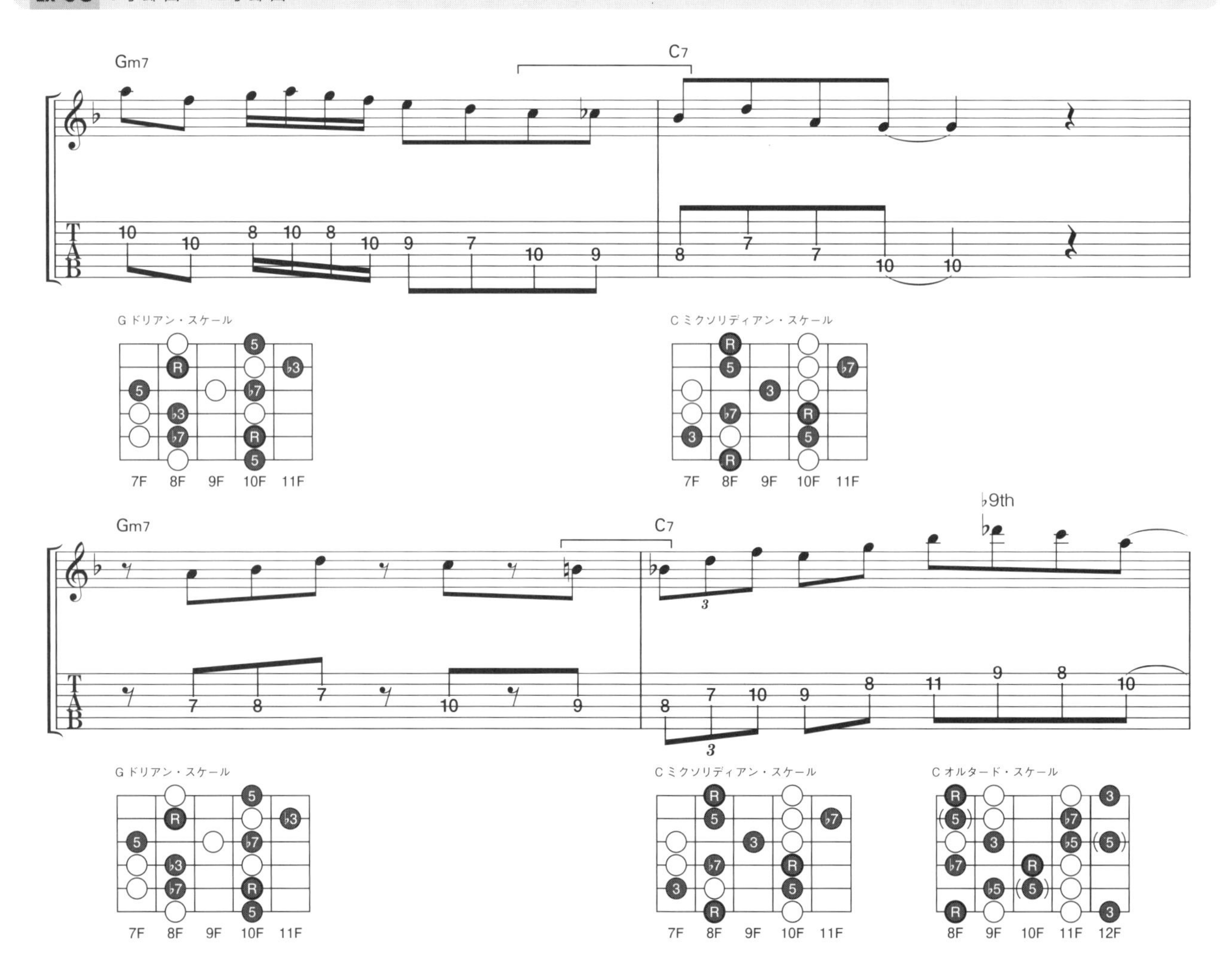


9～12小節目は2週目のAセクションで、1～4小節目までと同じコード進行です。12小節目では4小節目と同様に5度進行するC7で、ミクソリディアン・スケールを基本に3拍目裏で♭9thの音が効果的に使われています。ダイアグラムではCオルタード・スケールを示していますが、「コード・トーン＋♭9th」といった解釈やアプローチ・ノートでも解釈できるでしょう。

## Ex-04 13小節目～16小節目

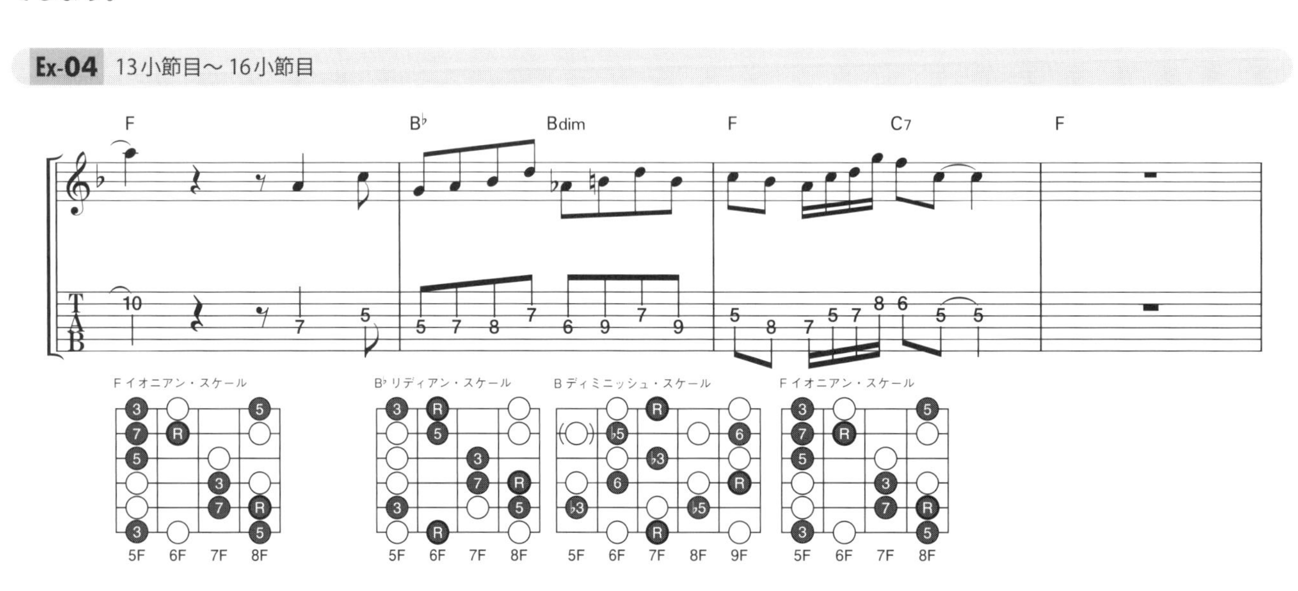


14小節目のB♭は、P.95 Ex-02の6小節目と同様にB♭リディアン♭7thで演奏されることが多いと思われますが、ここでは7thであるA音が使われているためB♭リディアンとしてあります。続くBdimでは、そのままディミニッシュのアルペジオが使われていますが、このディミニッシュは経過音的なものであるため、アドリブの際は無視されることも多いものです。また、15小節目は、2小節続くFにドミナントであるC7が挿入されたものと考えられますが、ここでは演奏上無視されています。

**Ex-05** 17小節目～20小節目

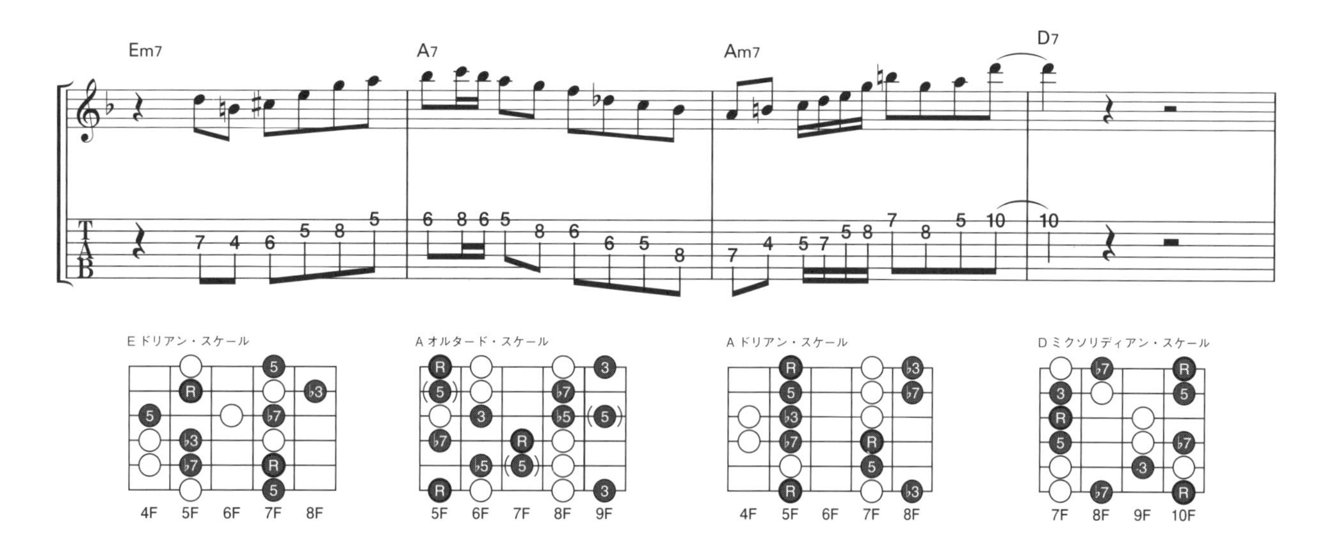


17～20小節目まではBセクションでサビにあたりますが、「Em7→A7→Am7→D7」とツー･ファイブが連続しており、様々な解釈が可能です。ツー・ファイブをそれぞれ大きく「A7→D7」とみなして演奏するといったことも一般的です。ダイアグラムはあくまで一例ですので、参考にしてください。

**Ex-06** 21小節目～24小節目

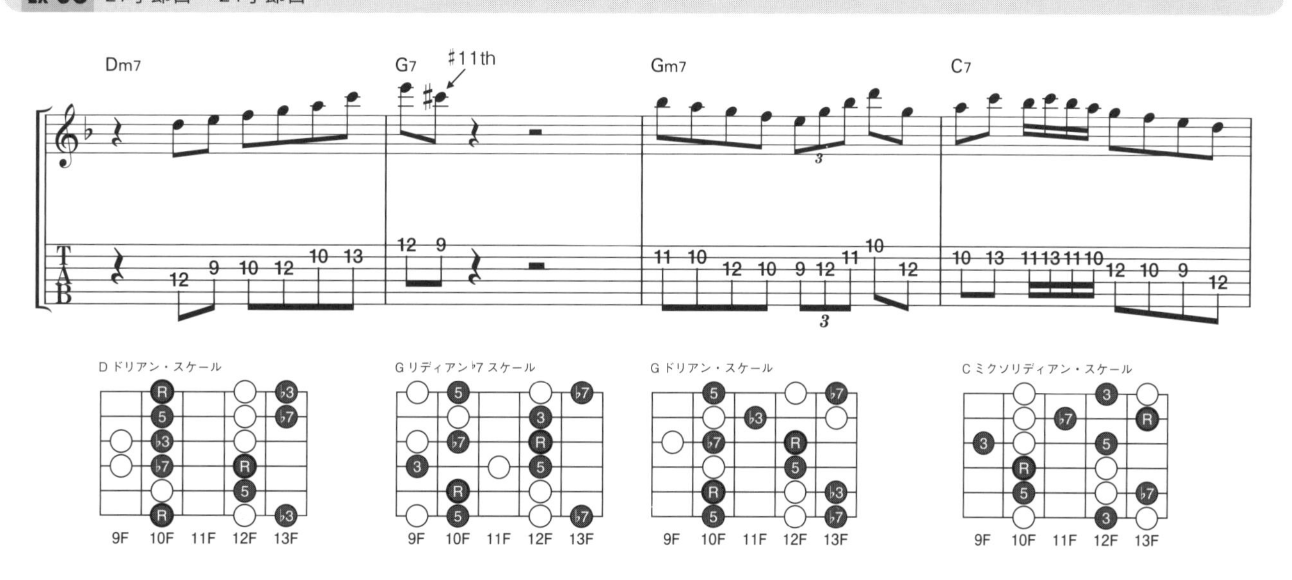


Bセクションの続きで「Dm7→G7→Gm7→C7」とツー・ファイブが続き、これもいろいろな解釈が可能です。

22小節目のG7では♯11thの音で止まっているのが特徴的で、G7から見て♯11thと13thのたった2音だけですので、どうとでも解釈できるところですが、ここではGリディアン♭7thとしてあります。「Gm7→C7」は5度進行しない「Ⅱm7→Ⅴ7」で、それぞれドリアン・スケール、ミクソリディアン・スケールが使われています。

## Ex-07 25小節目〜28小節目

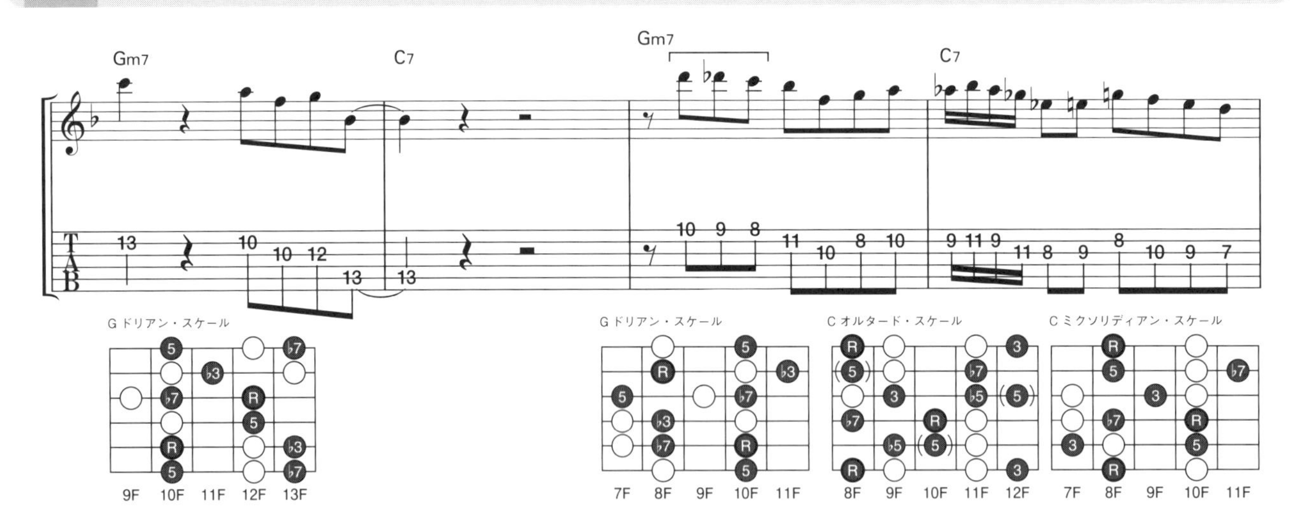


再びAセクションに戻り、ツー・ファイブが連続します。こういった同じツー・ファイブが連続するものは、Ⅱm7が2小節、Ⅴ7が2小節と捉えたり、さらに大きく「**全てⅤ7**」と考えて演奏することもできます。28小節目**C7**では、オルタード系からミクソリディアン系へと移行する少し珍しいフレーズになっています。

## Ex-08 29小節目〜32小節目

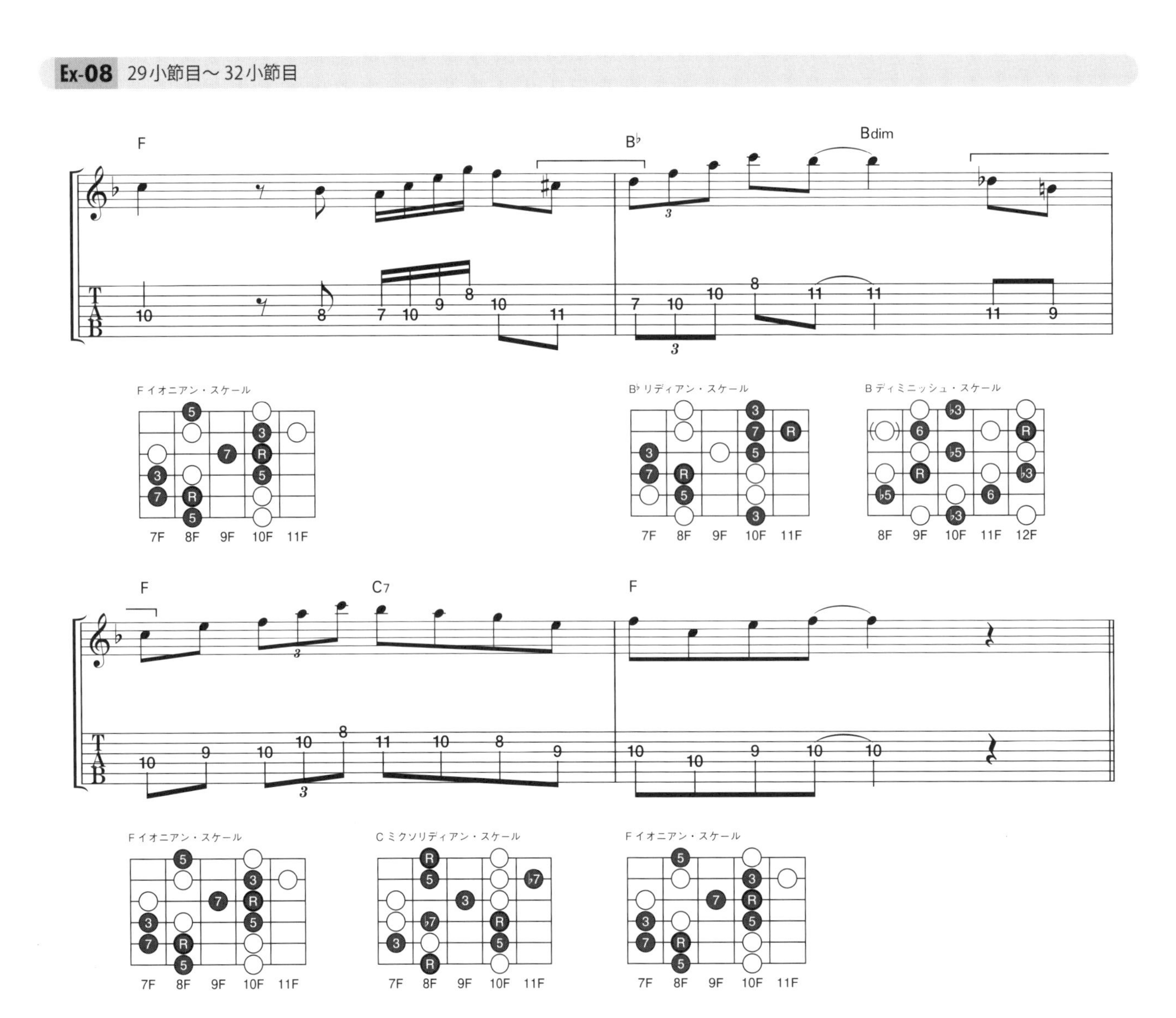


30小節目のB♭はテンションがついていないため、ブルース的にⅣ7と解釈することも(リディアン♭7)、Key=FのⅣM7として解釈することもできそうですが、ここでは7thにあたるA音が使われているため、B♭リディアンとしてあります。

# 巻末資料

Essential Bebop Licks For Guitar

巻末資料

# 代理コードとマイナー(orメジャー)・コンバージョン

## ●マイナー（メジャー）・コンバージョンとは！？

一般的なコードと使用できるスケールの関係についてはP.17で説明している通りですが、整理して指に覚えさせるのは大変な作業といえます。このような整理に、特にギタリストの場合はパット・マルティーノ等が提唱していることで有名なマイナー・コンバージョン（またはメジャー・コンバージョンでも可）を利用すると整理しやすいでしょう。

P.12で説明されている通り、同じ機能を持つコードは他の同じ機能を持つコードで代理することができます。一例を挙げれば、以下のようになります。

**・トニック群（T）**：CM7、Em7、Am7
すべてトニックと捉えてAマイナー（Aエオリアン）で演奏

**・サブドミナント群（SD）**：FM7、Dm7、（Bm7(♭5)）
すべてサブドミナントと捉えてDドリアン、またはDメロディック・マイナーで演奏

以上のような簡略な考え方で捉えることができ、ギターという楽器の特性上大変理解しやすくなります。また、ドミナント群についても例えばⅤ7を分割して「Ⅱm7-Ⅴ7」とみなしたり、「Ⅱm7-Ⅴ7」をさらに「Ⅱm7」といった捉え方もできることから、次のような解釈をしてもきちんとサウンドします。

**・ドミナント群（D）**：G7、Bm7(♭5)
「Gミクソリディアン」→「Dドリアン、またはGリディアン♭7」→「Dメロディック・マイナー」

この場合、バックにコードが鳴っていないとサブドミナントのフレーズなのか、ドミナントなのかの区別が明確ではないままですが、実際パット・マルティーノ等はメジャー系の「Ⅱ-Ⅴ」等でこのように「Ⅱm7一発」に近い演奏をしているものが多くみられます。

## ●マイナー・コンバージョンの例

オルタード系のスケールをマイナー・コンバージョンする場合、「Gオルタード→G♯メロディック・マイナー（いわゆる半音上のメロディック・マイナー）」等が有名なものとして挙げられます。

Gリディアン♭7スケール

| 9F | 10F | 11F | 12F | 13F |
|---|---|---|---|---|
| ♯11 | 5 | | 13 | ♭7 |
| | 9 | | 3 | |
| 13 | ♭7 | | R | |
| 3 | | ♯11 | 5 | |
| | R | | 9 | |
| ♯11 | 5 | | 13 | ♭7 |

→ 4度下のメロディック・マイナー・スケールとして把握

Dメロディック・マイナー・スケール

| 9F | 10F | 11F | 12F | 13F |
|---|---|---|---|---|
| 7 | R | | 9 | ♭3 |
| | 5 | | 13 | |
| 9 | ♭3 | | 11 | |
| 13 | | 7 | R | |
| | 11 | | 5 | |
| 7 | R | | 9 | ♭3 |

このように解釈していくと、多くのスケールがダイアグラム上で何フレットかずらしただけで同じ形をしていることがわかり、大変整理しやすくなるとともに、フレーズの使い回しもしやすくなります。このような整理の仕方は典型的な楽典に合うかどうかはともかく、パット・マルティーノの他、エミリー・レムラーや、ジョージ・ベンソン等のギタリストに好まれ、インタビュー等でもほとんどのフレーズをコンバージョン（ジョージ・ベンソンの場合は、メジャーにコンバージョン）して理解していることが伺えます。

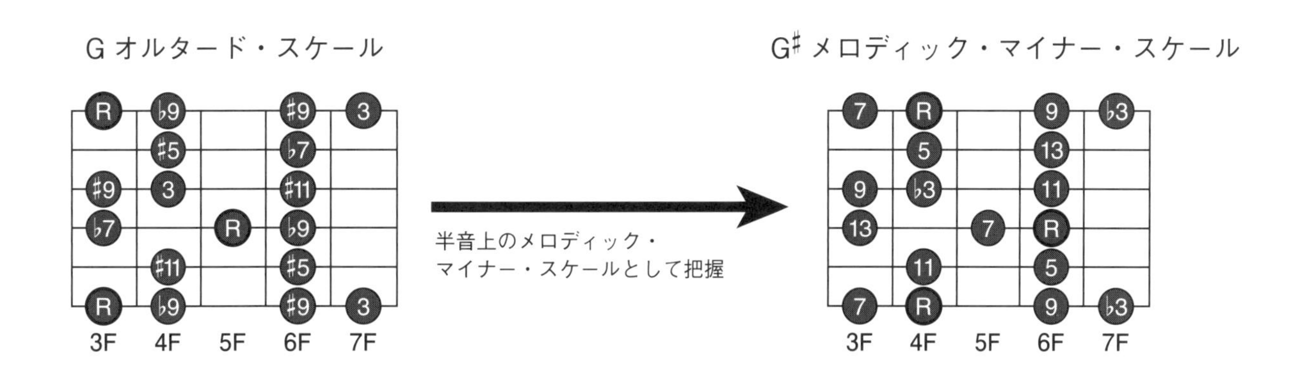


以上で説明したコンバージョンの例をまとめておきましょう。

## ● マイナー・コンバージョンの例

| コードの機能 | キー＝Cでのスケールの選択例 | マイナー・コンバージョン例 |
|---|---|---|
| ⅠM7 | Cイオニアン・スケール | Aエオリアン・スケール |
| Ⅱm7 | Dドリアン・スケール | Dドリアン・スケール（コンバージョンなし） |
| Ⅲm7 | Eフリジアン・スケール | Aエオリアン・スケール |
| ⅣM7 | Fリディアン・スケール | Dドリアン・スケール |
| Ⅴ7 | Gミクソリディアン・スケール | Dドリアン・スケール |
| | Gリディアン♭7スケール | Dメロディック・マイナー・スケール |
| | Gオルタード・スケール | G♯メロディック・マイナー・スケール |
| | Gハーモニック・マイナーP5↓スケール | Cハーモニック・マイナー・スケール |
| | Gコンディミ・スケール | Gコンディミ・スケール（コンバージョンなし） |
| Ⅵm7 | Aエオリアン・スケール | Aエオリアン・スケール |
| Ⅶm7(♭5) | Bロクリアン・スケール | Dドリアン・スケール |
| | （Bロクリアン♯2スケール） | （Dメロディック・マイナー・スケール） |

# よく使われる重要スケールまとめ

ここからは資料編として、本文中で説明のあったスケール等についてそのディグリーとダイアグラムをまとめています。

## メジャー・スケール（Cイオニアン・スケール）

もっとも基本となるスケールであり、必ず指に覚えさせておきましょう。

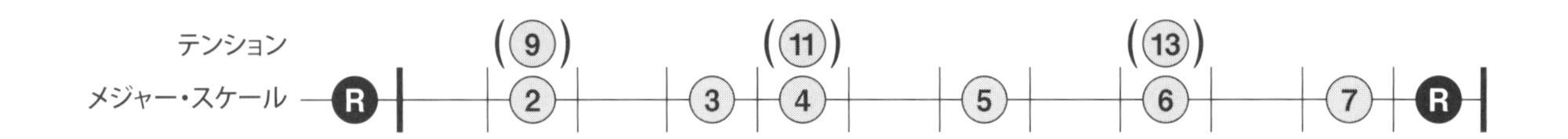


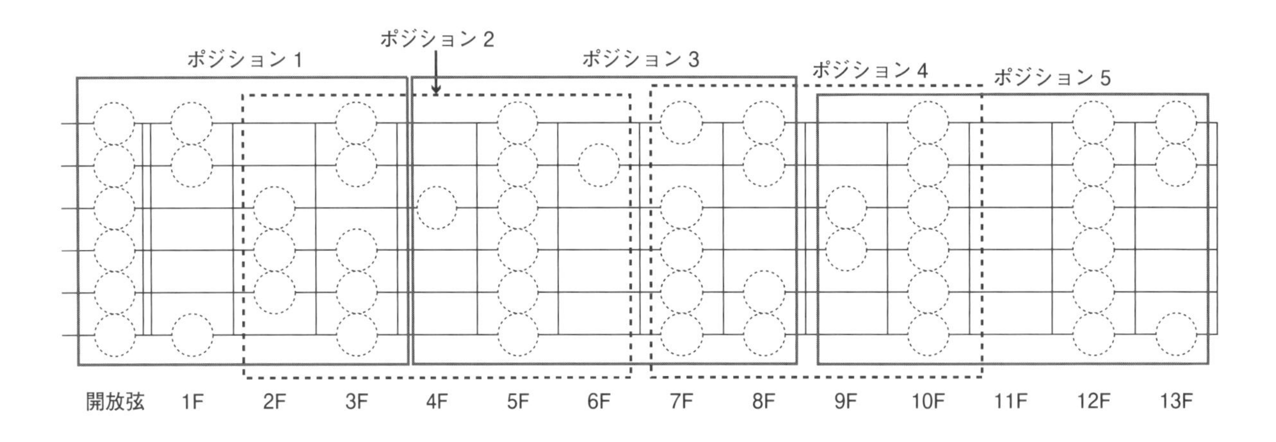


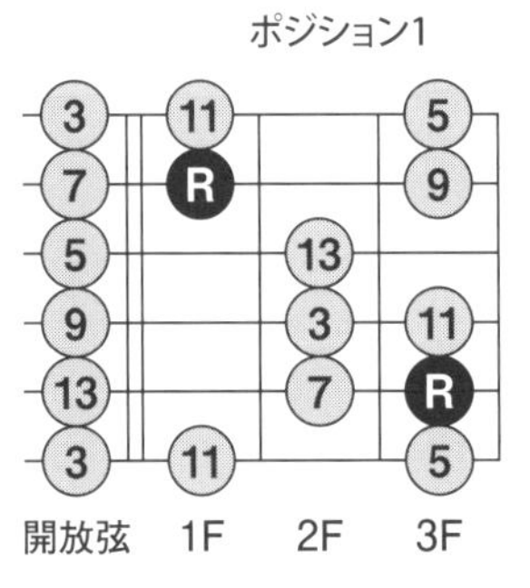


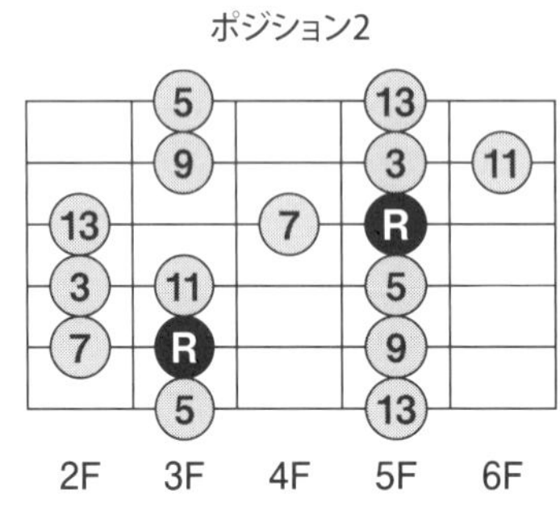


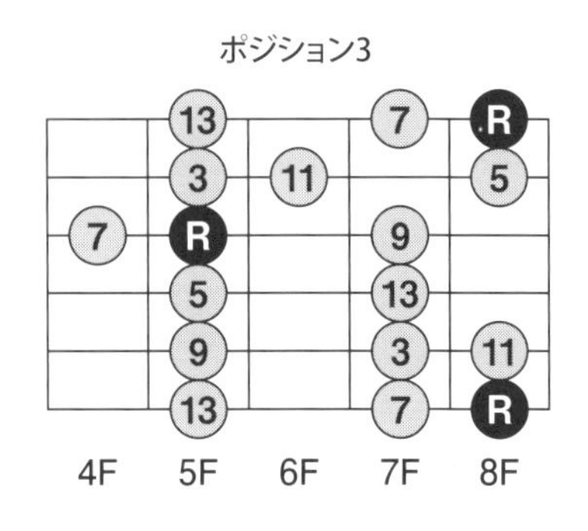


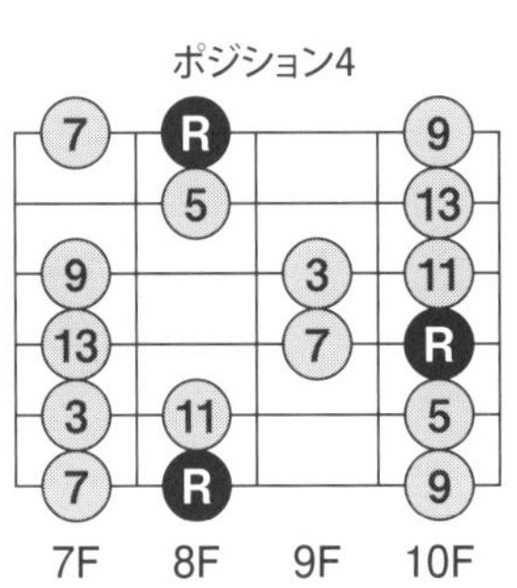


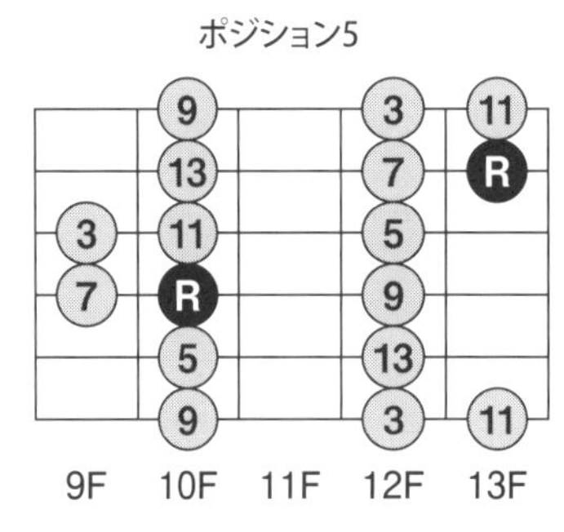

## ドリアン・スケール（Dドリアン・スケール）

メジャー・スケールとの関連を理解しながら整理しましょう。

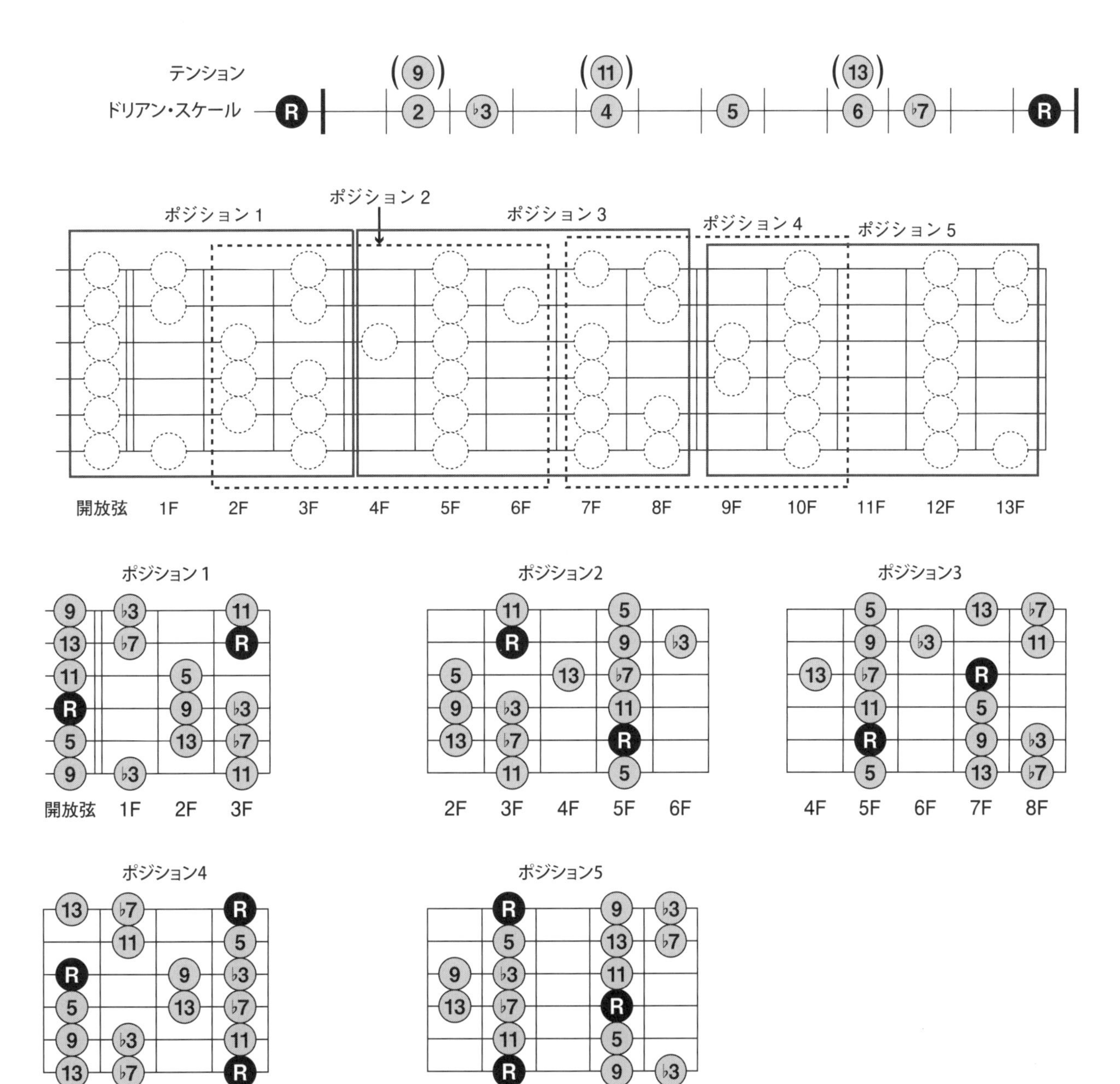


## ミクソリディアン・スケール（Gミクソリディアン・スケール）

メジャー・スケールやドリアン・スケールとの関連を理解しながら整理しましょう。

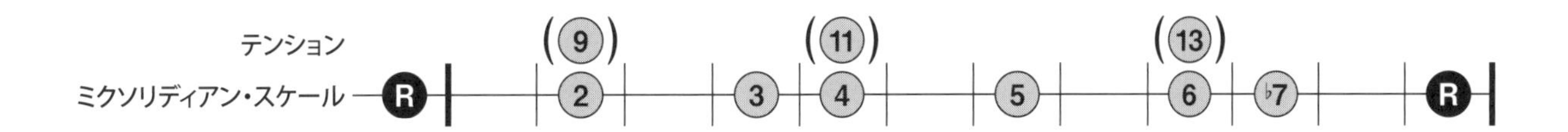

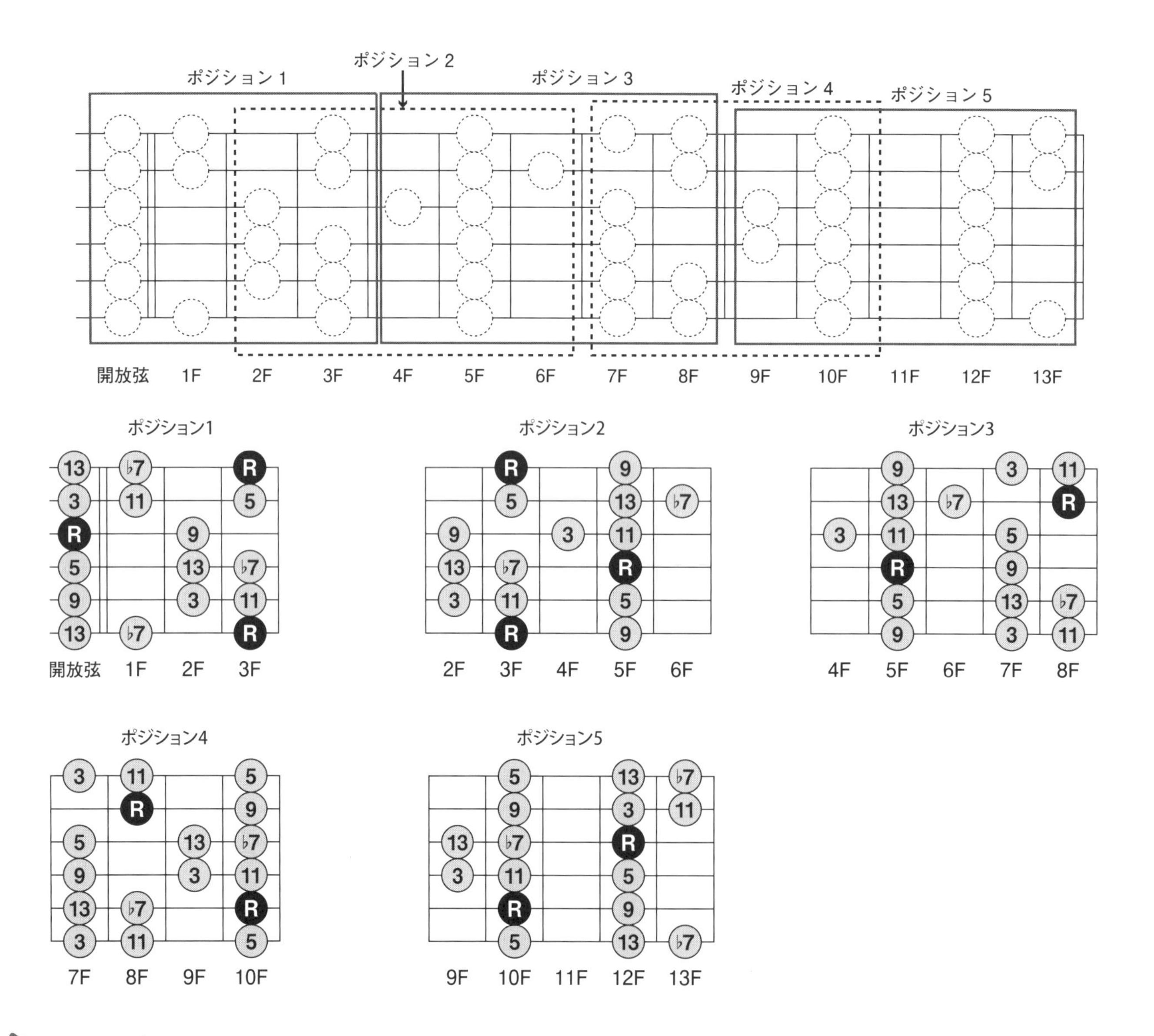


## メロディック・マイナー・スケール（Dメロディック・マイナー・スケール）

非常に有用度の高いスケールです。ドリアン・スケールやリディアン♭7スケール、オルタード・スケール等と関連付けながら整理するとよいでしょう。

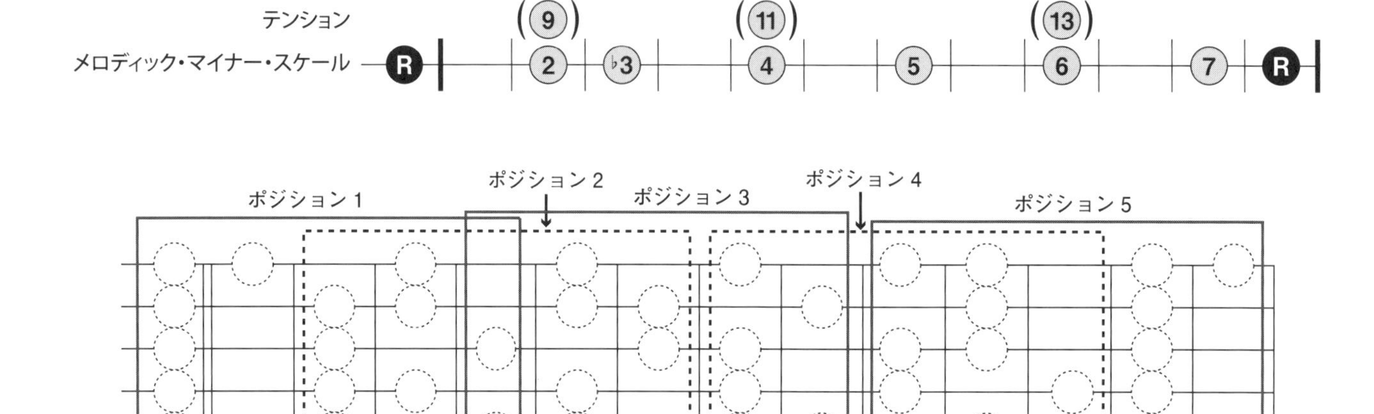

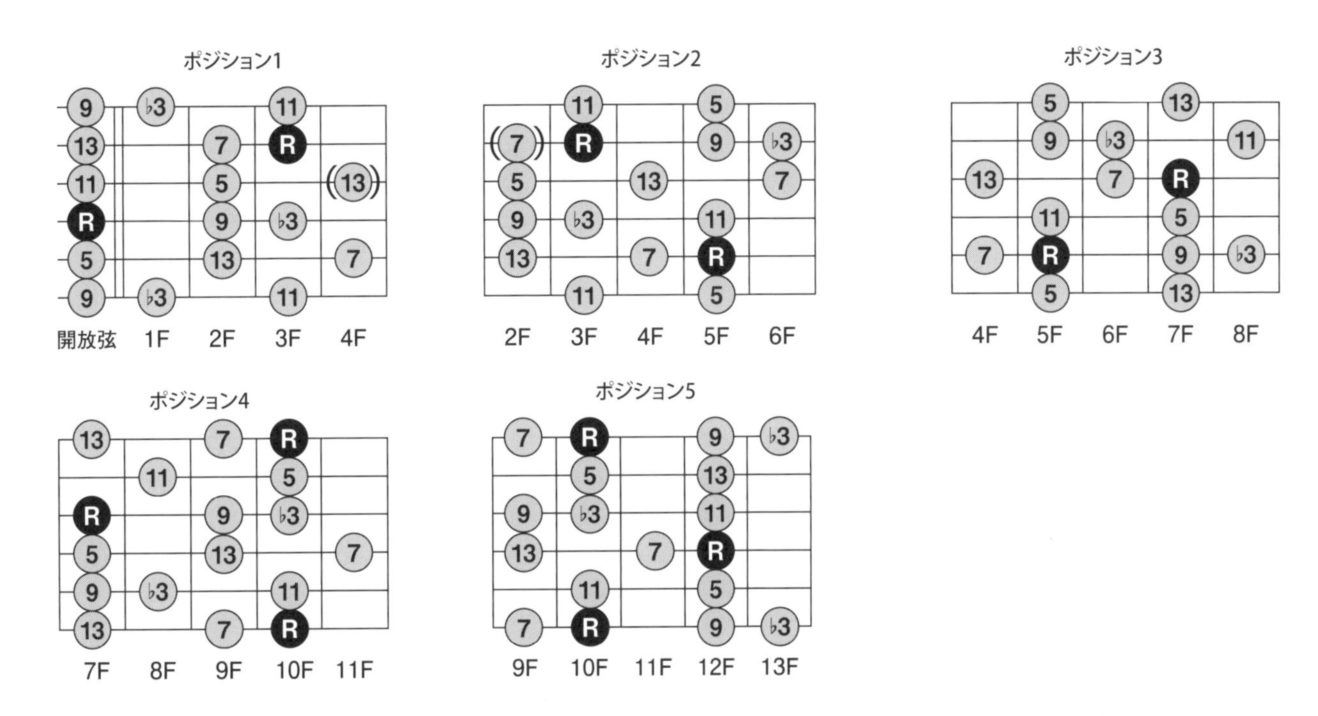


## ▶リディアン♭7スケール（Gリディアン♭7スケール）

ミクソリディアン・スケール、メロディック・マイナー・スケールやオルタード・スケール、ロクリアン#2スケールとの関連を理解しながら整理しましょう。

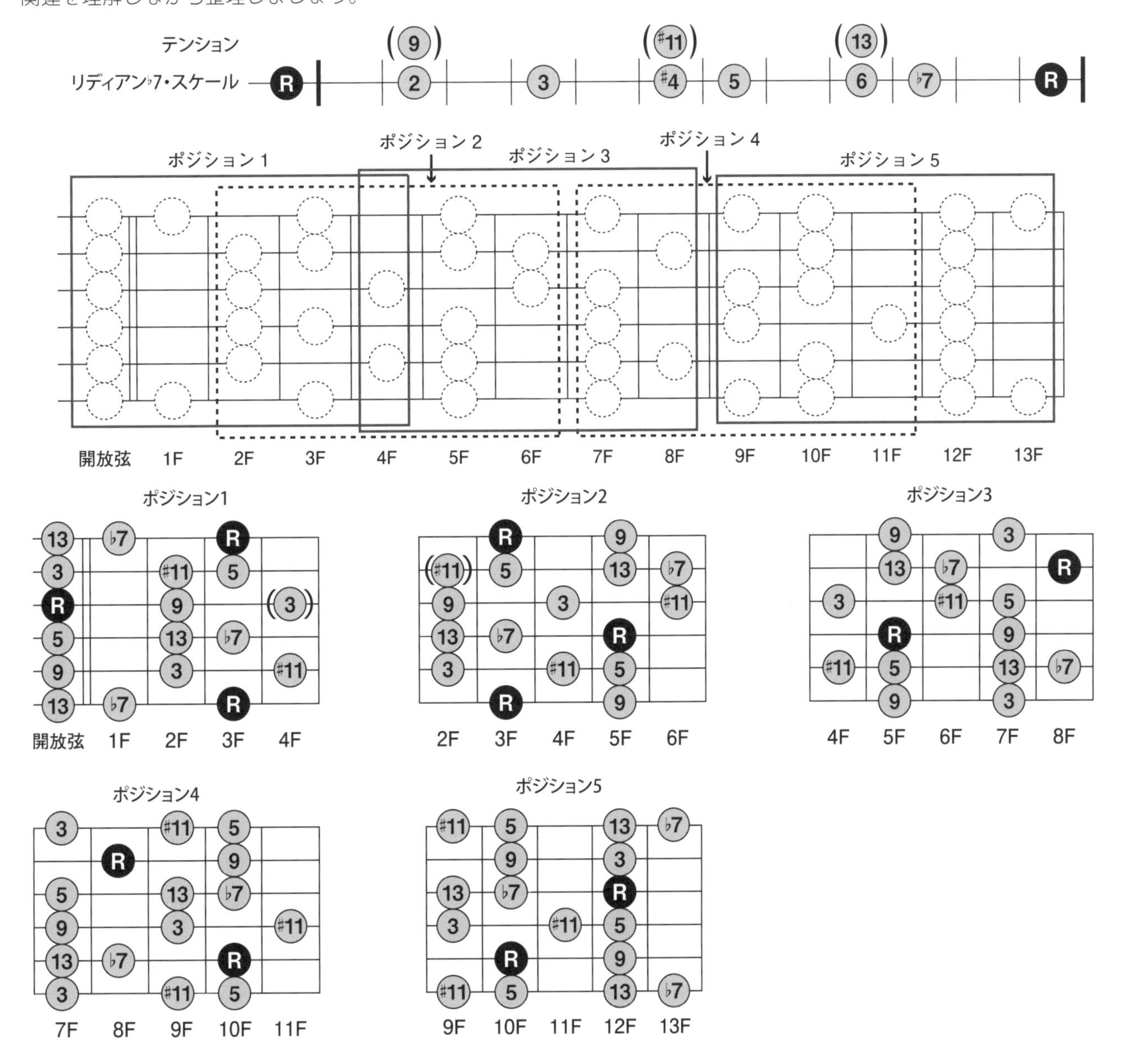

## ▶オルタード・スケール（Gオルタード・スケール）

メロディック・マイナー・スケールやオルタード・スケール、ロクリアン♯2スケールとの関連を理解しながら整理しましょう。また、ミクソリディアン・スケールとの位置関係も理解しておくことが重要です。

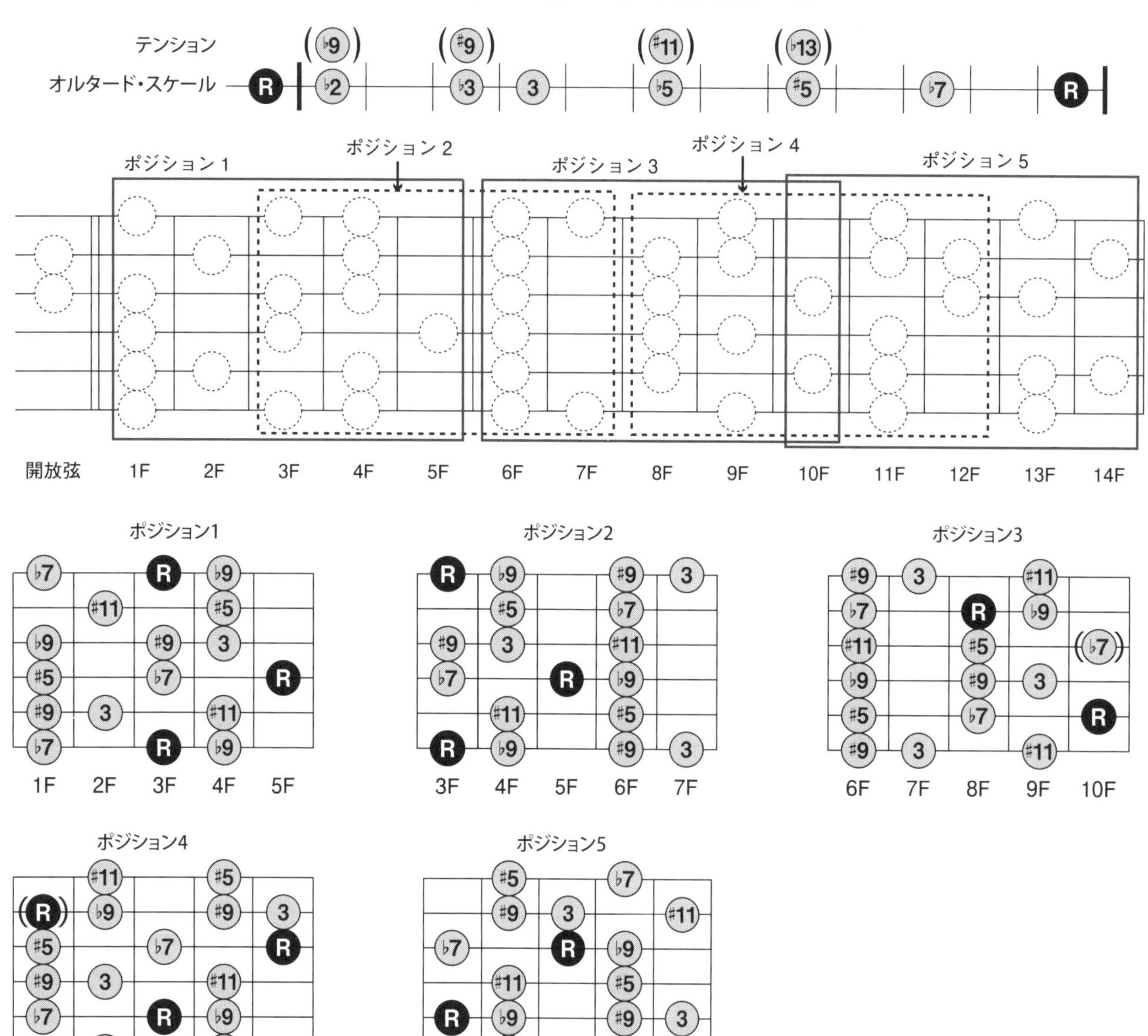


## ▶ハーモニック・マイナー P5↓スケール（Eハーモニック・マイナー P5↓スケール）

マイナー・キーのV7で使用されることの多い有用度の高いスケールです。4度下のロクリアン・スケールやロクリアン♯2スケールとの位置関係を理解しておきましょう。

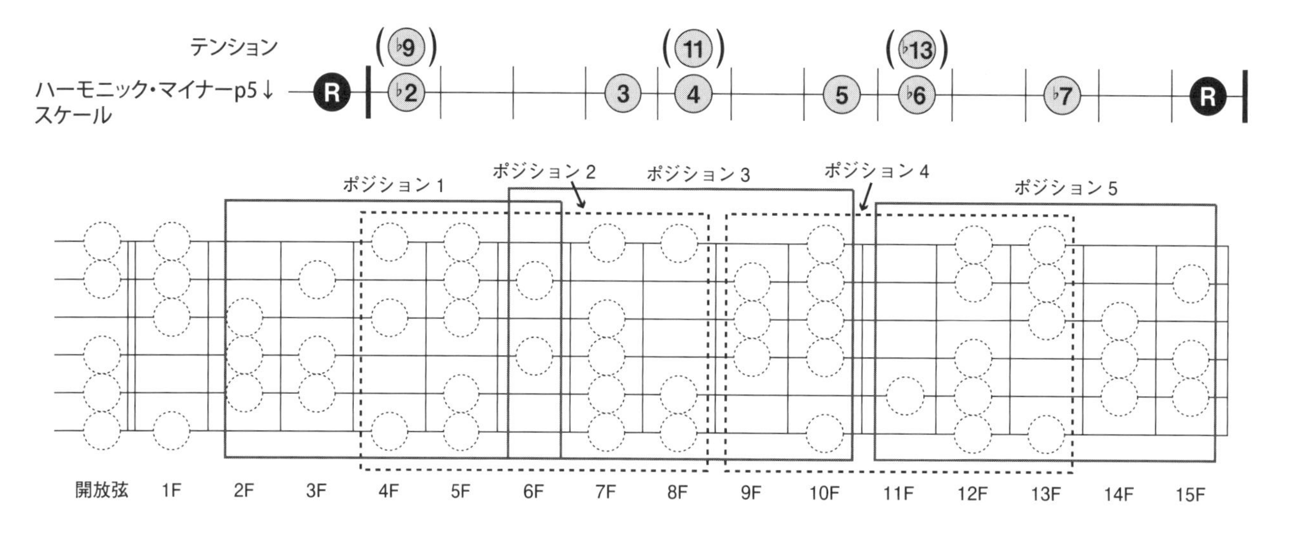

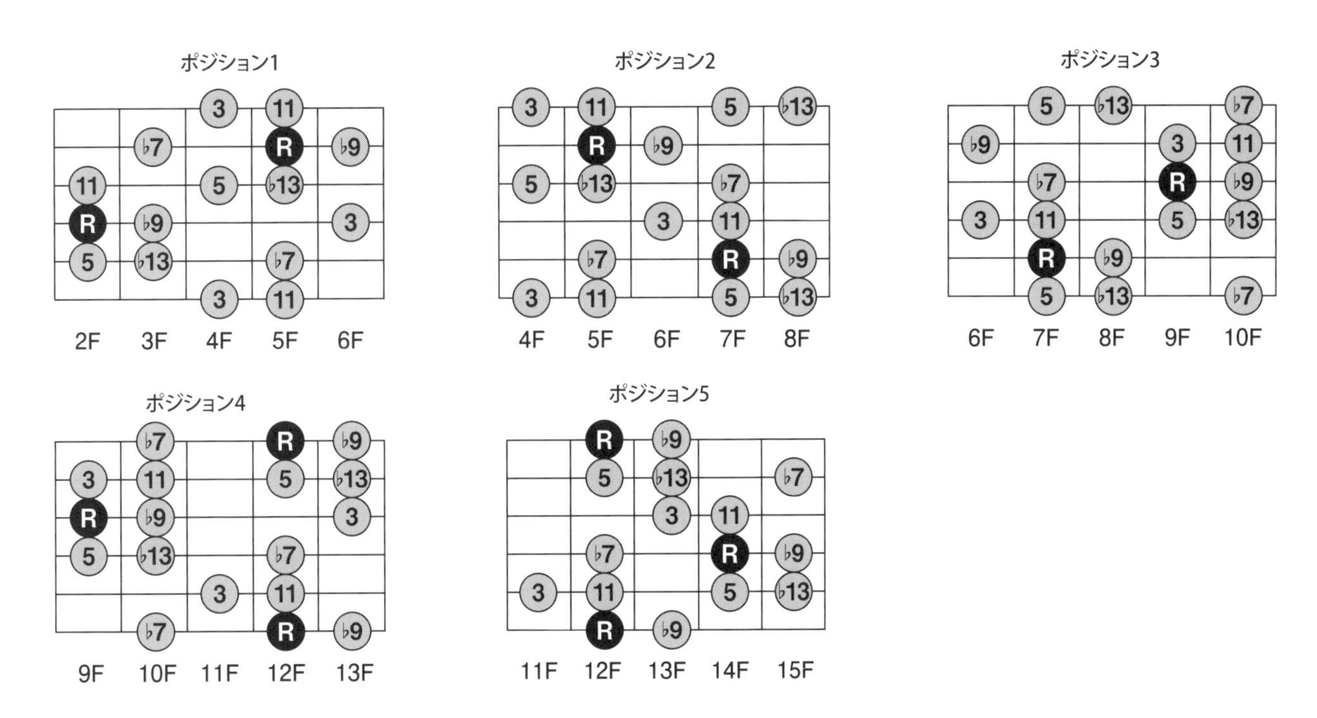


## ▶コンディミ(Gコンディミ) ※正式名称は、「コンビネーション・オブ・ディミニッシュ・スケール」

V7で使われる有用度の高いスケールです。ミクソリディアン・スケールやオルタードとの位置関係を理解しておきましょう。

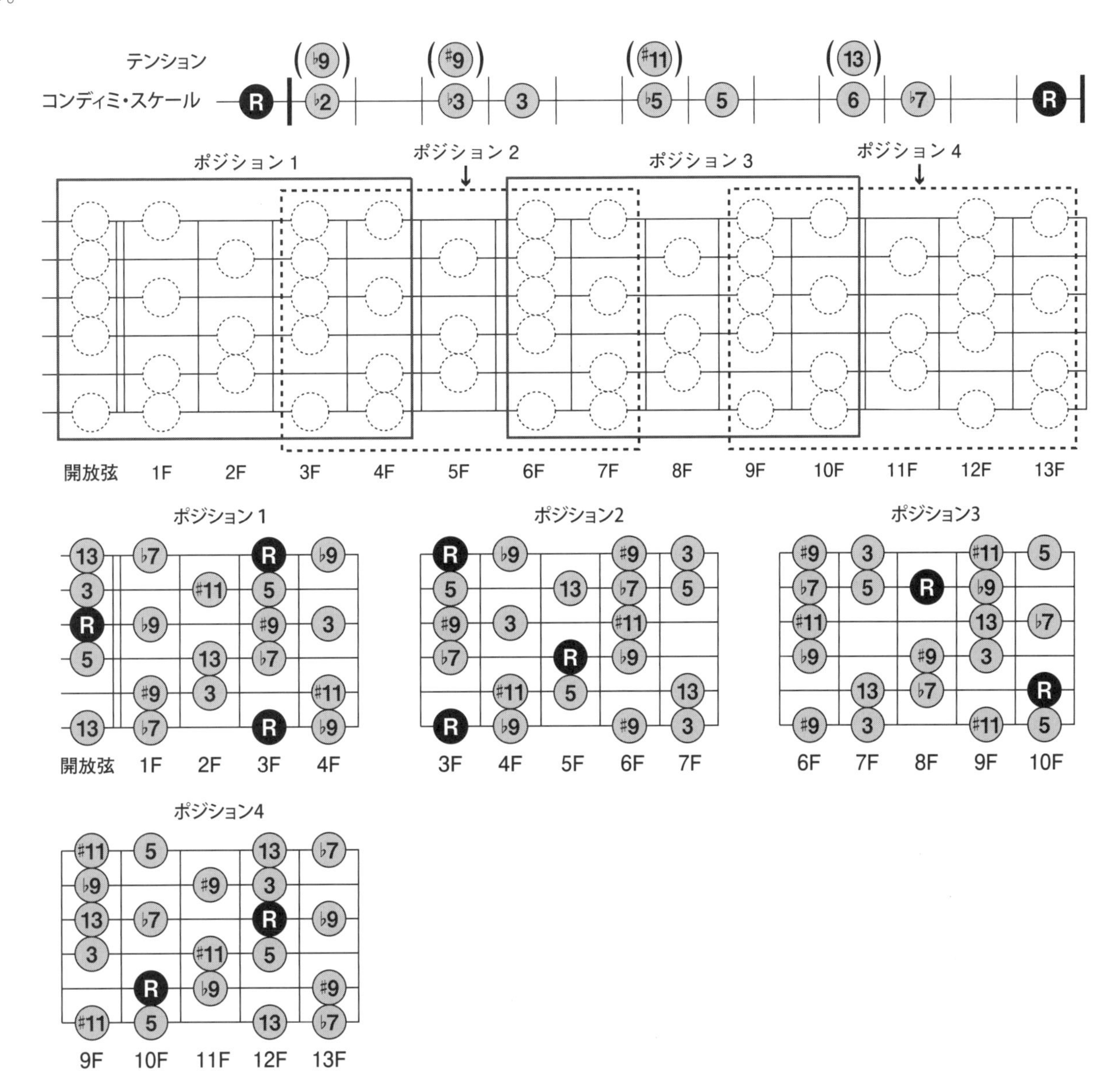

巻末資料

# ファンクション別 コード・フォームまとめ

## ファンクション別コード・フォームまとめ　ポジション1

Key=Cとして示しています。また、フォームは例示であり他にも押弦可能なコード・フォームは多数あります。

### ● トニック群「IM7、IIIm7、VIm7」

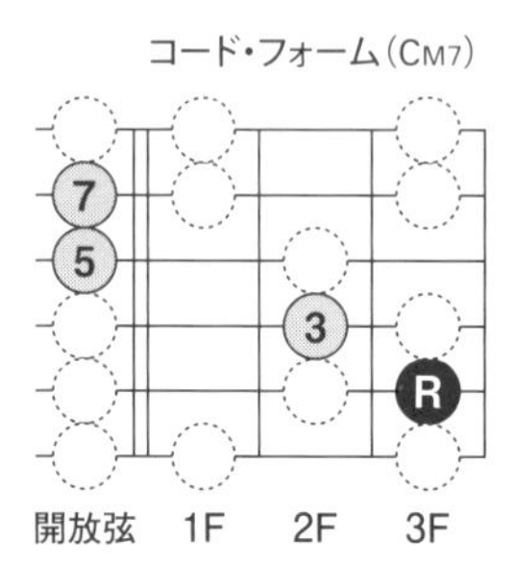


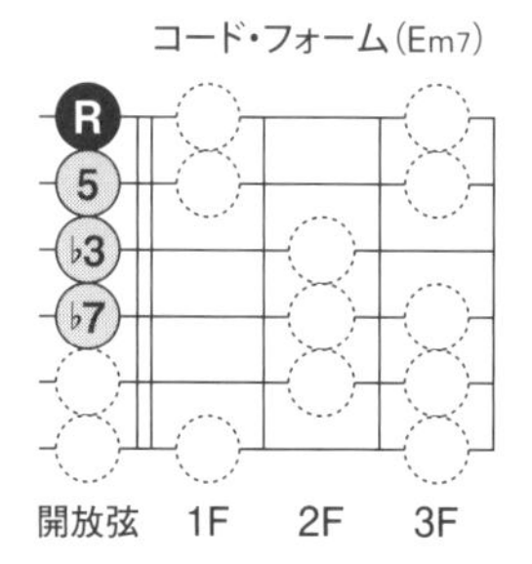


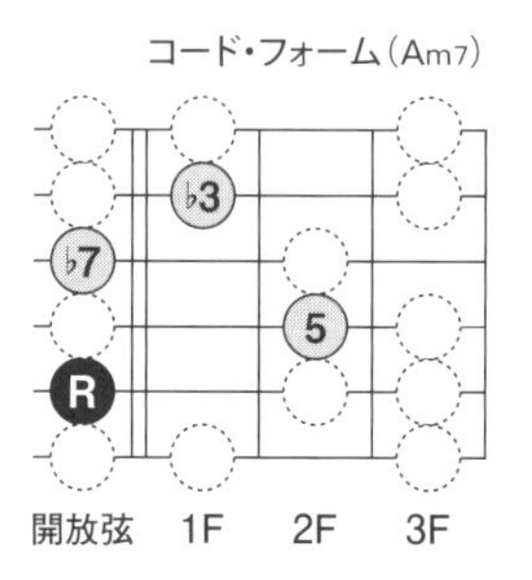


### ● サブドミナント群「IIm7、IVM7、(VIIm7(♭5))」

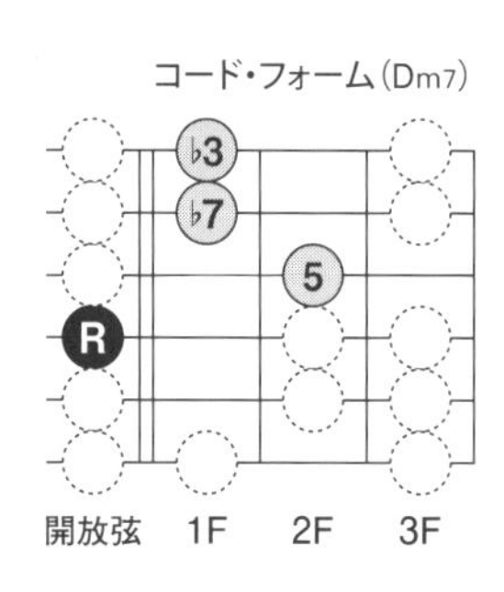


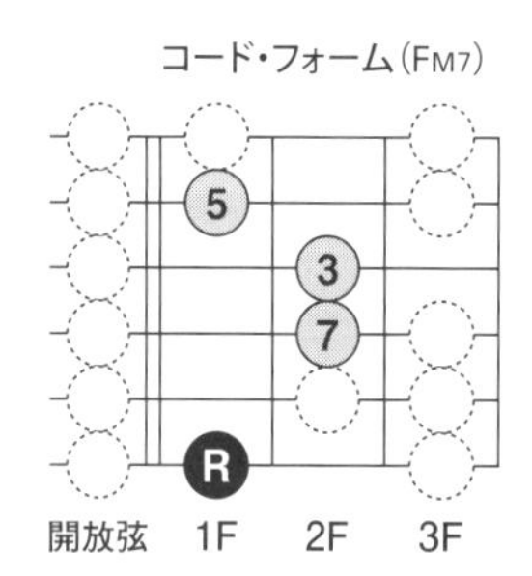


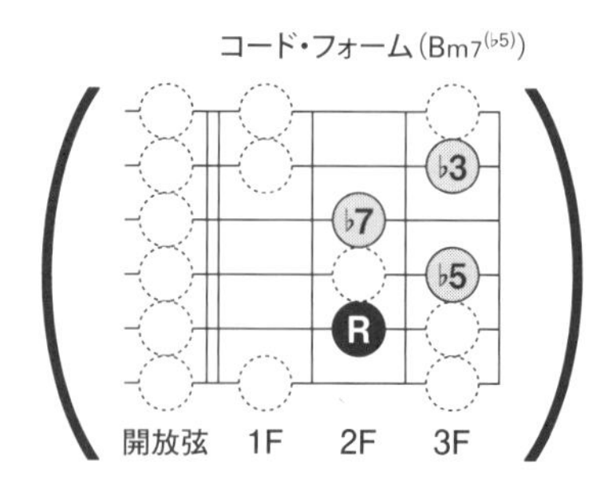


Bm7(♭5)はコードの機能としてはドミナントに分類されていますが、実際の演奏においてはサブドミナントと捉えて演奏することも多いと思われます。

### ● ドミナント群「V7、VIIm7(♭5)」

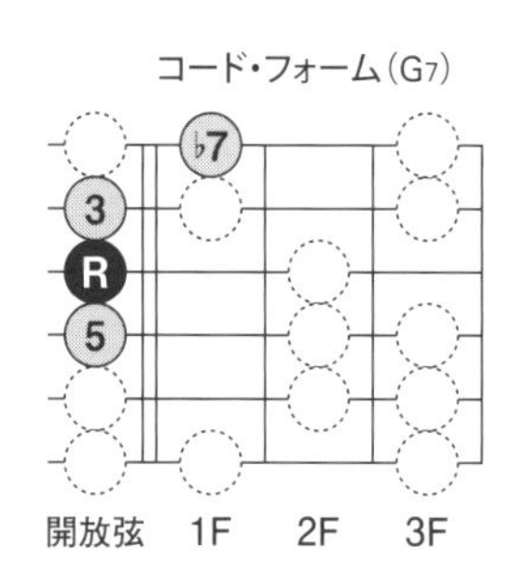


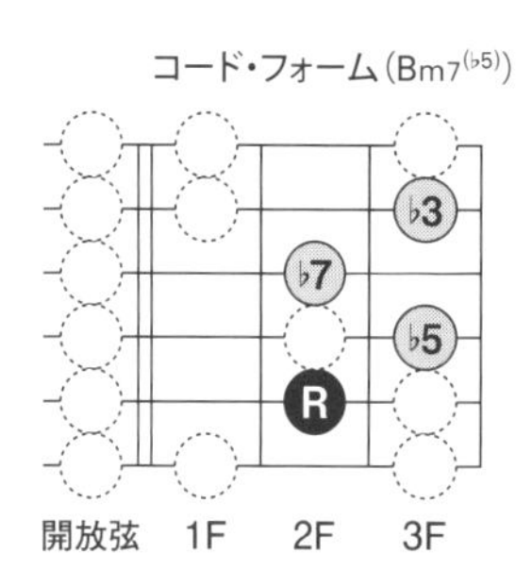

# ファンクション別コード・フォームまとめ　ポジション2

## ●トニック群「IM7、IIm7、VIm7」

コード・フォーム(CM7)

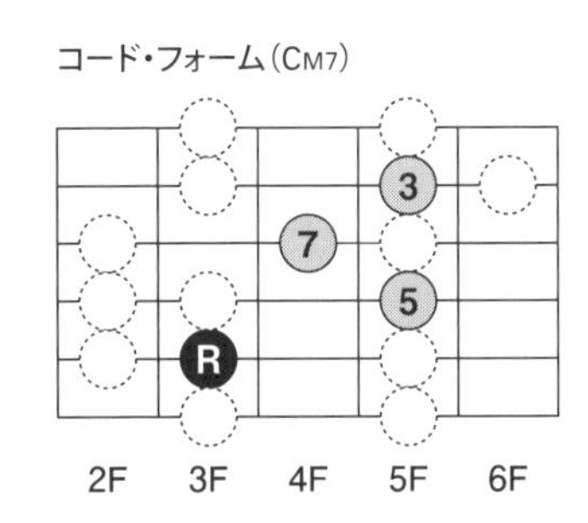


コード・フォーム(Em7)

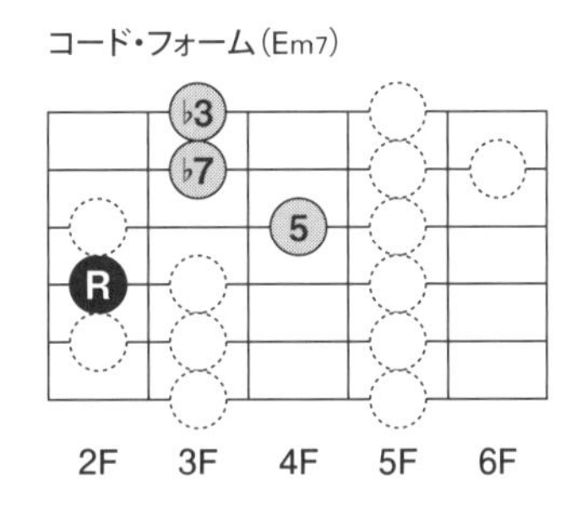


コード・フォーム(Am7)

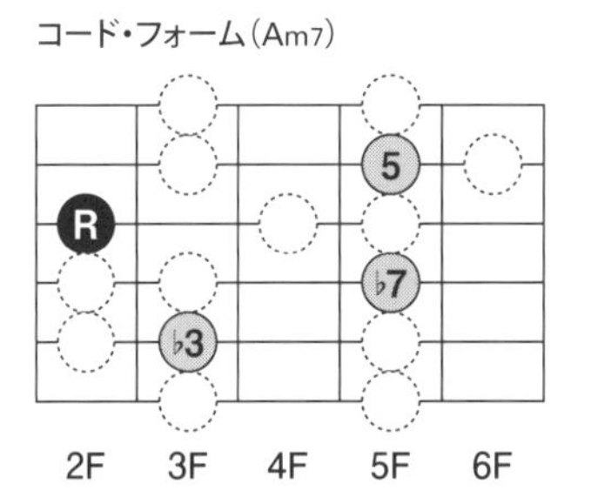


## ●サブドミナント群「IIm7、IVM7、(VIIm7$^{(\flat5)}$)」

コード・フォーム(Dm7)

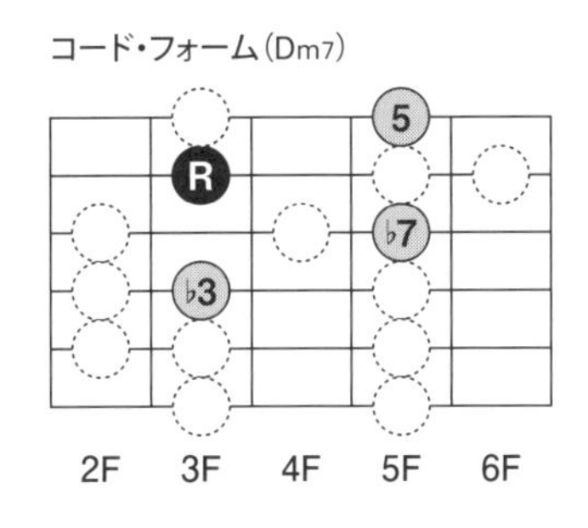


コード・フォーム(FM7)

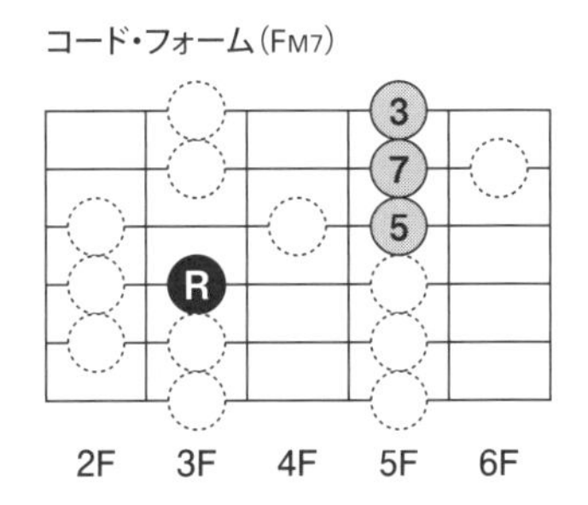


コード・フォーム(Bm7$^{(\flat5)}$)

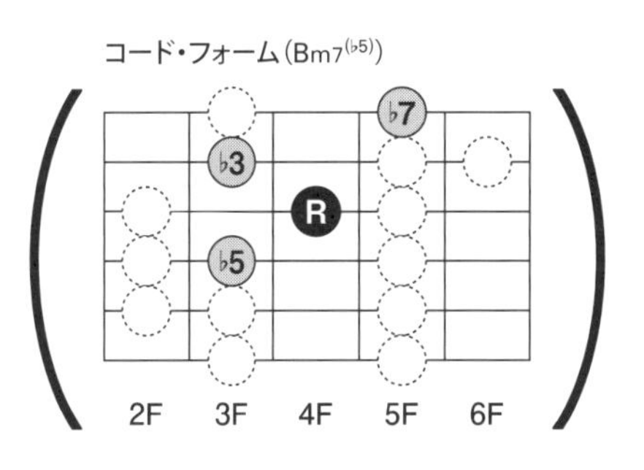


Bm7$^{(\flat5)}$はコードの機能としてはドミナントに分類されていますが、実際の演奏においてはサブドミナントと捉えて演奏することも多いと思われます。

## ●ドミナント群「V7、VIIm7$^{(\flat5)}$」

コード・フォーム(G7)

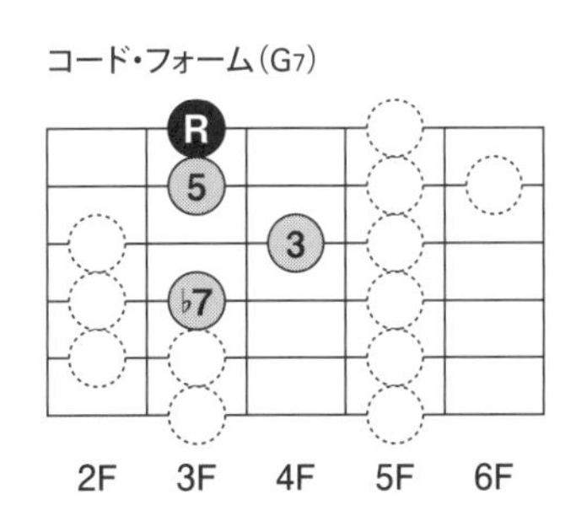


コード・フォーム(Bm7$^{(\flat5)}$)

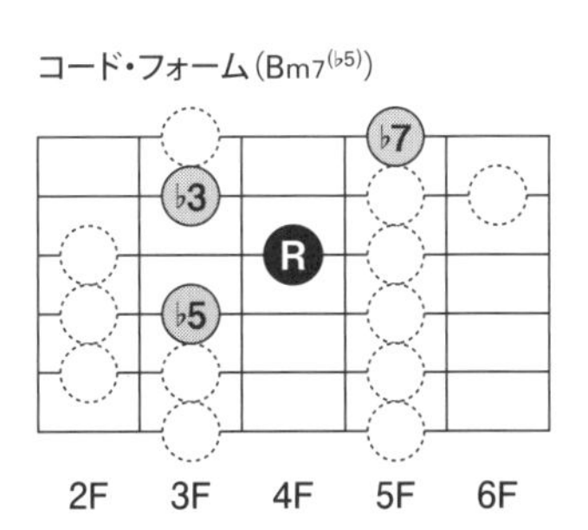


# ファンクション別コード・フォームまとめ　ポジション3

## ●トニック群「IM7、IIm7、VIm7」

コード・フォーム(CM7)

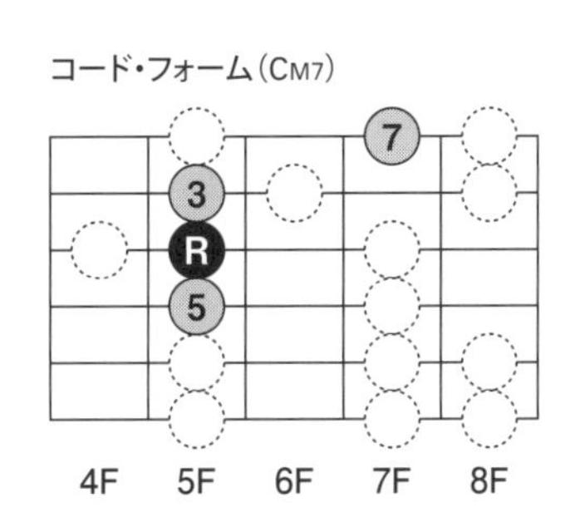


コード・フォーム(Em7)

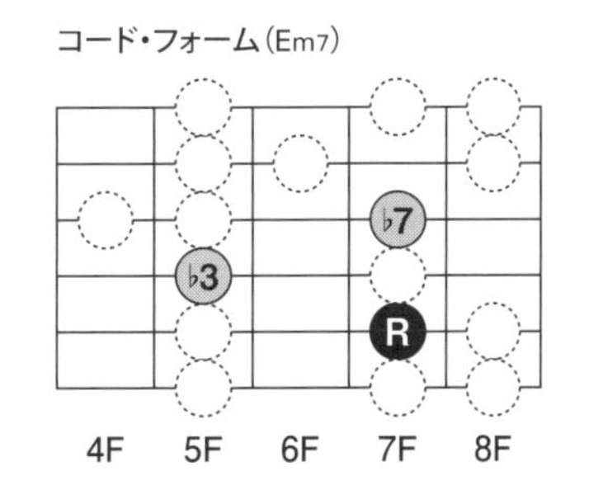


コード・フォーム(Am7)

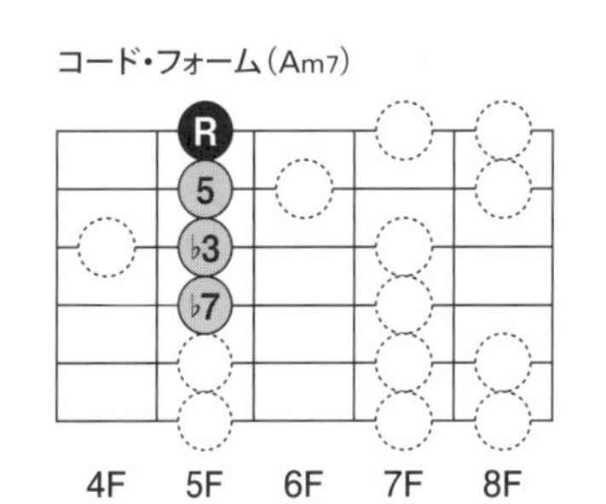

### ● サブドミナント群「IIm7、IVM7、(VIIm7$^{(\flat5)}$)」

コード・フォーム(Dm7)

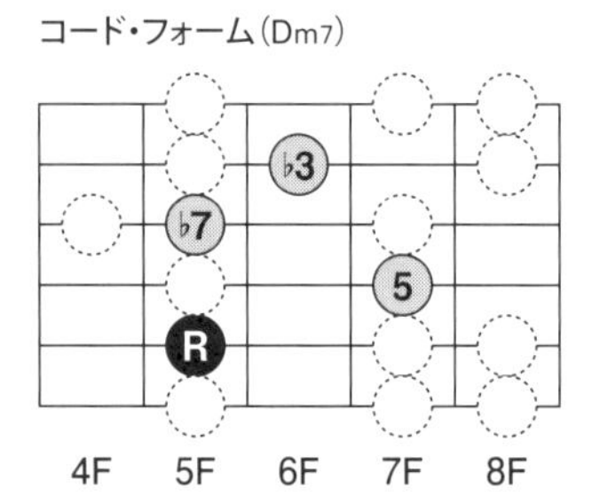


コード・フォーム(FM7)

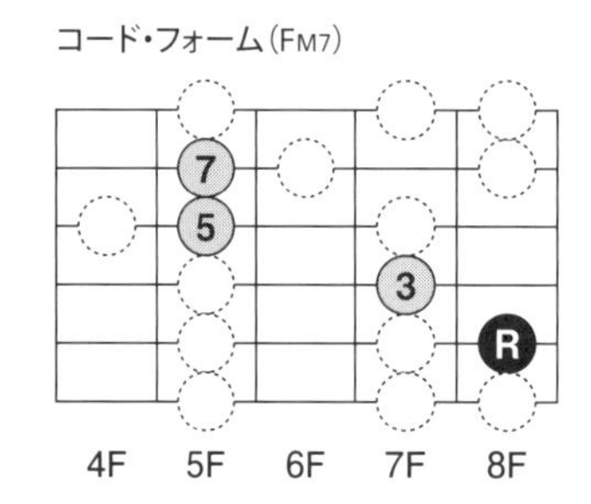


コード・フォーム(Bm7$^{(\flat5)}$)

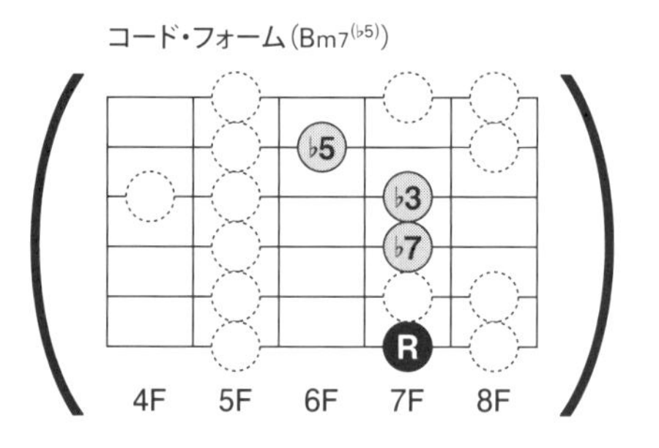


Bm7$^{(\flat5)}$はコードの機能としてはドミナントに分類されていますが、実際の演奏においてはサブドミナントと捉えて演奏することも多いと思われます。

### ● ドミナント群「V7、VIIm7$^{(\flat5)}$」

コード・フォーム(G7)

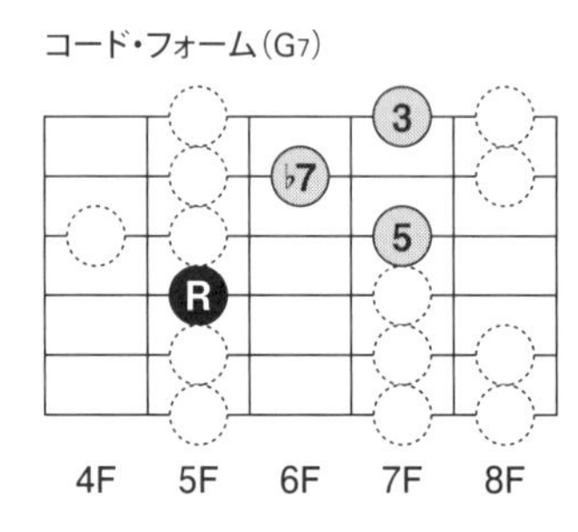


コード・フォーム(Bm7$^{(\flat5)}$)

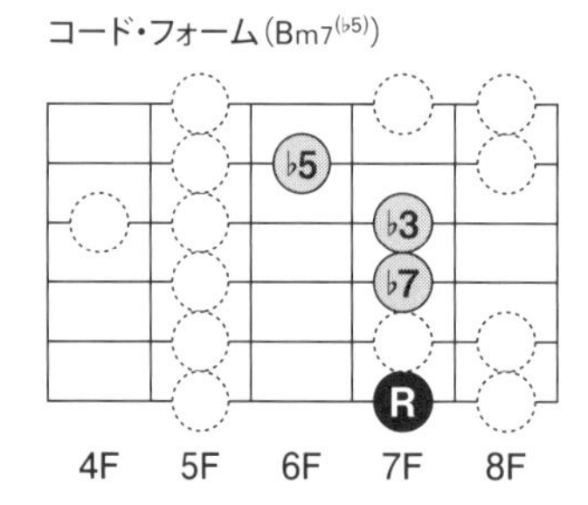


## ▶ファンクション別コード・フォームまとめ　ポジション4

### ● トニック群「IM7、IIIm7、VIm7」

コード・フォーム(CM7)

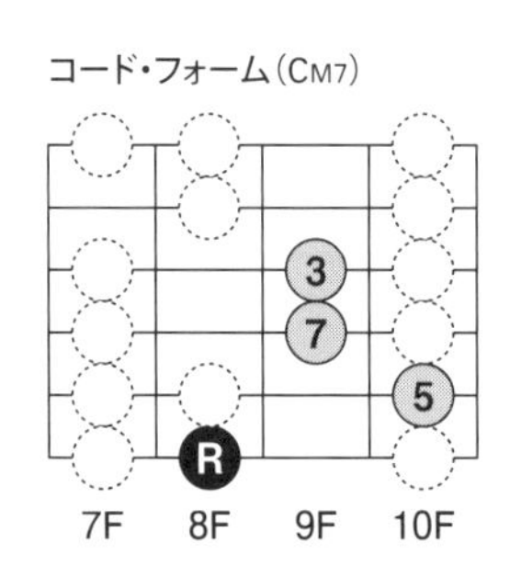


コード・フォーム(Em7)

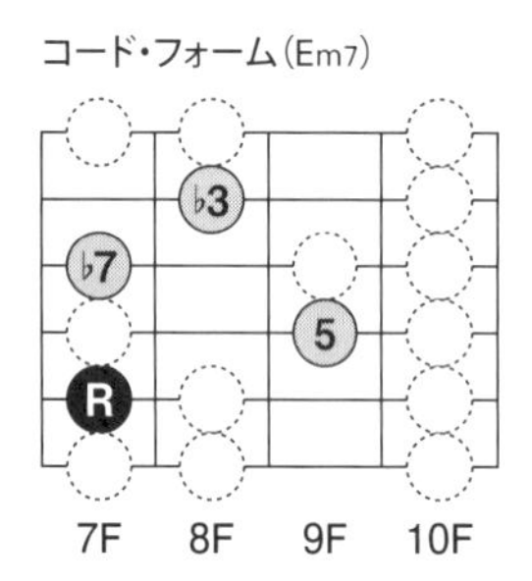


コード・フォーム(Am7)

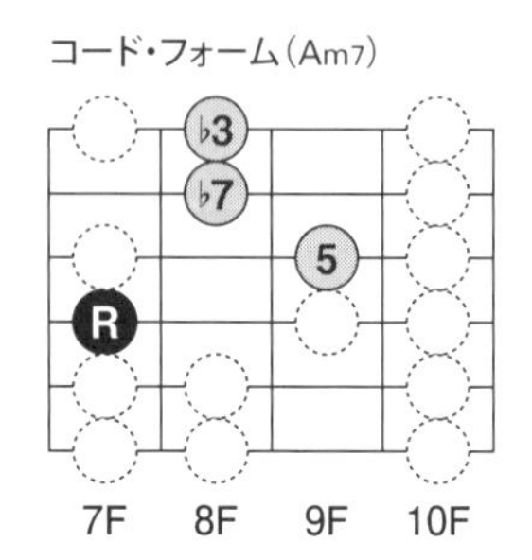


### ● サブドミナント群「IIm7、IVM7、(VIIm7$^{(\flat5)}$)」

コード・フォーム(Dm7)

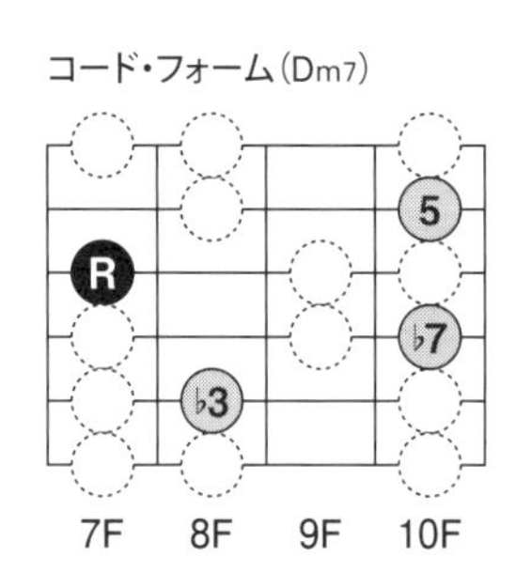


コード・フォーム(FM7)

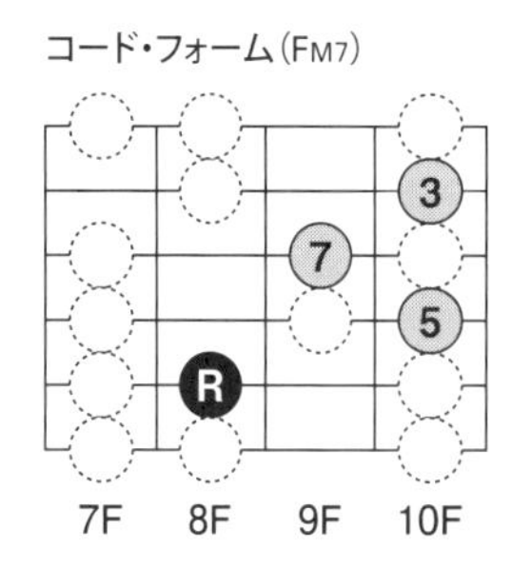


コード・フォーム(Bm7$^{(\flat5)}$)

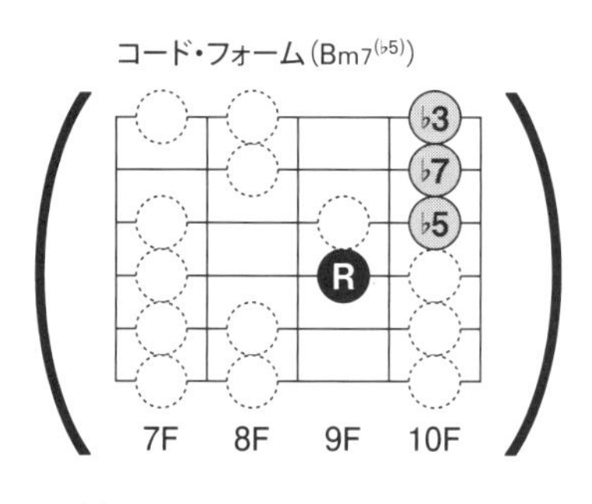


Bm7$^{(\flat5)}$はコードの機能としてはドミナントに分類されていますが、実際の演奏においてはサブドミナントと捉えて演奏することも多いと思われます。

### ● ドミナント群「V7、VIIm7$^{(\flat 5)}$」

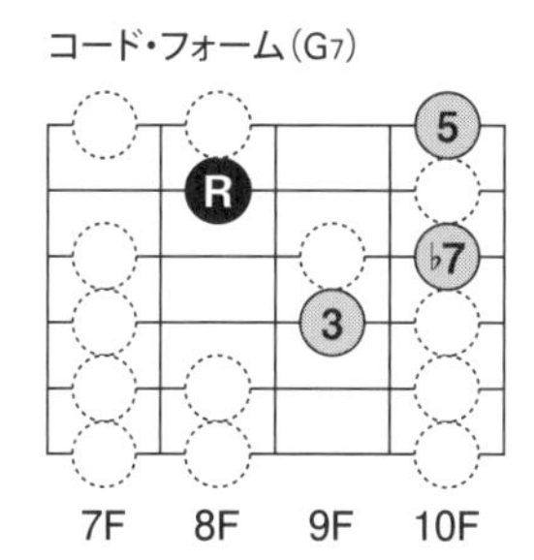


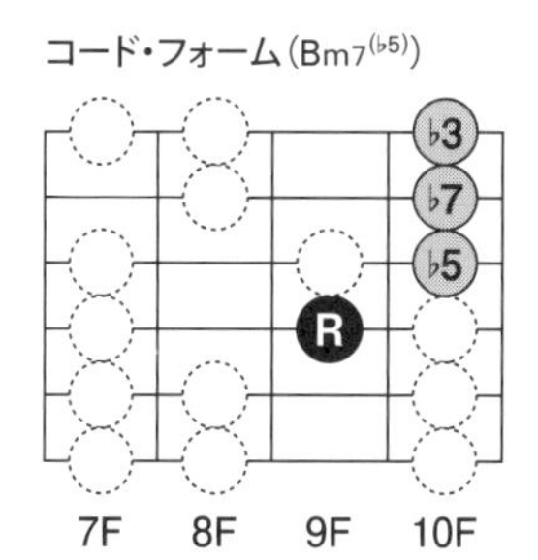


## ▶ファンクション別コード・フォームまとめ　ポジション5

### ● トニック群「IM7、IIIm7、VIm7」

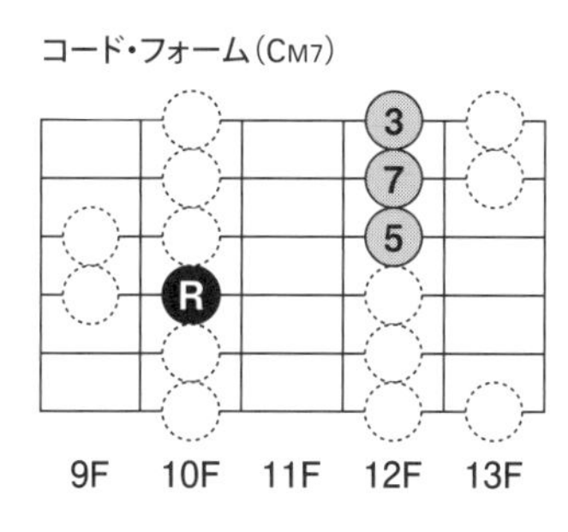


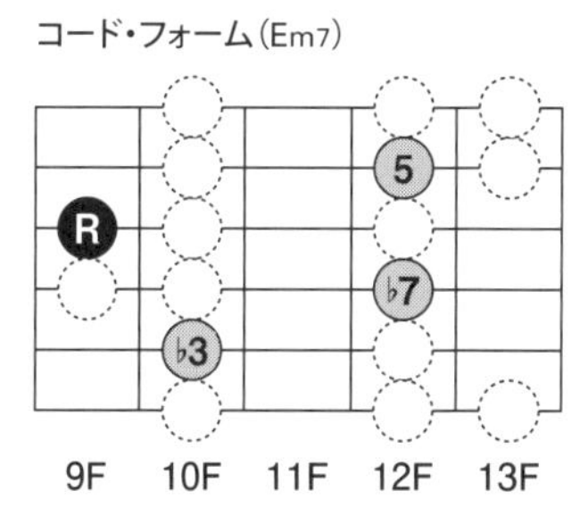


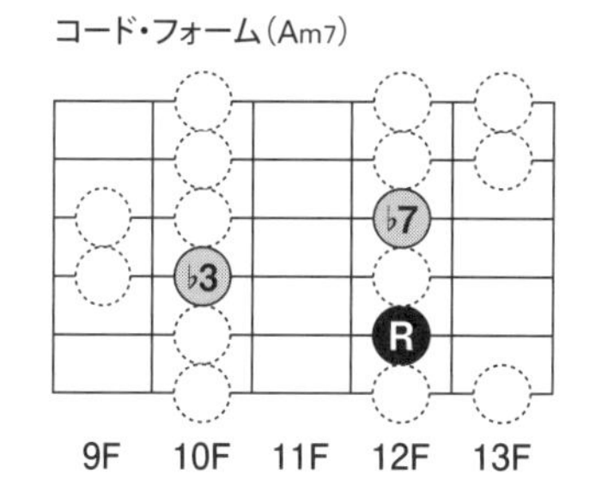


### ● サブドミナント群「IIm7、IVM7、(VIIm7$^{(\flat 5)}$)」

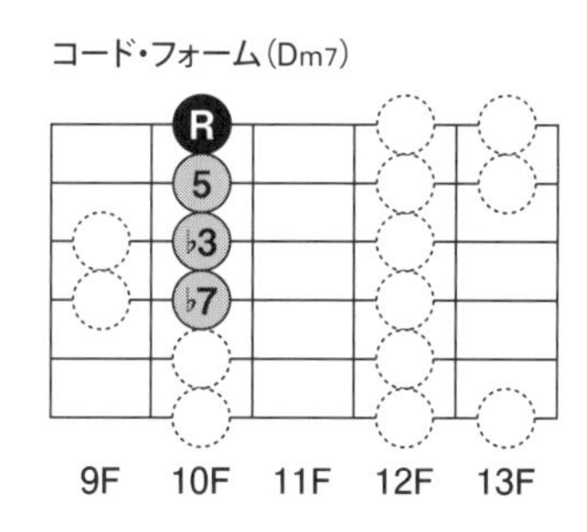


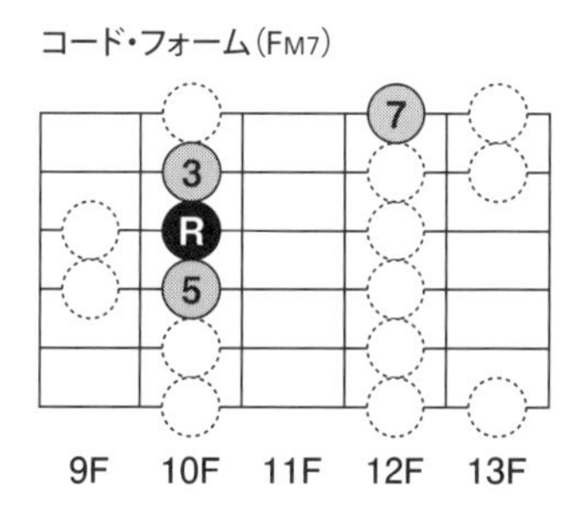


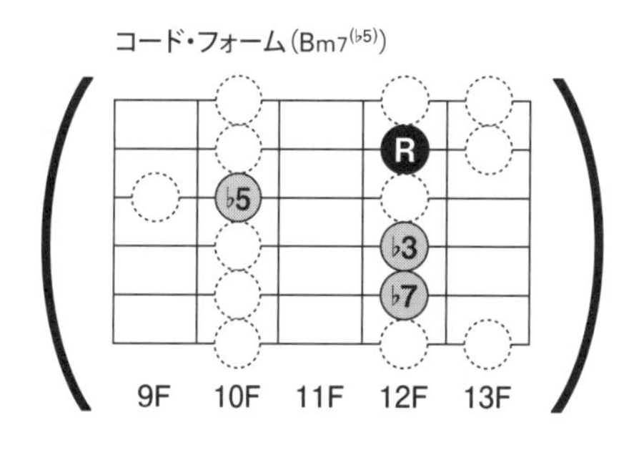


Bm7$^{(\flat 5)}$はコードの機能としてはドミナントに分類されていますが、実際の演奏においてはサブドミナントと捉えて演奏することも多いと思われます。

### ● ドミナント群「V7、VIIm7$^{(\flat 5)}$」

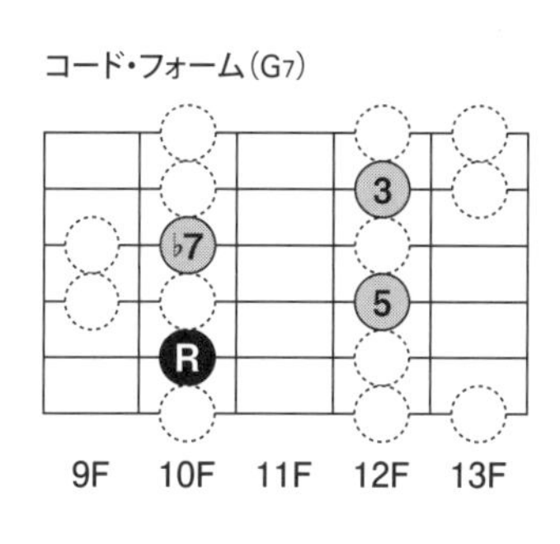


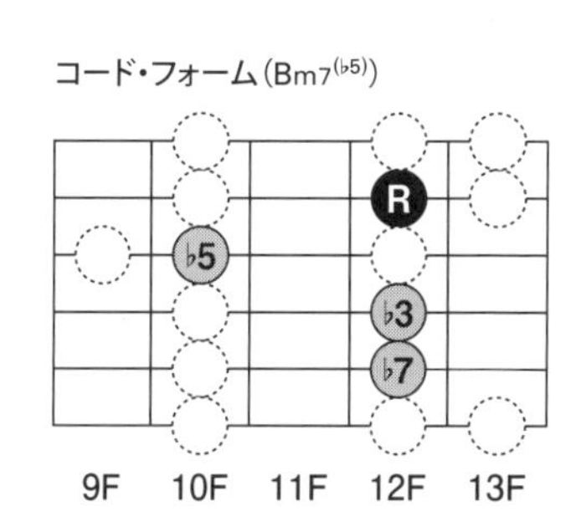

## ◆ あとがき

さて、いかがだったでしょうか。ジャズのフレーズは単語や慣用句にあたるある種のモチーフや短いフレーズを組み合わせることによってできる一種の言語のようなものです。

本書では学習の助けになるよう、できる限りそれぞれのフレーズについて使用されているアルペジオやスケールについて、いわば文法的な解説を試みています。しかしながら、例えば通常の日本語の日常会話でも文法的に説明しにくいようなスラングや、崩した口語が頻繁に使われるのと同様、ジャズのフレーズについても理論に合致しないようなフレーズもたくさん出てきます。

ジャズをマスターすることは、ある意味母国語ではない外国語をマスターするようなものといえるでしょう。ジャズネイティブでない私たちがジャズという言語を理解し、自由に演奏できるようになるには理論的な説明や文法の学習は避けて通れないものではありますが、最終的にはそれを越えて文法を気にすることなくスラングや造語も交えながら自由に演奏できることが目標です。そのためには、たくさんの試行錯誤と失敗を重ねながら、普段の会話と同じように文法等を考えなくても弾けるよう、実際の演奏の中で自然なフレージングの仕方を身につけていくことが必要になります。

本書で取り上げたビバップのフレーズは現代のジャズでも共通言語として生きているものですが、最近のコンテンポラリー系のミュージシャンによる演奏では、これら過去のビバップのフレーズや解釈をさらに超える新しいフレーズや解釈等、いわば「ビヨンド・バップ」と呼ばれるような試みが日々行われ、新しい言語として創造されていることでしょう。

本書を読んでいただいた読者の皆様も、単に本書でとりあげたフレーズをコピーすることに留まらず、自分なりのフレーズを作り出していただく、そのための最初の一歩のきっかけになれば、筆者として望外の喜びです。

堀川大介

## ◆ 著者プロフィール

**堀川大介**（Daisuke Horikawa）

1974年生まれ。学生時代はロック・ギター等を演奏。
大学卒業後ジャズ・ギターを鈴木賢治氏、川崎巽也氏に師事。
現在は沖縄県内のライブハウス等にて、ジャズからロックまで幅広く演奏している。

## ◆ 演奏協力（付属CD）

**高尾英樹（ベース）**

山梨県出身沖縄在住。
大学時代にジャズと出会いウッドベースを手にする。以来、沖縄県内のライブハウスやイベント等に出演。
“Element of the moment”として台北国際ジャズフェスティバルや金沢ジャズストリート、JAZZ in 南城等に参加。また“琉球チムドン楽団”としてアメリカツアーや中国、台湾ツアー等で活躍。

**天久祐一（ピアノ）**

沖縄県出身。
17歳の時にジャズピアノを始める。高校卒業後に神戸の音楽学校に入学し、在学中より音楽活動を開始。
2014年より拠点を沖縄に移し、県内のライブハウス、カフェ等で演奏活動を展開中。

アドリブ演奏に役立つ！ **ビバップから学ぶジャズ・ギター** —— 定価（本体1800円＋税）

編著者――堀川大介（ほりかわだいすけ）
編集者――大塚信行
表紙デザイン――オングラフィクス
発行日――2023年2月28日
編集人――真崎利夫
発行人――竹村欣治
発売元――株式会社自由現代社
〒171-0033　東京都豊島区高田3-10-10-5F
TEL03-5291-6221/FAX03-5291-2886
振替口座 00110-5-45925

ホームページ――http://www.j-gendai.co.jp



ISBN978-4-7982-2588-3